LES CROIX DE BOIS

Paru dans Le Livre de Poche :

LE CABARET DE LA BELLE FEMME.
LE MARQUIS DE LA DÈCHE.

ROLAND DORGELÈS

de l'Académie Goncourt

Les Croix de bois

ALBIN MICHEL

I

FRÈRES D'ARMES

LES fleurs, à cette époque de l'année, étaient déjà rares ; pourtant on en avait trouvé pour décorer tous les fusils du renfort et, la clique en tête, entre deux haies muettes de curieux, le bataillon, fleuri comme un grand cimetière, avait traversé la ville à la débandade.

Avec des chants, des larmes, des rires, des querelles d'ivrognes, des adieux déchirants, ils s'étaient embarqués. Ils avaient roulé toute la nuit, avaient mangé leurs sardines et vidé les bidons à la lueur d'une misérable bougie, puis, las de brailler, ils s'étaient endormis, tassés les uns contre les autres, tête sur épaule, jambes mêlées.

Le jour les avait réveillés. Penchés aux portières, ils cherchèrent dans les villages, d'où montaient les fumées du petit matin, les traces des derniers combats. On se hélait de wagon à wagon.

— Tu parles d'une guerre, même pas un clocher de démoli !

Puis, les maisons ouvrirent les yeux, les chemins s'animèrent, et retrouvant de la voix pour hurler des galanteries, ils jetèrent leurs fleurs fanées aux femmes qui attendaient, sur le môle des gares, le retour improbable de leurs maris partis. Aux haltes, ils se vidaient et faisaient le plein des bidons. Et vers dix heures, ils débarquaient enfin à Dormans, hébétés et moulus.

Après une pause d'une heure pour la soupe, ils s'en allèrent par la route, — sans clique, sans fleurs, sans mouchoirs agités, — et arrivèrent au village où notre régiment était au repos, tout près des lignes.

Là, on en tint comme une grande foire, leur troupeau fatigué fut partagé en petits groupes — un par compagnie — et les fourriers désignèrent rapidement à chacun une section, une escouade, qu'ils durent chercher de ferme en ferme, comme des chemineaux sans gîte, lisant sur chaque porte les grands numéros blancs tracés à la craie.

Bréval, le caporal, qui sortait de l'épicerie, trouva les trois nôtres comme ils traînaient dans la rue, écrasés sous le sac trop chargé où brillaient insolemment des ustensiles de campement tout neufs.

— Troisième compagnie, cinquième escouade ? C'est moi le cabot. Venez, on est cantonné au bout du patelin.

Quand ils entrèrent dans la cour, ce fut Fouillard, le cuisinier, qui donna l'alerte.

— Hé ! les gars, v'là le renfort.

Et ayant jeté, devant les moellons noirs de son foyer rustique, la brassée de papier qu'il venait de remonter de la cave, il examina les nouveaux camarades.

— Tu t'es pas fait voler, dit-il sentencieusement à Bréval. Ils sont beaux comme neufs.

Nous nous étions tous levés et entourions d'un cercle curieux les trois soldats ahuris. Ils nous regardaient et nous les regardions sans rien dire. Ils venaient de l'arrière, ils venaient des villes. La veille encore ils marchaient dans des rues, ils voyaient des femmes, des tramways, des boutiques ; hier encore ils vivaient comme des hommes. Et nous les examinions émerveillés, envieux, comme des voyageurs débarquant des pays fabuleux.

— Alors, les gars, ils ne s'en font pas là-bas ?

— Et ce vieux Paname, questionna Vairon, qu'est-ce qu'on y fout ?

Eux aussi nous dévisageaient, comme s'ils étaient tombés chez les sauvages. Tout devait les étonner à cette première rencontre ; nos visages cuits, nos tenues disparates, le bonnet de fausse loutre du père Hamel, le fichu blanc crasseux que Fouillard se nouait autour du cou, le pantalon de Vairon cuirassé de graisse, la pèlerine de Lagny, l'agent de liaison, qui avait cousu un col d'astrakan sur un capuchon de zouave, ceux-ci en veste de biffin, ceux-là en tunique d'artilleur, tout le monde accoutré à sa façon ; le gros Bouffioux, qui portait sa plaque d'identité à son képi, comme Louis XI portait ses médailles, un mitrailleur avec son épaulière de métal et son gantelet de fer qui le faisaient ressembler à un homme d'armes de Crécy, le petit Belin, coiffé d'un vieux calot de dragon enfoncé jusqu'aux oreilles, et Broucke, "le gars de ch'Nord" qui s'était taillé des molletières dans des rideaux de reps vert.

Seul Sulphart, par dignité, était resté à l'écart, juché sur un tonneau, où il épluchait des patates, avec l'air digne et absorbé qu'il prenait pour accomplir les actes les plus simples de l'existence. Grattant sa barbe de crin roux, il tourna négligemment la tête et regarda avec une indifférence affectée un des trois nouveaux, un jeune à l'air maussade, imberbe ou rasé, on ne savait pas, coiffé d'un beau képi de fantaisie et chargé d'une large musette de moleskine blanche.

— Il est tout bath, avec sa petite casquette à manger du mou, railla d'abord Sulphart à mi-voix.

Puis, comme l'autre déposait son barda, il découvrit la musette. Alors, il éclata.

— Hé vieux ! cria-t-il c'est exprès pour monter

aux tranchées que tu t'es fait tailler ta gibecière ? Si des fois t'avais peur que les Boches ne te repèrent pas assez, tu pourrais peut-être emporter un petit drapeau et jouer de la trompette.

Le nouveau s'était redressé, vexé, un pli barrant son petit front têtu. Mais, tout de suite déconcerté nancé par l'attitude railleuse de l'ancien, il détourna la tête et rougit. Le rouquin se contenta de ce succès flatteur. Il descendit de son trône et, pour montrer qu'il ne songeait pas à s'acharner sur un copain irresponsable, il haussa ses critiques jusqu'à l'autorité militaire, dont tous les actes, suivant lui, étaient dictés par la sottise et le désir évident de molester le soldat.

— J'dis pas ça pour toi, tu sais pas encore. Mais les autres enfifrés qui vous font passer les gamelles à la pâte au sabre pour qu'elles reluisent mieux, tu crois qu'on devrait pas tous les fusiller... Ils trouvent qu'on ne se fait pas assez viser comme ça ?... Tu me refileras ta musette, tiens, j'te la noircirai au bouchon, et on passera vos bouteillons, vos galetouses et tout l'truc à la fumée de paille, y a pas meilleur.

Lemoine, qui ne quittait jamais Sulphart d'un pas, haussa lentement les épaules.

— Tu vas pas déjà abrutir ces mecs-là avec tes boniments à la graisse, lui reprocha-t-il de sa voix traînante. Laisse-les au moins débarquer.

Le nouveau à la musette blanche s'était assis sur une brouette. Il semblait épuisé. La sueur, en rigoles noires, avait tracé des accolades de ses tempes au bas de ses joues. Il déroula ses molletières, mais n'osa pas retirer ses chaussures, de beaux brodequins de chasse aux semelles débordantes.

— J'ai le talon tout écorché, me dit-il. Je dois avoir le pied en sang. Je suis tellement chargé.

Lemoine soupesa son sac.

— Ce qu'il est lourd, fit-il. Qu'est-ce que tu as pu foutre là-dedans... Tu y as mis des pavés ?

— Juste ce qu'on m'avait dit.

— C'est les cartouches qui pèsent, intervint le caporal... Ils vous en ont donné combien ?

— Deux cent cinquante... Mais je ne les ai pas dans mon sac.

— Où ça alors ?

— Dans ma musette. Vous comprenez, j'aime mieux ça. Si tout d'un coup on était attaqués.

— Attaqués ?

Les autres le regardèrent, étonnés. Puis, tous ensemble partirent à rire, d'un rire énorme qu'ils forçaient encore, étouffant, gesticulant, échangeant de lourdes claques sur les épaules comme des caresses de battoirs.

— Attaqués, qu'il dit... Tu parles d'un mec qui s'en ressent.

— Mais non, il a les foies...

— Attaqués, qu'il dit.. Au fou... Lâchez les chiens !

Cette candeur inouïe nous faisait rire jusqu'à la suffocation. Le père Hamel en pleurait. Fouillard, lui, ne riait pas. Il haussait les épaules, tout de suite hostile, regardant déjà de travers ce soldat trop propre qui parlait poliment.

— Un gars aux sous qui veut nous en mettre plein la vue, dit-il à Sulphart.

Le rouquin, uniquement préoccupé de parler plus que les autres, considérait le nouveau avec compassion.

— Mais, mon pauvre gars, lui dit-il, tu ne crois pas qu'on se bat comme ça ; c'était bon le premier mois. On ne se bat plus maintenant. Tu ne te battras peut-être jamais.

— Sûrement, approuva Lemoine, tu ne te battras pas, mais t'en baveras tout de même.

— Tu n'tirero jamais un coup de fusil, prophétisa Broucke, le "ch'timi" aux yeux d'enfant.

Le nouveau ne répliqua rien, pensant sans doute que les anciens cherchaient à l'épater. Mais l'oreille tendue, sans entendre Sulphart discourir, il écoutait le canon qui ébranlait le ciel à grands coups de bélier, et il aurait voulu être déjà là-bas, de l'autre côté des coteaux bleus, dans la plaine inconnue où se jouait la guerre au parfum de danger.

*

Le nouveau s'est présenté à moi :

— Gilbert Demachy... Je faisais mon droit...

Et je me suis fait connaître :

— Jacques Larcher. J'écris...

Dès son arrivée, j'ai compris que Gilbert serait mon ami, je l'ai compris à sa voix, à ses mots, à ses manières. Tout de suite je lui ai dit "vous" et nous avons parlé de Paris. Enfin, je trouvais quelqu'un avec qui m'entretenir de nos livres, de nos théâtres, de nos cafés, des jolies filles parfumées. Rien que les noms que je prononçais me faisaient revivre un instant tout ce bonheur perdu. Je me rappelle que Gilbert, assis sur une brouette, avait posé ses pieds déchaussés sur un journal, en guise de tapis. Nous parlions, fiévreusement :

— Vous vous souvenez... Vous vous souvenez ?...

Les copains aidaient les nouveaux à s'installer dans l'écurie où couchait l'escouade et empilaient leurs sacs avec les nôtres dans la mangeoire. Quand ils eurent fini, Gilbert tendit deux billets de cent sous pour offrir à boire.

— C'est ça, plein la vue... grogna Fouillard jaloux.

Les autres, reconnaissants, retournèrent à l'écurie pour soigner la place du nouveau. Ils brassèrent sa paille pour la rafraîchir et lui firent un rebord aux pieds. Broucke avait pris respectueusement l'oreiller de caoutchouc de Demachy et s'amusait à le gonfler, comme un jouet, avec une peur secrète de l'user. Ceux qui devaient changer de coin, pour faire de la place, déménageaient, en se volant mutuellement de la paille.

— Toi, gras du ventre, dit Fouillard à Bouffioux,

10

tu coucheras là-haut, dans la soupente. Comme j'couche juste en dessous, tu feras attention de n'pas m'tomber dessus au milieu d'la noïe, les souliers sur la gueule ; j'ai l'sommeil léger.

Sulphart ne lâchait pas le nouveau, qu'il étourdissait de conseils inutiles, de recettes saugrenues, un peu par complaisance naturelle, un peu pour remercier du vin offert, mais surtout pour se faire valoir. Tous étaient joyeux, comme s'ils avaient déjà bu. Vairon, en corps de chemise, se mit à faire l'hercule forain, lançant le boniment d'une voix grasse et canaille qui sentait la barrière. Rangés autour, nous faisions la foule. Jaloux de son succès, Sulphart tira Lemoine par la manche.

— Viens avec moi, on va se marrer.

— Pourquoi foutre que j'irais avec toi ? fit Lemoine, toujours prêt à contredire le rouquin avant de l'imiter.

— Viens toujours.

Tout en protestant, Lemoine le suivit dans l'escalier. La maison du notaire, dont nous occupions modestement l'écurie, était une belle demeure campagnarde avec un haut bonnet d'ardoise, des consoles de stuc et un cadran solaire drôlement peint qui marquait midi sur le coup de dix heures.

Elle attendait son monde au haut d'un large perron, et ses volets fraîchement peints étaient d'un vert de jeune feuillage. Ils étaient restés fermés depuis la guerre. Les propriétaires avaient fui lors de l'avance allemande, n'ayant eu le temps de rien sauver, et ils n'étaient jamais revenus. Le vaguemestre y avait un moment installé son bureau, mais un obus ayant un matin ajouté un œil-de-bœuf à la façade, il avait jugé prudent de s'en aller à l'autre bout du pays.

On nous avait formellement défendu d'entrer dans la maison, dont toutes les portes étaient verrouillées. L'adjudant Morache, qui aimait nous gâter de ces sortes de promesses, avait tout de suite annoncé douze balles dans la peau pour le contrevenant, sans compter le coup de grâce. Cela avait donné l'idée à Sulphart de visiter la villa. Il la connaissait à présent dans ses moindres recoins, ouvrant les portes avec ménagement, à grands coups de souliers, quand une adroite pesée avec un tronçon de baïonnette ne suffisait pas.

Il conduisit Lemoine au premier, dans une grande chambre aux tentures claires.

— V'là ce qu'il nous faut, dit-il en ouvrant l'armoire.

Et, jetant, en vrac, du linge et des robes sur le tapis, fouillant les tiroirs, vidant les rayons, il fit son choix.

— J'vas m'habiller en poule et toi en homme, tu piges, face d'âne.

Le temps de déchirer quelques corsages dans des essayages malheureux, et ils purent s'admirer dans la glace, transformés en mariés de mardi gras. Quand ils parurent dans la cour, bras dessus, bras dessous, ce fut une courte stupéfaction, puis une clameur les salua.

— Vive la noce ! beugla le premier, Fouillard.

Les autres braillèrent plus fort, et l'escouade hurlant de joie entoura les deux chienlits. Sulphart avait passé sur son pantalon rouge, un joli pantalon de femme garni de dentelles, qui laissait voir par son ouverture son large derrière garance. Il avait endossé une sorte de matinée blanche, et, sur sa tête hérissée de charbonnier, il avait posé de travers une couronne de mariée, à l'oranger un peu jauni : la couronne de la notairesse qui dormait sous un globe. Lemoine, qui ne riait pas, avait plutôt l'air soucieux d'un militaire en service commandé, s'était contenté d'un jupon écossais, tenue sans façon dont il corrigeait le regrettable laisser-aller par une redingote à revers de satin et un solennel chapeau haut de forme préalablement brossé à rebrousse-poil.

Le petit Broucke, émerveillé, gambadait derrière eux comme à la ducasse.

— J'vo à la noce, criait-il.

Tous, chantant et beuglant, se mirent à danser, accompagnés par Fouillard, qui croyait faire de la musique en cognant avec une poignée de baïonnette sur le fond noir de son chaudron.

— Vive la mariée ! reprenions-nous en chœur.

La maigre figure de Bréval était élargie par un rire bienheureux. Pourtant, il cherchait à nous apaiser.

— Pas si fort, bon Dieu, un officier va nous entendre...

Vairon avait pris Sulphart par la taille et dansait une java, avec des grâces de bal musette, tandis que Lemoine, se croyant à la fête du pays, exécutait des ailes de pigeon en faisant claquer ses talons cloutés.

— Et la fête continue, vive M. le maire ! braillait le cuistot, qui essayait en vain de laver ses mains noires en les frottant sur son front en sueur.

Ils sautillaient l'un derrière l'autre, en farandole, riant comme des gosses. Le nouveau suivait à la queue, tout clopinant, tenant Lagny par son capuchon. Sulphart, la bouche sèche, sortit le premier de la ronde.

— Bon Dieu, on la crève ici... Et l'autre outil qui ne r'vient pas avec le pinard. Pourvu qu'il s'soit pas fait poirer par Morache.

La pensée de cette catastrophe arrêta les danseurs.

— Ça serait pourtant l'moment de boire le coup, se désola Vairon.

— Mais un autre peut aller en acheter, dit Demachy en sortant deux nouveaux billets. J'ai trop ri, je boirais bien.

Respectueux ou jaloux, les camarades regardèrent le nouveau ouvrir son porte-monnaie de cuir fin, et Broucke était si troublé qu'il dit "merci" en prenant l'argent.

Fouillard, qui avait oublié son rata, s'était jeté à quatre pattes devant son feu noirci et soufflait à pleines joues sur les cendres, sans en tirer une étincelle.

— Allez me chercher du papier, demanda-t-il, c'te vache de bois mouillé n'veut pas prendre.

Quelqu'un dégringola à la cave et en remonta une pile de papiers multicolores qu'il jeta près de l'âtre. Des feuillets s'envolèrent, blancs et bleus, presque tous du même format. C'étaient les papiers du notaire. La flamme, en se dressant, les fit voleter, et l'on crut lire un instant, dans le feu même, les belles bâtardes d'étude et les écritures appliquées de paysan.

— Moi, j'trouve ça ballot, fit Lemoine de sa voix bonasse. C'est des trucs qui se gardent... Si on brûlait les papelards de mes vieux pour les terres, j'l'aurais à la caille.

— Ta gueule, toussa Fouillard dans la fumée. C'est déjà toi qu'as pas voulu qu'on brûle la porte et qu'on aille chercher c'te saloperie de bois vert qui n'veut pas prendre. Comme si c'était pas la guerre.

— Sûr que c'est la guerre, approuva le petit Belin qui avait projeté de se faire un gilet avec une redingote et en découpait soigneusement les basques.

— C'est vrai, nous faisons la guerre, répéta le nouveau, en trinquant avec Broucke.

Et regardant Sulphart en pantalon de linon, il se mit à rire.

— Ça ne se dirait pas, dit-il. On s'amuse au moins au front. J'en étais sûr que je m'ennuierais moins qu'à la caserne.

Bréval, dont la face creuse avait repris ses deux plis de tourment en travers des joues, le regarda en hochant la tête :

— Tu ne te figures pas que c'est tous les jours comme ça, non ? tu te tromperais, tu sais.

Le nez dans son quart, Fouillard ricanait.

Sulphart, compatissant... haussa simplement les épaules.

— Ça ne sait pas, dit-il.

— Si tu t'étais tapé Charleroi comme moi, lui dit Lagny, à la figure ratatinée de vieille femme, t'aurais pas été si pressé de revenir.

— Et encore, t'as pas fait la retraite, toi, intervint Vairon. J'te jure que c'était pas la pause.

— C'est ça qu'a été le plus dur, approuva Lemoine.

— Et la Marne ? demanda Demachy.

— La Marne, c'était rien, trancha Sulphart. C'est pendant la retraite qu'on en a le plus roté. C'est là qu'on a reconnu les hommes...

Ils étaient tous les mêmes. La retraite, c'était l'opération stratégique dont ils étaient le plus fiers, la seule action à laquelle ils se vantaient immodérément d'avoir participé, c'était le fond de tous leurs récits : la Retraite, la terrible marche forcée, de Charleroi à Montmirail, sans haltes, sans soupe, sans but, les régiments mêlés, zouaves et biffins, chasseurs et génie, les blessés effarés et trébuchants, les traînards hâves que les gendarmes abattaient ; les sacs, les équipements jetés dans les fossés, les batailles d'un jour, toujours acharnées, parfois victorieuses — Guise, où l'Allemand recula — le sommeil de pierre pris sur le talus ou sur la route, malgré les caissons qui passaient, broyant des pieds ; les épiceries pillées, les basses-cours dévastées, le pain moisi qu'on se disputait ; mitrailleurs sans mulets, dragons sans chevaux, Sénégalais sans chefs ; les chemins encombrés de tapissières et de chars à bœufs, où s'entassaient des gosses et des femmes en larmes ; les arbis traînant des chèvres, les villages en flammes, les ponts qui sautaient, les copains qu'on abandonnait, sanglants ou fourbus, et toujours, harcelant la tragique colonne, l'aboiement du canon. La Retraite... Dans leurs bouches, cela prenait des airs de Victoire.

— J'te jure que quand tu lisais sur les plaques "Paris, 60 kilomètres" ça te faisait drôle...

— Surtout à ceux de Paname, fit le grand Vairon.

— Et après, termina négligemment Sulphart, comme l'épilogue banal d'un beau récit, après ç'a été la Marne.

— Tu t'souviens des petits melons de Tilloy... Ce qu'on a pu s'en taper ?...

— Eh ben, et les seaux de pinard, quand on est entré dans Gueux.

— J'm'en rappellerai, moi, d'la saucisse de Montmirail... Tu pouvais pas t'déplacer, les obus te pistaient... Ah ! les tantes...

Demachy avait repris sa mine grave et regardait ces hommes avec envie.

— J'aurai bien voulu y être, dit-il... Être d'une victoire.

— Sûr que ç'a été une victoire, concéda Sulphart qui tournait sa couronne entre ses doigts comme une casquette. Si t'y avais été, t'en aurais bavé comme les copains et rien de plus. Demande voir aux gars ce qu'on a sonné aux Boches à Escardes... Seulement, faut pas parler sans savoir... Tous les mecs qu'ont écrit des conn... là-dessus dans les journaux, ils auraient mieux fait de n'pas l'ouvrir. Moi j'y étais, hein, j'sais comment que ça s'est passé. Eh bien, on était resté plus d'quinze jours sans toucher l'prêt, depuis la fin d'août... Alors, après le dernier coup dur, on nous a tout payé d'un coup, on nous a refilé à chacun quinze ronds. C'est ça la vérité. Alors, si tu vois des mecs qui t'parlent de la Marne, t'as qu'à leur dire une chose : la Marne, c'est une combine qu'a rapporté quinze sous aux gars qui l'ont gagnée...

*

La nuit tombe vite, en novembre. Avec l'ombre, le froid était venu et là-bas, aux tranchées, la fusillade s'était éveillée, à l'heure des hiboux. Nous avions mangé la soupe dans l'écurie, accroupis sur la paille, d'autres juchés, jambes pendantes, sur les mangeoires.

Les anciens racontaient des histoires compliquées et brutales avec des "et pis alors" et des "tu t'rappelles", nécessaires à la belle ordonnance d'un récit. Mais les nouveaux, qu'ils voulaient épater, n'écoutaient plus : ils dormaient à moitié l'œil vague et le menton bas.

— Il est l'heure de se coucher, les gars, dit Bréval en délaçant ses chaussures. Les copains ont passé la nuit en chemin de fer.

Chacun passa à sa place avec la docilité des chevaux qui connaissent leur coin. Lemoine hésitait à fouler ce beau tapis de paille fraîche.

— C'est pas malheureux... Du blé qu'a pas été battu...

Soigneusement, comme il faisait toute chose, le petit Belin préparait son lit. Il étendait d'abord sa toile de tente, puis, en guise d'oreiller, il enfonçait sa musette sous la paille. Pour avoir chaud aux pieds, il les glissait dans les manches de sa veste, puis il s'enroulait dans sa large couverture pliée en deux et adroitement, comme un pêcheur lance l'épervier, il jetait sa capote sur ses jambes. Alors on ne voyait plus qu'un petit coin de figure satisfaite, par la lucarne du passe-montagne tricoté : Belin était couché.

Demachy l'avait regardé faire, mais pas avec la même admiration que moi : avec effroi plutôt. Puis il regarda les autres se préparer avec stupeur, une sorte de terreur grandissante. Au troisième qui commença à se déchausser, il se redressa sur son coin de paille.

— Mais on ne va pas tout garder fermé ici, s'écria-t-il, on va au moins laisser la porte ouverte ?

Les autres le regardèrent étonnés.

— Non, t'es en chaleur... grogna Fouillard.

La porte ouverte, tu veux donc nous faire crever ?

La pensée de dormir, entassé sur la paille avec ces hommes pas lavés, l'écœurait, l'épouvantait. Il n'osait pas le dire, mais, effrayé, il regardait Fouillard son voisin, qui, ayant déroulé sans hâte ses molletières boueuses, retirait ses gros souliers.

— Mais, c'est très malsain, vous savez, insista-t-il ; surtout qu'il y a de la paille fraîche... Cela fermente... Il y a eu des cas d'asphyxie, souvent... Cela s'est vu...

— T'en fais pas pour l'asphyxie.

Les autres étaient prêts à dormir, bien serrés pour se tenir chaud ; Sulphart cherchait à atteindre sa chaussure, pour abattre la bougie qui pleurait sur le bat-flanc. Accablé, le nouveau ne dit plus rien. A genoux devant la mangeoire, comme s'il priait le dieu des bêtes, il se mit à chercher un flacon dans sa musette.

— Gare la casse ! cria Sulphart.

Et son godillot bien lancé emporta la bougie dans le noir...

— Bonne nuit tout le monde.

Demachy, à tâtons, s'enveloppa maladroitement dans sa couverture, et le visage enfoui dans son mouchoir arrosé d'eau de Cologne, il ne bougea plus.

L'odeur se répandit vite dans l'écurie. Le premier, Vairon s'étonna :

— Mais ça pue. Qu'est-ce que c'est que ça ?

— Ça sent le coiffeur.

— C'est du coup qu'on va être asphyxiés, railla Fouillard qui avait compris.

Et se tournant sur le côté gauche, pour ne pas sentir, il ronchonna :

— Il a tout d'la gonzesse, ce mec-là...

Le nouveau ne répondit rien. Les autres se taisaient, indifférents. Le sommeil, près de nous, allait s'étendre. Dans le noir, pourtant, des voix bavardaient encore.

— Ça fait quinze jours qu'elle ne m'a pas écrit, confiait tout bas Bréval à un copain. Jamais elle n'a été si longtemps... Ça me tourmente, tu sais...

Un des nouveaux interrogeait Vairon, dont je reconnaissais la voix gouapeuse.

— Quand vous allez au repos, vous êtes bien reçus ?

— Heu... Ils n'nous foutent pas de coups de fourche, il n'y a rien à dire...

Sulphart, pour s'endormir, injuriait doucement Lemoine qui avait promis de trouver du rhum, et était rentré les mains vides.

— Tu m'apprendras à dénicher les bons coins, face à piler le riz, marmonnait-il. Tu parles d'un œuf... d'une bille.

Le sommeil les emportait, l'un après l'autre, mêlant leurs respirations lentes ou saccadées, des soupirs égaux d'enfant et des plaintes de mauvais songe.

Dehors, la nuit aux aguets écoutait la tranchée. Elle était tranquille ce soir-là. On n'entendait ni le sourd ébranlement du canon, ni le sec crépitement de la fusillade. Seule, une mitrailleuse tirait, coup par coup, sans colère ; on eût dit une ménagère lunatique qui battait ses tapis. Autour du village, c'était le lourd silence des campagnes frileuses. Mais soudain, sur la route, un bourdonnement s'éveilla, grossit, roula vers nous, et les murs se mirent à trembler... Les camions.

Ils roulaient pesamment, avec un bruit cahotant de ferraille. Que j'aurais voulu m'endormir avec ce roulement familier dans les oreilles et dans l'esprit ! Les autobus, naguère, passaient ainsi sous mes fenêtres et me tenaient éveillé, tard dans la nuit. Comme je les détestais, en ce temps-là ! Sans rancune, pourtant, ils revenaient me voir dans mon exil. Comme autrefois, ils faisaient tressauter mon demi-sommeil, et je sentais trembler les murs. Ils venaient me bercer.

Est-ce drôle, on n'entend pas leurs durs cahots sur le pavé, ce soir, ni les vitres qui tremblent, ni le passant attardé qui appelle... Leur bruit ne fait plus qu'un ronron dans ma tête qui s'endort... Ils grincent, ils cahotent, ils sont passés... Adieu, Paris...

II

A LA SUEUR DE TON FRONT

Un tas de colis devant lui comme un éventaire de camelot, le fourrier appelait les lettres en souffrance, au milieu d'une cohue de soldats qui jouaient des coudes et s'écrasaient les pieds. C'était à notre porte, entre le lavoir communal, si petit que trois laveuses n'auraient pas tenu sous son auvent, et la maison du notaire, qui portait en sautoir une écharpe rouge de vigne vierge. Grimpés sur le banc de pierre, nous écoutions.

— Duclou Maurice, 1re section.

— Il a été tué à Courcy, cria quelqu'un.

— Vous en êtes sûr ?

— Oui, des copains l'ont vu tomber devant l'église... Il avait reçu une balle. Maintenant, hein, je n'y étais pas...

Dans le coin de l'enveloppe, au crayon, le fourrier écrivit : "Tué".

— Marquette Édouard.

— Il doit être tué aussi, dit une voix.

— T'es pas louf, protesta un autre... Le soir qu'on dit qu'il s'est fait descendre, il est allé à l'eau avec moi.

— Alors, demanda le fourrier, il serait à l'hôpital. Mais on n'a pas reçu sa fiche.

— A mon idée, il a été évacué par un autre régiment.

— Mais non, il était blessé ; les Boches ont dû le ramasser.

— C'est malheureux, c'est toujours ceux qui ont rien vu qui ont le plus de gueule.

Tout le monde parlait à la fois dans un tohu-bohu d'affirmations contradictoires et de démentis insultants. Le fourrier, pressé, les mit d'accord.

— J'm'en fous. Je le porte "disparu"... Brunet André, 13ᵉ escouade...

— Présent pour lui.

Les autres, à mi-voix, discutaillaient toujours ; ceux des derniers rangs criaient pour les faire taire, et personne n'entendait plus rien. Bréval écoutait quand même, anxieusement, et quand un nom rappelait le sien, il faisait répéter :

— C'est pas pour moi, des fois ? Caporal Bréval...

Mais ce n'était jamais pour lui, et tournant vers nous son pauvre visage gêné, il expliquait :

— Elle écrit si mal, hein, ça n'aurait rien de drôle.

A mesure que le tas diminuait, ses lèvres se pinçaient. La dernière lettre appelée, il s'en alla, le cœur et les mains vides. Au moment d'entrer dans la maison, il se tourna vers nous :

— A propos, Demachy, c'est ton tour de corvée. Tu prendras un sac et tu iras aux distributions...

— De quoi ? Le nouveau aux distributions... Tu te fous de nous !

Et Sulphart indigné quitta son groupe de copains pour s'approcher du caporal.

— Un gars qui débarque, qui croit que les carottes ça pousse chez le fruitier, c'est tout ce que tu trouves pour envoyer aux distribes. Ah ! t'en connais des combines... Si les c... nageaient, t'aurais pas besoin de bateau pour traverser la Seine.

— Si tu veux y aller, je ne t'empêche pas, répondit posément Bréval.

— Sûrement que j'irai! clama Sulphart. J'irai parce que je ne veux pas que l'escouade bouffe avec les chevaux de bois et que le gars m'a l'air foutu de choisir un morceau de barbacque comme moi de dire la messe.

Demachy, qui depuis son arrivée était abasourdi par les cris, les revendications bruyantes et les joies brutales du rouquin, chercha à se réhabiliter :

— Pardon, je vous assure que je saurai très bien. A la caserne...

Il s'y prenait mal. Le seul mot d'active ou de caserne suffisait à faire perdre la raison à Sulphart, qui avait passé ses trois ans à défendre fièrement la cause du droit contre des adjudants vindicatifs et des officiers mal intentionnés, qui envoyaient de préférence les bons soldats coucher à la salle de police les veilles de permission. La colère l'étrangla.

— La caserne!... Il s'croit encore à la caserne, l'autre crâne d'alouette... Ça débarque du dépôt et ça veut en remontrer à nous autres!... Eh bien! vas-y, aux distributions, tiens, on rigolera... Les gars de l'escouade sont toujours sûrs de se mettre une belle corde. Moi, je m'en colle, je m'débrouillerai pour moi.

Et pour bien montrer qu'il n'était plus solidaire d'une escouade conduite aux abîmes par un caporal incapable, il s'en alla vers l'église, en sifflotant un petit air.

On faisait l'appel des escouades lorsque Gilbert entra dans la cour où le fourrier avait fait décharger, à quelques pas de la fosse à purin, les quartiers de viande frigorifiée, qu'un homme découpait à coups de hachette, les pommes de terre, le singe, un sac crevé d'où s'écoulait le riz en mince filet, et les biscuits, que les gosses emportaient dans leur tablier pour faire la pâtée des cochons.

Penchés sur le tonneau de vin qu'ils tapotaient

pour s'assurer qu'il était bien plein, ceux qui attendaient leur tour discutaient sur le nombre de bidons qui reviendraient à chaque escouade ; il y en avait qui criaient déjà que ça ne faisait pas leur compte. On distribua les lentilles, les patates, le café en grains. Surpris, Demachy fit remarquer :

— Mais nous n'avons pas de moulin.

Les autres le regardèrent et rirent. Derrière le groupe, quelqu'un vociféra :

— Vous pouvez vous marrer, allez ! V'là le gars qu'on envoie aux distributions pour une escouade...

C'était Sulphart, qui était venu là en curieux, rien que pour voir. Embarrassé, son képi plein de sucre, ses poches remplies de café, le fond de son sac gonflé de lentilles, Gilbert s'affolait ne sachant plus où mettre son riz. Comme on riait autour de lui et que le fourrier criait : "Eh bien ! et la mesure, tu ne veux pas la bouffer", il perdit la tête et la vida n'importe où : dans son sac avec les lentilles. Alors Sulphart éclata :

— Ça, c'est plus bath... Visez la gueule du cuistot s'il s'amuse à trier son riz et ses punaises... Non, quelle armée ! Et on parle de chasser les Boches ? Laissez-moi me marrer...

Agacé, le nouveau se retourna, tout rouge :

— Fiche-moi la paix, hein ! Tu n'avais qu'à y venir tout seul.

Sulphart, sans s'émouvoir, attendait la suite du partage. Il observait le caporal d'ordinaire qui jetait les morceaux de viande, les uns d'un beau rouge frais, les autres veinés de graisse, sur une toile de tente boueuse.

— On va tirer au sort, dit le cabot.

— Non, protestèrent plusieurs escouades, y en a qui truquent... Qu'on partage d'après le nombre d'hommes.

— Nous, à la deuxième, on est quatorze, je veux ce morceau-là.

— Et nous, alors, de la première...

Tous, penchés sur l'étal, les mains tendues, se disputaient d'avance la pâture en braillant sous les regards impassibles du fourrier.

— Vous avez fini de gueuler ? dit-il enfin. Je vais distribuer. Troisième escouade celui-là... Quatrième escouade... Cinquième...

Il n'eut pas le temps d'achever, ni de désigner le quartier du bout de son bâton. Avec un rugissement, Sulphart s'était rué dans le groupe :

— Non, braillait-il, j'marche pas... Vous voulez pas qu'on la crève à l'escouade. Ils profitent que c'est un gars qui ne sait pas y faire pour nous englanter.

Les autres le huèrent, le fourrier voulut l'écarter, mais déchaîné, agitant les bras, il criait plus fort qu'eux tous.

— J'veux pas de ce morceau-là... Je l'dirai au pitaine, et au colon s'il le faut... C'est toujours les mêmes qui se dém... J'veux ma part... C'est à la cinquième qu'on est le plus.

— Vous n'êtes que onze...

— C'est pas vrai !... On se plaindra... Y a que des os...

Il poussait des cris tour à tour aigus et rauques, terrifiants et plaintifs, repoussant les uns, bousculant les autres. Ceux qui étaient déjà servis serraient leur part sur leur cœur, comme les mères de Bethléem devaient tenir leurs enfants la nuit du Massacre. Heureusement, le fourrier lui tendit une tranche, n'importe laquelle, et il se tut aussitôt, rasséréné d'un coup, sa colère inutile puisqu'il était servi. Il se tourna alors vers Demachy tandis qu'on continuait le partage.

— Tu comprends, lui dit-il amicalement, t'as de l'idée, mais tu gueules pas assez... Si tu veux être mieux servi que les autres, il faut gueuler, même sans savoir : c'est l'seul moyen d'avoir ton compte.

Gilbert Demachy l'écoutait sans répondre, amusé

par ce grand gaillard à la barbe hérissée ; son silence attentif plut à Sulphart.

— Comme de juste, c'te bille de Bréval ne t'a pas dit de prendre le seau ou les bouteillons pour le pinard. Alors, dans quoi que tu veux l'emporter ? Dans tes grolles ? Heureusement que j'y ai pensé. V'là un seau, et j'ai pris un bidon, pour s'il y avait de l'eau-de-vie... Ça ne fait rien, un cabot qui ne va pas lui-même aux distributions, ça ne se voit qu'à la cinquième. Il est encore resté à écrire à sa bourgeoise... Peau de fesse !

Sulphart ne daigna pas se mêler de la distribution de boîtes de singe, denrée qu'il méprisait, mais il cria pourtant : "Il m'en manque une !" simplement pour montrer qu'il était là.

— Au vin ! dit le fourrier.

Sulphart s'élança le premier et tant que dura la distribution, il ne leva pas la tête ; à mesure qu'un seau se remplissait, il geignait, poussait de petits cris, comme si ç'avait été son sang qu'on eût versé.

— Assez... Assez... criait-il... Il tient plus que le compte... Voleur !

Mais les autres, qui avaient l'habitude, subissaient les injures et gardaient le vin. Son tour vint enfin, et il fit emplir son seau jusqu'au bord, jurant qu'il était arrivé six nouveaux, que le cabot allait se plaindre, qu'on s'était déjà "mis la bride" la veille, que le pitaine...

— Tiens, et fous le camp, lui dit le fourrier exaspéré en lui versant un dernier quart. Ah ! quel métier...

Content de lui, Sulphart s'en revint en triomphateur son seau d'une main et le sac sur l'épaule. Ils traversèrent le village, où flânaient les soldats désœuvrés en quête d'un débit, et, tout en cheminant il chercha à inculquer au nouveau les premiers principes d'astuce et de mauvaise foi nécessaires à un militaire en campagne.

— Chacun pour soi, tu comprends. J'aime mieux

boire le pinard des autres, que ça soye les autres qui boivent le mien... C'est jamais que les plus honteux qui perdent.

Arrêté dans un coin où il ne passait personne, il puisa avec son quart dans le seau et le tendit à Gilbert.

— Tiens, lui dit-il, bois ça, tu y as droit.

Il avait en effet composé dans son esprit, et à son usage seulement, un petit traité des droits et des devoirs du soldat où il était admis de bon accord que l'homme de corvée avait droit à un quart de vin comme récompense. Il en but un aussi, puisqu'il aidait l'homme de corvée, et repartit plus léger. Tout en marchant, il racontait des histoires à Gilbert, lui parlant à la fois de sa femme qui était couturière, de la bataille de Guise, de l'usine où il avait travaillé à Paris, et de l'adjudant Morache, un rempilé, notre bête noire. Quand ils arrivèrent au cantonnement, il déposa son seau, jurant qu'il n'avait même pas goûté le vin et offrant comme preuve de faire sentir son haleine, puis il se rapprocha de Demachy, pour qui il lui venait de la sympathie.

— Si j'avais été aux sous comme toi, lui dit-il, et que j'aie eu ton instruction, j'te jure qu'ils ne m'auraient pas pu venir au rif comme ça. J'aurais demandé à suivre les cours d'officier, je serais allé passer quelques mois au camp et on m'aurait nommé sous-lieutenant au milieu de 1915. Et à ce moment-là, la guerre sera finie... A mon idée, t'as pas su nager.

III

LE FANION ROUGE

DEPUIS le petit jour, le régiment aunait la route de son long ruban bleu. C'était une grosse rumeur de piétinement, de voix et de rires qui avançait dans la poussière. Inlassablement, les camarades, coude à coude, se racontaient de ces histoires rebattues de régiment, toutes pareilles, qu'on croirait arrivées dans la même caserne. On se querellait, de rang à rang ; on vidait, à la régalade, les bidons remplis à la pause, et on interpellait au passage le cantonnier sur le bord de la route, le paysan dans sa vigne, la femme qui rentrait des champs. Parfois, on croisait un gendarme.

— Hé, gars... C'est pas par là les tranchées.

Personne ne pensait à la guerre. Cela sentait l'insouciance et la rigolade. Il ne faisait pas trop chaud, le pays était gai, et l'on regardait les choses avec des yeux amusés de soldats aux manœuvres.

Le visage luisant de Bouffioux portait des traces noires : la marque de ses doigts et des rigoles de sueur descendant du képi. Il s'était mis à côté de Hamel pour parler du Havre. Ils fraternisaient sur des noms de rues et de bistrots et, pour la centième fois, ils s'étonnaient de ne pas s'être connus dans le civil.

— T'as pourtant une grosse face qu'on reconnaît, répétait chaque fois Hamel.

Solide, il avançait à larges enjambées ; le gros Bouffioux, au contraire, allait à petits pas pressés, et Fouillard, qui marchait derrière lui, son fichu sale noué autour du cou, n'arrêtait pas de grogner...

— Vas-tu marcher droit, gros jeton... Si seulement il me prenait mon plat... Pourquoi que tu ne le portes jamais, d'abord ? T'es bien content de becqueter... Rien qu'un bout de bois il ne l'apporterait pas, ce cochon-là... Tu viendras en chercher de la soupe, ce soir... On se marrera...

La graisse heureuse du marchand de chevaux était une de ses haines : Bouffioux était gras, lui maigre ; il était aisé, lui pauvre ; il restait à l'arrière, lui montait aux tranchées.

— Pas étonnant qu'il ait une face comme des fesses, avec tout ce qu'il bouffe... Les copains n'en goûtent pas souvent de ses colis. Il profite qu'on est aux tranchées pour se la taper en Suisse. Mais ça durera pas ; ça fait assez longtemps qu'il s'embusque, il faudra qu'il y monte aux tranchées...

Bouffioux se laissait injurier, mais n'y montait pas. Depuis la guerre, il avait fait tous les métiers ; un seul lui répugnait vraiment : le nôtre. Il était prêt à n'importe quoi pour ne pas prendre les tranchées. Il ne s'était battu qu'une fois, à Charleroi, et il en avait conservé une telle terreur qu'il n'avait plus qu'une idée : se planquer. Il y parvenait en employant autant de ruses que naguère, à la foire, pour vendre un cheval rogneux. Tous les filons, il les avait usés. Il avait fait la retraite comme cycliste du trésorier, sachant tout juste se tenir en selle et courant sans répit sur le flanc de la colonne, son vélo crevé à la main. La Marne, il l'avait gagnée comme téléphoniste à la brigade. Depuis on l'avait connu bûcheron, aide-vaguemestre, armurier, convoyeur du ravitaillement, cordonnier. Il s'offrait pour toutes les besognes, effrontément, et se cramponnait à la place usurpée, jusqu'à ce qu'on l'en chassât. Avait-on besoin d'un secrétaire qui sût tout juste lire, d'un menuisier n'ayant jamais tenu un rabot, d'un tailleur ne sachant pas coudre : il était là. On aurait demandé un aumônier pour la division qu'il eût crié : "Présent !" Il ne voulait pas se battre, c'était tout, et la peur lui donnait toutes les audaces. Pour le moment, il payait à boire à tous les caporaux du train de combat et partageait ses colis avec le sergent muletier des mitrailleurs, qui lui promettait de le faire affecter à l'échelon. Mais le capitaine ne voulait pas lui laisser quitter la compagnie et Bouffioux pliait une nuque songeuse sous les menaces de Fouillard.

— Pourquoi que tu serais plus que les autres, gros tas ! T'y monteras, j'te dis...

Fouillard, très fier d'avoir fait Montmirail à quatre pattes dans un fossé et orgueilleux de son titre d'ancien, détestait également Demachy, qui avait trop d'argent et des façons de monsieur. Alors, quand il était fatigué d'injurier le dos placide de Bouffioux, il regardait le nouveau, et la ride de crasse qui lui coupait la joue se creusait pour sourire.

— Vise-le, s'il en bave, ricanait-il.

Gilbert allait le cou tendu, les pouces passés sous les courroies, le pas traînant. De pause en pause, son sac était plus lourd. Il l'avait pourtant bouclé gaiement, au départ. Il avait ressenti une allégresse sportive sous ce fardeau bien arrimé. Les jarrets dispos, il aurait voulu chanter, partir au pas accéléré, la clique en tête.

Mais au bout d'une heure, le sac était déjà lourd. Au lieu de le pousser comme au départ, il se faisait pesant, et semblait le retenir, le tirer en arrière, par les deux courroies. Il rejetait bien son fardeau d'un coup d'épaule, tous les cent pas, mais le sac reglissait vite, encore plus pesant. Son pied meurtri s'était rouvert, ses genoux secs s'ankylosaient, et, maintenant, le sac de plomb jouait avec lui, le faisait tituber comme un homme saoul. Pour la première fois, on l'avait entendu jurer, dire des gros mots, d'une petite voix rageuse qui ne savait pas. Le buste en avant, peinant comme s'il avait dû traîner la route, il haletait sous son carcan :

— Je fous tout en l'air à la pause, et leur saleté de biscuits...

A chaque halte, il faisait son inventaire sur le talus et se délestait de quelque chose — des ampoules de pharmacie, un filtre portatif, une boîte de poudre de viande — un tas d'objets saugrenus que les camarades se disputaient sauvagement sans savoir au juste ce qu'ils en feraient. Sulphart lui portait la moitié de sa charge, son bouteillon, sa musette blanche pleine à crever, et quand l'étape tirait à sa fin, il lui prenait même son fusil, dont la bretelle lui sciait l'épaule. Mais le peu qu'il devait porter était encore trop lourd et à chaque halte il croyait qu'il n'irait pas plus loin. Quand le coup de sifflet commandait : "Aux faisceaux !" il aurait voulu ne pas entendre, ou bien qu'on eût pitié de lui et qu'on le laissât là une heure, tout seul, laisser son talon se cicatriser et s'apaiser la fièvre de ses tempes battantes. Pourtant, il se relevait comme les autres et repartait en boitillant, plus perclus, une souffrance à chaque pas. Le sac dégarni n'était pas moins lourd et les bornes indifférentes ajoutaient sans cesse de nouveaux kilomètres à l'étape déjà longue.

Peu à peu, la rumeur de la troupe en marche s'apaisait. On sentait la fatigue : "La pause ! La pause !" criait-on en se cachant. Des éclopés sortaient du rang et se déchaussaient, assis au pied du talus. Sur le bord de la route, Barbaroux, le major à quatre galons, donnait une consultation, maintenant des rênes et du genou son cheval qui piaffait. Devant lui, tout gauche, un homme se tenait au garde-à-vous.

— Tais-toi ! criait le major, les veines des tempes

gonflées. Tu marcheras comme les autres... Je suis commandant, tu entends, commandant ! Qu'est-ce que tu me dois ?

Le biffin hébété le regardait.

— Mais je ne sais pas... Je ne vous dois rien, m'sieur le major.

— Tu me dois le respect, hurlait Barbaroux sautant sur sa selle... Tiens-toi droit... Tends la main, je t'ordonne de tendre la main... Naturellement sa main tremble... Tous alcooliques, fils d'alcooliques... Eh bien, fiche-moi le camp, les autres marchent, tu marcheras... Et que je ne te voie pas traîner derrière ou gare le tourniquet !

A la halte, étendus derrière la ligne des faisceaux, les hommes se délassaient. Les nouveaux — le corps moins endurci — ne débouclaient même plus leur sac ; ils se couchaient sur le dos, le barda remonté sous la tête, comme un dur oreiller, et sentaient frémir la fatigue dans leurs jambes endolories.

— Sac au dos !

On repartait en clopinant. On ne riait plus, on parlait moins fort. Le régiment qui tout à l'heure emplissait la route poudreuse jusqu'au dos des coteaux, se perdait dans une buée légère. Bientôt on ne vit plus la tête du bataillon ; puis la compagnie elle-même ondula dans la brume. Le soir allait venir, on entrait dans du rêve. Les villages se reposaient, la journée terminée, et leur haleine agreste de bois brûlé montait des toits pointus.

On s'était battu en septembre dans ce pays, et, tout le long de la route, les croix au garde-à-vous s'alignaient, pour nous voir défiler.

Près d'un ruisseau, tout un cimetière était groupé ; sur chaque croix flottait un petit drapeau, de ces drapeaux d'enfant qu'on achète au bazar, et cela tout claquant donnait à ce champ de morts un air joyeux d'escadre en fête.

Sur le bord des fossés, leur file s'allongeait, croix de hasard, faites avec deux planches ou deux bâtons croisés. Parfois toute une section de morts sans nom, avec une seule croix pour les garder tous. "Soldats français tués au champ d'honneur", épelait le régiment. Autour des fermes, au milieu des champs, on en voyait partout : un régiment entier avait dû tomber là. Du haut du talus encore vert, ils nous regardaient passer, et l'on eût dit que leurs croix se penchaient, pour choisir dans nos rangs ceux qui, demain, les rejoindraient.

Pourtant, elles n'étaient pas tristes, ces premières tombes de la guerre. Rangées en jardins verdoyants, encadrées de feuillage et couronnées de lierre, elles se donnaient encore des airs de charmille pour rassurer les copains qui partaient. Puis, à l'écart, dans un champ nu, une croix noire, toute seule, avec un calot gris.

— Un Boche ! cria quelqu'un.

Et tous les nouveaux se bousculèrent pour regarder : c'était le premier qu'ils voyaient.

*

Dans un bourdonnement assourdi de voix étouffées, de cliquetis et de pas fourbus, la compagnie entra dans le village noyé d'ombre. Pas bien loin, les fusées barraient la nuit d'un long boulevard de clarté, et, par instants, cela s'égayait de lueurs rouges ou vertes, vite éteintes, pareilles à des enseignes lumineuses.

Ce ciel de guerre faisait penser à une nuit populaire de quatorze juillet. Rien de tragique. Seul, le vaste silence.

Au milieu de la grande rue, une ferme qui brûlait mettait au-dessus des toits démantelés un rouge brutal de fête foraine, et l'on était tout surpris de ne pas entendre les orgues. Des lapins enflammés traversèrent les rangs, comme de petites torches vivantes. Puis, entre deux murs près de crouler, on vit courir, dans la buée rouge de l'incendie, des ombres muettes qui portaient des seaux.

— Pressons, pressons, répétaient les officiers, ils vont encore tirer.

Tombées l'une vers l'autre, les maisons blessées mêlaient leurs ruines et l'on trébuchait sur les gravats. De loin en loin, une façade abattue tout entière barrait la rue. On franchissait en sacrant cet amas de pierraille, et la compagnie disloquée se reformait en trottinant.

Au bout du pays, un gosse qu'on voyait mal dans le noir cherchait des débris d'on ne sait quoi dans les ruines de sa maison. Il leva le nez, nous regarda passer sans rien dire et salua gravement l'officier, sa petite patte blanche de plâtre portée à sa tignasse.

— Petite vache, grommela Sulphart... Qu'est-ce que ça fout dehors au moment d'une relève, ces poux-là, faut pas le demander... Et vise-moi toutes ces lumières qui font des signaux. Tu peux être sûr que les Boches savent qu'on est là.

Une vieille femme passa, d'une cour à l'autre, cachant sa lanterne sous son tablier, pour l'aveugler et l'abriter du vent. On eût dit qu'elle emportait une étoile dans son giron.

— Encore une... Hé ! la vieille... La lanterne ! cria Sulphart.

Maroux, qui se disait braconnier, grogna avec lui : il voyait des espions partout, celui-là. La moindre lumière lui semblait suspecte, et il imaginait on ne sait quel code mystérieux et compliqué de signaux nocturnes entre les paysans allumant leur chandelle et l'état-major ennemi.

Harassé, tendant le cou comme un cheval qui monte une côte, Demachy suivait le braconnier. Quand la file s'arrêtait, il allait buter dans son sac, et attendait, engourdi, que ça reparte. Sa fatigue même avait disparu : il était une chose exténuée, sans volonté, qu'on pousse. Les yeux tournés vers les premières lignes, il cherchait cependant à voir les fusées, entre deux murs. C'était pour lui une déception, cette première vision de la guerre. Il aurait voulu être ému, éprouver quelque chose, et il regardait obstinément vers les tranchées, pour se donner une émotion, pour frissonner un peu.

Mais il se répétait : "C'est la guerre... Je vois la guerre" sans parvenir à s'émouvoir. Il ne ressentait rien, qu'un peu de surprise. Cela lui semblait tout drôle et déplacé, cette féerie électrique au milieu des champs muets. Les quelques coups de fusil qui claquaient avaient un air inoffensif. Même ce village dévasté ne le troublait pas : cela ressemblait trop à un décor. C'était trop ce qu'on pouvait imaginer. Il eût fallu des cris, du tumulte, une fusillade, pour animer tout cela, donner une âme aux choses : mais cette nuit, ce grand silence, ce n'était pas la guerre...

Et c'était bien elle pourtant : une rude et triste veille plutôt qu'une bataille.

La rue s'arrêtait brusquement, coupée par une barricade faite de herses et de tonneaux. Il fallait la franchir un par un, en se glissant sous un timon qui accrochait les sacs.

— Silence... Rassemblement dans le champ à gauche.

Le groupe immobile des soldats faisait dans l'ombre comme une vigne noire, avec tous les fusils dressés. Seul, un point rouge de cigarette piquait la nuit. On le voyait monter aux lèvres, se raviver, puis redescendre lentement.

— Eh ! l'autre salaud qui va nous faire repérer, grogna quelqu'un... Ça ferait tuer les copains pour une cibiche, ces enfirés-là.

Ayant débouclé son sac, Gilbert s'était couché. La terre des champs était molle et froide, encore humide des pluies récentes, et cela lui gelait les jambes, à travers la capote mince. Son sac sous la tête, les mains glissées dans les manches, il reposait les yeux pleins de ciel. La meurtrissure des deux courroies lui chauffait maintenant les épaules d'une bonne brûlure, et sa fatigue s'écoulait par tous ses membres lâches

Dans le village, de l'autre côté de la barricade, une compagnie empilée se bousculait pour les distributions. On entendait les ordres, les disputes, tout un tohu-bohu de jour de marché. Une voix pointue criait :

— Faut qu'ils soient saouls... A l'escouade, on a touché trois fois du sucre et rien à bouffer...

D'autres s'appelaient : "Par ici la corvée d'eau... Les chefs d'escouade au vin."

Puis c'étaient des mitrailleurs qui braillaient, leurs mulets pris dans la cohue. Un chef, pour rétablir le calme, hurlait : "Silence ! Moins de bruit, nom de Dieu !" Toute cette rumeur réveilla Gilbert engourdi. Il s'accouda.

— Les Boches sont encore loin d'ici? demanda-t-il.

— Non, de l'autre côté de la route, lui répondit Sulphart, couché près de lui dans l'herbe humide. Tu vas voir qu'à force d'entendre ce boucan-là, les Boches vont se mettre à tirer dans le tas... Je donnerais vingt ronds pour que tous ces c...-là se fassent bigorner... Mais écoute-les gueuler !...

Lui ne criait plus. Sa voix de braillard s'était prudemment assourdie ; il avait même rentré sa pipe, et avançait le dos courbé. Ces précautions étonnèrent Gilbert.

— Il n'y a pas de danger ici ? demanda-t-il.

— Non, au contraire. Écoute.

Des petits sifflements mélodieux rayaient la nuit, prolongés, comme une guitare qu'on pince.

— Tu entends ? C'est des balles.

Gilbert écouta, amusé. Cela lui plaisait que les balles eussent ce joli son de guêpe. Et il ne pensa même pas que cela pouvait tuer. A un commandement transmis, tout bas, de bouche en bouche, la compagnie se redressa dans un long cliquetis.

— Ligne d'escouade à cinq pas... Arme à la main... Pas de bruit..

En longue file zigzaguante, la troupe descendit

vers la grand-route dont on apercevait la ligne d'arbres, en contrebas. On n'avait pas encore creusé de boyaux pour y descendre.

Les betteraves aux hautes fanes et l'herbe folle des champs incultes trempaient les jambes jusqu'aux genoux et tendaient des collets aux pieds pesants. On ne voyait rien. Le monde s'arrêtait à quelques pas, la terre noire et le ciel sombre confondus. A peine devinait-on les silhouettes penchées des camarades. Parfois, un homme trébuchait et s'abattait de tout son long, dans un affreux tintamarre de gamelle, de quart et de bidon. Alors, sur toute la file, des rires étouffés couraient.

Soudain Gilbert entendit comme un souffle rapide qui s'enflait et au même instant, il vit la longue file d'hommes s'abattre d'un seul coup. Il fit comme eux. Un éclair éclata avec un terrible fracas de cuivre et de ferraille. Les éclats, en jurant, vinrent fouetter le sol, et l'âcre fumée se rabattit.

Gilbert à genoux, le cœur dansant, respira une large goulée de son premier obus.

"Cela sent bon", pensa-t-il.

Déjà les autres se relevaient et repartaient plus vite, presque courant. Rejetant le bidon qui lui battait les cuisses, il suivit Lemoine qui traînait, au bout d'une corde, un malheureux chien, arc-bouté sur ses quatre pattes raides.

— Halte ! firent passer des voix assourdies.

La tranchée était creusée juste devant la route. Trois fils de fer la protégeaient, comme une pelouse de square. Sous nos pieds, ronchonnaient des soldats invisibles qui mettaient sac au dos.

— Ils ne se sont rien cassé, pour faire la relève, grognaient-ils. Sûrement qu'on leur rendra leur vacherie.

Et sur cette bienvenue, les camarades s'en allèrent.

*

Un joli soleil pâle de la Saint-Martin. Sur le ciel d'un bleu tendre, les nuages étaient pareils à des flocons de shrapnells. Un émouchet et un corbeau se poursuivaient à coups de bec, sauvagement. On entendait chanter une alouette, qui bougeait à peine. C'était dimanche.

Par-dessus les sacs à terre, on pouvait voir les tranchées allemandes : deux lignes minces, l'une de terre brune, l'autre de marne blanche. Les champs dévastés avaient des airs de terrain vague, avec leurs meules en ruine et leurs javelles culbutées. Sur le bord d'un chemin, une faucheuse abandonnée dressait ses longs bras désœuvrés.

La tranchée flânait. On se promenait dans les boyaux comme dans les rues d'une petite ville dont chaque coin vous est familier et l'on faisait la causette, à l'entrée des gourbis.

Sous leurs abris, les camarades bricolaient. Le petit Belin mettait le sien à sa mesure, taillant un trou pour sa bougie, un deuxième pour son quart, et un autre, plus grand, pour y glisser ses pieds. Bréval écrivait à sa femme et Broucke dormait, son seul plaisir entre deux soupes.

Fouillard accroupi finissait une boîte de singe, qu'il prenait par grosses bouchées entre son couteau verdi et son pouce terreux. Gilbert le regardait de côté. Il n'aimait pas cet être chétif et sale ; tout le dégoûtait, sa voix, ses yeux rouges et jusqu'à son éternel fichu de laine, dont pendaient les pompons crasseux. Ils couchaient tous les deux dans le même trou, serrés, reins contre reins, et c'est surtout pour cela qu'il l'exécrait.

Pourtant, le nouveau s'était accoutumé assez vite à notre vie brutale. Il savait à présent laver son assiette avec une poignée d'herbe, il commençait à boire notre pinard avec plaisir, et n'avait plus honte de faire ses besoins devant les autres.

— Tu te fais, gars, tu te fais, constatait Bréval avec satisfaction.

Vautré sur la paille pourrie de sa niche, Sulphart somnolait, ne laissant couler qu'une mince bande de lumière dans ses yeux mi-clos. Il tirait de lentes bouffées de sa pipe au tuyau mâchonné et rêvassait à la foire Saint-Romain, avec ses bals, ses manèges, ses loteries, ses tirs, toute une joie pétaradante sentant les frites et le gros vin.

N'ayant pas de veille à prendre, ils s'étendaient l'un après l'autre, fatigués de la longue nuit passée à charrier des tôles ondulées. Vairon grognait dans un demi-sommeil, le ronflement de Lemoine l'empêchant de dormir. Ceux qui n'avaient pas de tanière s'étaient couchés dans la tranchée, enroulés dans leur couverture. Dans un trou, des voix piailleuses de manilleurs. Tous les autres s'assoupissaient.

Brusquement, une rafale d'explosions les secoua. Ce fut une seconde d'affolement. Ils se levaient, sortaient des trous, se bousculaient pour prendre leurs fusils, tout de suite hébétés par le tonnerre assourdissant de l'artillerie subitement déchaînée.

Au même signal, sur toute la ligne, nos pièces s'étaient mises à tirer, et dans ce déchirant fracas, on n'entendait même plus les obus rayer l'air. Nous nous étions précipités aux créneaux, fouillant déjà la cartouchière.

Au bout du terrain vague qui séparait les deux réseaux, juste sur la ligne allemande dont on apercevait encore le lacet sinueux dans la fumée, les obus tapaient à coups furieux, faisant voler des morceaux de tranchée blanche, comme des copeaux sous un rabot de menuisier.

Énervés, nous courions de droite à gauche, on s'appelait, on se renseignait l'un l'autre, sans rien savoir.

— C'est les Boches qui attaquent... C'est un barrage...

— Non, c'est pour faire sauter leurs mitrailleuses.

— Il paraît que le troisième bataillon va sortir pour enlever le bois...

Chaque obus soulevait une longue gerbe de terre dans un nuage de fumée ; ceux qui tombaient sur le bois déracinaient des arbres entiers et les jetaient dans le taillis, tout droits, intacts, comme de gros bouquets. Un agent de liaison passa vite, en nous bousculant.

— Tout le monde dans les gourbis ! C'est un tir d'une demi-heure, ils vont peut-être répondre.

Personne ne rentra. Toute la tranchée massée regardait le spectacle, et comme l'artillerie allemande ne répondait pas, les plus prudents devenaient braves. Fouillard s'était même assis sur le parapet, pour n'en rien perdre.

Quand une salve bien pointée donnait sur la tranchée ses quatre coups de pic, arrachant une gerbe de terre, de pierres et de madriers, un cri d'admiration montait, une clameur ravie de feu d'artifice. Dans le vacarme, on n'entendait plus que ce rire heureux, ce rire honnête, comme si nous avions jugé l'effet de balles à massacre, sur les têtes de bois d'une noce villageoise. Parfois un cri dominait le tumulte.

— Visez, les gars, un poilu qui saute, hurlait Vairon avec des gestes désarticulés.

— T'as des visions, ripostait Lemoine, jaloux de n'avoir rien vu, c'est un rondin.

— De quoi ! Je te dis que c'est un Boche, même qu'il avait les panards en l'air.

Puis, un gros noir arrivait, haletant, comme un rapide entrant en gare, et tous les yeux braqués guettaient l'endroit où il allait tomber. C'était alors un énorme geyser noir qui jaillissait, zébré de feu, puis on entendait tonner le coup.

— Ah, le bath ! criait la tranchée.

Le bois bombardé fumait comme une usine. Gesticulant dans la cohue, Sulphart braillait sa joie.

— Qui n'a pas gagné va gagner ! C'est à la chance et à l'idée du joueur... Allons, pressons-nous, qui n'a pas sa plaque, six pour deux sous.

40

Il agitait d'une main des numéros imaginaires, comme un marchand forain, et ses beuglements couvraient le vacarme. Avec un affreux craquement d'os broyés, d'autres éclataient encore, arrachant les fils de fer ainsi que des rubans.

— Boum ! Le monsieur a gagné un superbe poulet d'Inde. Allons, au suivant ! Risquons-nous. Au petit bonheur la chance...

Un coup tonna plus sourd, en plein dans la tranchée, arrachant une grosse gerbe de terre et de rondins.

— C'te fois, ça y est, cria Vairon, qui tenait à son idée. J'ai vu sauter le poilu. Il est retombé sur le talus.

Les autres, qui n'avaient encore rien vu, guettaient anxieusement le prochain coup, le regard fixe. Demachy, étrangement fébrile, les poings serrés, chantonnait un air, pour montrer qu'il n'avait pas peur. Les oreilles s'habituent vite à ce roulant fracas. On les reconnaît tous, rien qu'à leur voix : le soixante-quinze qui claque rageur, file en miaulant et passe si vite qu'on le voit éclater quand on entend le départ ; le cent vingt essoufflé qu'on croirait trop las pour achever sa course ; le cent cinquante-cinq qui semble patiner sur des rails et les gros noirs, qui passent très haut, avec un bruit tranquille d'eau qu'on agite. Le vent, en dénouant les tourbillons épais, apportait jusqu'à nous une haleine de soufre, une forte odeur de poudre. Gilbert la respirait, à s'en saouler. Parfois, on entendait bien l'obus siffler, mais, cinq, dix secondes s'écoulaient, et il n'éclatait pas, tombé on ne sait où. Un murmure de déception s'élevait, un grognement de badauds trompés.

— Il a foiré...

Son quart à l'oreille comme un récepteur, le petit Belin jouait à l'artilleur.

— 4 800 mètres... Explosif... Tambour trois... Feu des deux pièces...

Le tir, d'abord bloqué devant le bois, s'était élargi

sur toute la ligne ennemie et les panaches noirs et verts la bordaient à présent tout entière, comme une infernale allée d'arbres. Soudain, on crut voir des calots gris passer.

— Les Boches qui se barrent ! cria Vairon.

On se bouscula, on grimpa sur les sacs.

— Là, où ça vient de tomber.

Et les doigts désignaient l'endroit sous un dais vert haché d'éclairs. Tous les soldats des derniers renforts tendaient le cou, dressés sur le bout carré de leurs godillots.

— Je vais faire un carton, dit Vairon, en chargeant son fusil.

Il épaula, visa à peine, lâcha le coup... Encore abasourdi par la détonation, il entendit le cri furieux de l'adjudant Morache, qui arrivait sur lui en gesticulant, brandissant son bâton comme s'il allait le battre.

— Qui est-ce qui a tiré ?... Je veux savoir qui a tiré... C'est vous ? Vous serez puni.

Son visage maigre tout crispé, il glapissait sous le nez de Vairon interdit.

— Alors, c'est défendu de tuer les Boches, maintenant, riposta l'autre mollement... En trois mois, c'est la première fois que je tire...

— Taisez-vous, je vous défends de discuter.

Vairon, devenu blême, baissa sa tête volontaire de grand voyou et déchargea son lebel, serrant les dents sur sa colère.

— C'est bon, murmura-t-il tout de même, on ne vous les tuera pas, vos Boches... Mais alors je me demande ce qu'on fout ici...

— Comment ? Qu'est-ce que vous dites ? cria Morache à se casser la voix. Je vais prévenir le capitaine.

Vairon se tut. Il s'éloigna, traînant son fusil comme un gourdin inutile. Puis, pour punir ses chefs, il se désintéressa ostensiblement du bombardement et alla s'étendre dans son trou. Il sortit sa blague et roula une cigarette, d'une main qui tremblait encore. Une série de détonations cuivrées lui fit lever le nez, en connaisseur.

— Des fusants, murmura-t-il.

Le cri d'admiration de la tranchée lui fit regretter de ne les avoir pas vus, mais il avait sa dignité d'homme : il ne se releva pas. A ce moment, nette et sèche dans le fracas, on entendit taper une mitrailleuse allemande. Ce fut plus fort que lui : il bondit au créneau.

Nous nous étions arrêtés de crier, étonnés, un peu inquiets. La mitrailleuse tirait toujours, exaspérante, semblant enfoncer des clous. Et brusquement nous vîmes sur qui elle tirait.

— Des poilus qui sortent !... On attaque de l'autre côté du ruisseau...

Tout le monde avait crié ensemble, puis aussitôt, on s'était tu, anxieux, cloués. Une compagnie venait de sortir des tranchées, sur notre gauche, et, en tirailleurs, sans sacs, à la baïonnette, les soldats couraient dans les champs nus. Le régiment voisin tentait un coup de main et c'étaient eux que cherchait la maxim au tap-tap régulier de machine à coudre. Le tir, s'étant fixé, parut faire dans la ligne d'hommes un large accroc.

— Ils sont fauchés.

— Non, ils se planquent...

Les soldats redressés couraient, se couchaient, repartaient, mais malgré le barrage qui pilait leur ligne, les Allemands s'étaient mis à tirer, et l'on voyait dans le grand terrain vague, tournoyer, culbuter des hommes. Il y en avait qui, couchés, s'agitaient encore, se traînaient vers les trous d'obus. D'autres, tombés lourdement en paquet, ne bougeaient plus. La fusillade crépitait, plus serrée, mais ce qui restait de la compagnie fonçait quand même, les soldats dispersés se regroupant à mesure qu'ils approchaient de la tranchée comme s'ils avaient craint de l'aborder seuls. Sur cette troupe massée, la mitrailleuse bloqua son tir, et, presque d'un coup, les hommes s'abattirent.

Un seul cri douloureux jaillit de nous. Puis des jurons, de la colère, de la détresse.

— Mais non, ils s'sont cor planqués, cria Broucke.

— Oui, dit Demachy, qui avait pris sa jumelle et regardait, angoissé... Il en reste. Ils sont dans les trous d'obus. Les fils de fer les ont arrêtés...

Nous nous bousculions derrière lui, tendant la main.

— Passe-moi ta jumelle, dis... Passe-la-moi...

En regardant bien, malgré la fumée, on les voyait encore, petits, serrés, éparpillés dans les trous. Mais, brusquement un nuage de fumée les cacha : notre artillerie reprenait son tir et se mettait à taillader, trop tard, la large haie de barbelé.

— Nom de dieu ! hurla Hamel, mais ils leur tirent dessus !

Une salve jeta ses cinq coups terribles autour de la vivante épave, puis les shrapnells claquèrent au-dessus d'eux. L'artillerie aveugle s'acharnait sur ce coin-là.

— Mais il faut prévenir... Il faut arrêter le feu, criait Demachy livide...

Le capitaine passa en courant.

— Ils ne voient donc pas !... Un homme de liaison... Vite au téléphone.

Cela tombait toujours, hersant la terre. Entre deux salves, on vit quelque chose s'agiter dans les trous d'obus, une forme se relever, un des survivants avait dénoué sa ceinture de flanelle, une large ceinture rouge, et, agenouillé sur le bord de son trou, à trente pas des Allemands, il agitait son fanion, le bras levé très haut.

— Rouge ! Il demande qu'on allonge le tir, cria la tranchée.

Secs, tragiques, des coups de mauser claquèrent. Le soldat s'était recouché, touché peut-être... Des obus piochèrent encore le point maudit, arrachant un tourbillon de terre dans la fumée lourde. Anxieux, nous attendions que le nuage s'écartât...

Non, il n'était pas mort. L'homme se redressait et levant le bras très haut, il agitait sa ceinture d'un grand geste rouge. Encore une fois les Boches tirèrent. Le soldat retomba...

On hurlait...

— Salauds ! Salauds !

— Il faut attaquer, criait Gilbert hagard.

Entre deux bordées de tonnerre, le soldat se relevait toujours, son fanion au poing, et les balles ne le faisaient coucher qu'un instant. "Rouge ! Rouge !" répétait la ceinture agitée. Mais notre artillerie prise de folie continuait de tirer, comme si elle eût voulu les broyer tous. Les obus encerclaient le groupe terré, se rapprochaient encore, allaient les écraser...

Alors, l'homme se leva tout droit, à découvert, et d'un grand geste fou, il brandit son fanion, au-dessus de sa tête, face aux fusils. Vingt coups partirent. On le vit chanceler et il s'abattit, le corps cassé, sur les fils acérés dont les liens le reçurent.

L'homme tombé, les Boches tiraient quand même férocement, et le crépitement meurtrier nous faisait mal, cruellement mal, comme s'il nous avait blessés tous. Un nuage d'obus cacha l'horrible scène. Mais on entendait encore tirer, derrière le mouvant rideau. La fumée s'écarta. Rien ne bougeait plus... Si... Un bras remuait encore, remuait à peine, traînant son fanion dans l'herbe. "Rouge ! Allongez lé tir... Allongez le tir..."

*

Des lumières se cachaient sous les paillotes. Des rires et des voix s'y blottissaient, frileusement. C'était l'heure d'avant dormir. Le vent froid qui passait dans les branches avec un bruit d'écluse, apportait des tranchées les coups de feu égarés des sentinelles anxieuses.

Puis, brusquement, le long craquement d'un feu

de salve déchirait le silence, les fusées biffaient la nuit de leur trait livide et la fusillade reprenait, comme un feu qu'on ravive d'une bourrée de bois mort.

— Tiens, ça recommence, disaient les camarades.

Et Vairon, la couverture au nez, ronchonnait :

— Pourvu qu'ils ne demandent pas du renfort !

Soucieux, inquiet peut-être, le capitaine Cruchet se promenait nerveusement sur le chemin ; parfois, il grimpait sur le talus, derrière les vignes, et inspectait les grands champs noirs, vers la bergerie. C'était là qu'on tirait. Pourtant on ne voyait rien. La nuit était opaque, sans un éclair, sans une flamme d'obus et les fusées qui crevaient au-dessus de la route en grandes bulles lumineuses ne découvraient que de beaux arbres taciturnes dans les champs endormis.

Que se passait-il ? On ne savait pas. Les Allemands peut-être attaquaient la route. La fusillade se resserrait sur deux cents mètres à peine, et elle était comme perdue dans ce vaste horizon tranquille. Ne sachant rien, on écoutait se battre les deux bruits, et quand le silence retombait après un feu de salve, nous pensions : "Ça y est... Ils ont repoussé les Boches."

Sulphart rebattait les cartes, et Broucke, pour se bercer, reprenait sa chanson :

> Dors, min p'tit quinquin,
> Min p'tit pouchin,
> Min p'tit ruchin...

Les autres dormaient déjà. Dans le fond obscur de la paillote, on n'entendait plus que le bruit régulier des ongles d'un copain qui se grattait le ventre, tourmenté par les poux. La fusillade, en reprenant, ne les réveillait pas. Devant les cagnas, le capitaine veillait seul, grand corps maigre, tout en jambes. Il attendait Bourland, un de ses hommes de liaison, qu'il avait envoyé à la route pour avoir des nouvelles. J'entendis le retour des souliers cloutés du soldat.

Peu après, un ordre passa de hutte en hutte : "Debout... Rassemblement."

Comme la fusillade semblait s'étendre, on sortit vite, en se poussant, les mains se disputant les fusils dans l'ombre. Rapidement, les sections s'alignèrent. Les hommes réveillés frissonnaient, surpris par la nuit glacée.

— La quatrième compagnie va peut-être avoir besoin de nous, nous dit le capitaine de sa voix sèche. Ils s'attendent à une attaque. Donc, défense expresse de se déchausser, n'est-ce pas. On gardera les sacs montés, la couverture dessus, chaque homme son fusil près de lui... Maintenant, il me faut un volontaire...

Nous écoutions, coude à coude, les quatre sections en carré. Un crépitement désordonné de fusillade le fit taire un instant, l'oreille tendue, puis le bruit s'émietta en coups dispersés, et un silence inquiétant effaça tout. Étaient-ils à la route ?

— Un volontaire qui connaisse assez le secteur, reprit plus vite le capitaine. Il s'agit de guider une patrouille de la quatrième qui doit se mettre en liaison avec les territoriaux qui sont à droite du ruisseau. Des éléments ennemis se sont peut-être glissés là... Je connais plus d'un brave à la compagnie, n'est-ce pas, parmi mes anciens.

— Présent ! cria tout de suite une voix...

C'était Gilbert. Vite, il avait crié, spontanément sans réfléchir, rien que pour la joie vibrante d'entendre dans le silence sa voix qui n'avait pas peur ; rien que pour lancer orgueilleusement son nom devant trois cents hommes muets.

— Demachy... Première section.

Et son cœur battit d'entendre sa propre voix, son nom offert. Assuré, il sortit du rang, se frayant un passage d'un coup de coude, et se mit au garde-à-vous.

— J'aurais mieux aimé un ancien, dit le capitaine. Enfin, puisque vous vous présentez, c'est bien... C'est très bien.

On nous fit rentrer sous les abris, et Gilbert ayant pris les ordres s'éloigna, l'arme à la main.

Il escalada le talus et prit par les champs. Comme il longeait la vigne, il sursauta. Un homme là, devant lui... C'était une sentinelle qui surveillait la plaine.

— Tu vas à la route ? Descends jusqu'au pommier, après t'as plus qu'à suivre le sentier. Mais grouille-toi, tu sais, ça siffle dur quand ils se mettent à tirer.

Il repartit. Des perdrix s'éveillèrent et filèrent dans ses jambes, d'un vol lourd. Il dut encore réprimer un brusque mouvement de recul, et, les mains glacées, il chargea son fusil. Ses yeux fouillaient l'ombre : pas un arbre. A trois cents mètres des gourbis il se sentait seul, déjà menacé, loin de tout. Il n'avait pas peur, cependant, c'était ce grand silence, ce vide, cette ombre qui l'inquiétaient.

La fusillade reprit d'un coup et quelques balles sifflèrent autour de lui. Il ne les craignait pas. Il croisa seulement son fusil, de façon que la crosse lui protégeât le ventre, et il baissa la tête, pensant naïvement qu'ainsi rien ne pouvait plus l'atteindre. Les fusées seules le guidaient, et l'invisible fusillade. Il marchait péniblement, arrachant à chaque pas ses souliers lourds de glèbe. Parfois un bruit furtif le saisissait et, tombé à genoux, doigt à sa gâchette, il épiait...

Les tranchées, au ruisseau, ne se joignaient pas. Si des Allemands s'étaient glissés par là ? Il attendait un instant et repartait, plus courbé. Un sentier coupait les champs. Était-ce le bon ?... Il le suivit, au hasard. Le son brutal de la fusillade se faisait plus proche. Enfin il distingua la rangée d'arbres de la route et se laissa glisser le long du talus. Dans le fossé traînaient des équipements, des armes, des sacs ; contre un tas de cailloux un mort était couché. Gilbert détourna les yeux et franchit rapidement la chaussée. La quatrième compagnie était déployée en tirailleurs, les soldats accrochés au flanc pierreux du talus. Assis sur une borne, un homme trempait du pain dans un quart.

— Qui êtes-vous ?

— De la troisième compagnie... Je cherche le capitaine Stanislas, pour la patrouille.

— C'est moi.

A ce moment une voix tomba de là-haut :

— Ça remue près de la meule.

Le capitaine enfla la voix :

— Attention, pour un feu de salve. A gauche de la meule de paille... Joue... feu !

Un terrible craquement étourdit Gilbert. Il avait vu tout le long du talus, jaillir la mince bordure de flammes.

— Suivez la route jusqu'à l'arbre couché en travers, à cinq cents mètres... lui dit l'officier en se rasseyant. La patrouille vous attend.

Gilbert se hâta. Dans les ténèbres, on devinait la bergerie, grand bâtiment désert aux murs crevés de meurtrières. Plus loin, le talus s'amincissait surplombant à peine la route, et à cet endroit, un arbre était abattu. Gilbert s'arrêta et, le fusil croisé, mit un genou en terre. Du champ obscur une voix le héla :

— C'est toi, l'homme de la troisième ?... Viens.

Ils étaient cinq. Le derrière sur les talons, le caporal inspectait la nuit avec méfiance.

— Tu connais bien la route ?

— Oui, dit Gilbert, c'est par là...

Et d'un geste, il leur montra un coin de nuit.

— C'est là qu'ils ont fait un coup de main dimanche ? Le gars au fanion rouge ?

— Oui.

Ils mirent baïonnette au canon et les fusils s'allongèrent d'une lueur mince. Le caporal se redressait lorsqu'une fusée siffla.

— Ne bougez pas !

Ils restèrent immobiles. La fusée épanouie retombait, hochant sa tête éblouissante. Accroupis en rond, ils semblaient prêts à danser la capucine. Sur la crête, une file d'hommes se découvrit, chargée de rondins et d'outils, puis disparut, la fusée morte.

— Allons-y.

La fusillade un instant apaisée se ranimait parfois, pour se taire aussitôt.

— Écoute-les, grommela le caporal. Ils ne veulent pas laisser une betterave debout.

— On vous a attaqués ?

— Les poteaux du chemin de fer, oui, et la meule de paille. C'est là-dessus qu'on tire depuis deux heures... Heureusement qu'ils ne visent pas par ici ces c...-là.

Ils avançaient en tirailleurs, espacés de quelques pas. Un grand marchait tout cassé, comme un bineur. Gilbert allait devant. A la crête, une sourde rumeur animait l'ombre, des tintements de pelle. Puis on entrait dans l'inconnu.

Ils faisaient cent pas, s'agenouillaient, fouillaient le champ d'un œil aigu, repartaient. Le caporal piqua une forme noire du bout de sa baïonnette... Le cœur de Gilbert fit un bond.

— Rien... Une gerbe.

Ils devaient approcher du ruisseau lorsque la nuit sembla s'éclairer. Il n'y avait plus devant la lune qu'un mince rideau ; le vent le tira et les champs parurent, tout nus. La patrouille ne bougeait plus, démasquée par l'immense fusée. Un long moment, ils restèrent tapis, muets, sans un mouvement. Seul Gilbert s'était redressé sur les coudes, sans képi, et cherchait à s'orienter. Quand la lune se cacha, il se releva le premier et partit tout droit. Il avait aperçu, couchés dans l'herbe, les premiers cadavres. C'était la bonne route. Au premier qu'il frôla, il eut un brusque geste d'effroi, la peur de la main froide qui allait l'agripper. L'homme était tombé en boule, les genoux repliés, semblant continuer dans l'infini sa terrible prière.

Gilbert n'osait plus avancer, la peur au ventre, les jambes molles. Il se serra brusquement contre le caporal.

— Quoi, murmura la voix, c'est pas par là ?

— Si...

Il regardait les morts, tous ces morts qu'il avait vus courir à leur atroce destin. Leur grand champ l'effrayait : toutes ces gerbes oubliées... Il en devinait partout, dans chaque trou d'obus, dans chaque sillon, et n'osait plus bouger. Rien ne pouvait le défendre, pas même le camarade contre lequel il se pressait.

— Eh bien, quoi, on avance ?

Un peu plus loin, les capotes se serraient par grappes. Elles étaient si plates déjà, les corps si vides, qu'on pouvait à peine s'imaginer que cela avait vécu, que cela courait... Une détresse infinie pesait sur le cœur de Gilbert. Ils ne lui faisaient plus peur à présent. A-t-on peur de ceux qu'on aime ? Faisant un effort sur lui-même, forçant ses mains qui ne voulaient pas, il se pencha sur un cadavre et déboutonna la capote, pour prendre les papiers. Il eut à peine un frisson nerveux, quand il sentit la chair froide du cou, sous ses doigts craintifs. Le caporal, penché, prenait déjà la médaille d'un autre.

Les pauvres camarades qu'ils revenaient voir dans leur néant, devaient revivre pour un instant sous leurs gestes fraternels. Et réveillés, miséricordieux, c'étaient les morts qui guidaient la patrouille, semblant se passer les vivants de main en main.

*

Gilbert est rentré au petit jour.

— J'ai conduit la patrouille jusqu'au réseau boche, a-t-il rendu compte au capitaine.

Cruchet a seulement répondu :

— Ah !...

Et il a eu un tel sourire d'incrédulité que Gilbert

en a rougi. Quelqu'un a aussitôt raconté l'histoire à sa façon et des camarades ont regardé le volontaire d'un air narquois.

— Y en a qui savent bourrer la caisse, a dit Fouillard, à la cantonade... Il les aura, ses galons de cabot.

Et un autre :

— Tu te planques dans un trou pendant deux heures, tu comprends, et tu racontes après que t'as visité leur poste d'écoute.

Gilbert, qui parlait avec nous, n'a pas riposté. Un petit sourire amer lui plissait les lèvres.

— Je vais emmailloter mon fusil comme toi, a-t-il dit à Lemoine, la pluie a tout rouillé le mien.

Il s'est éloigné, la tête basse. Assis à l'entrée du gourbi, il a pris son fusil entre ses genoux, et, déboutonnant sa capote, il a sorti une large ceinture de flanelle rouge. D'un seul coup, les rires se sont tus.

On a regardé dans la plaine, devant la tranchée allemande. Le fanion rouge n'y était plus.

IV

LA BONNE VIE

Nous faisions le gros dos sous la pluie. Ce village boueux et noir ne nous attendait pas, et tassés par paquets mouillés le long des maisons endormies, nous guettions le retour des fourriers qui nous cherchaient des cantonnements. Le nôtre, le grand Lambert, venait d'entrer dans cette ferme dont la fenêtre aux rideaux rouges ensanglantait la nuit d'une lueur d'assommoir et, de la rue, nous reconnaissions, sans distinguer les mots, sa voix cordiale qui cherchait à convaincre l'habitant. Le fermier, quelque paysan buté, répondait en braillant :

— Non, non, j'en coucherai point dans le cellier, que j'vous dis. Ils m'boiraient la feuillette qu'il me reste.

La compagnie qui descendait des tranchées s'était abattue au coup de sifflet, harassée, boueuse, trempée. Devant nous, d'autres défilaient encore, avec un piétinement pressé d'enterrement attardé trottinant vers Bagneux. Après les mitrailleurs et leurs mulets crottés, entrevus dans un brouillard de fatigue et de pluie, passèrent les caissons cahotants du train de combat, la voiture à viande, l'ambulance aux roues ferrées, et, à la queue du régiment, les voitures de compagnie, cavalcade burlesque de limonières, de pataches et de tapeculs ramassés au hasard des marches et des contremarches, de Charleroi à Reims, antiques guimbardes aux essieux grinçants, tapissières débordant de sacs et de fusils, carrioles vêtues de bâches ruisselantes, breaks de famille et camions de brasseurs, puis, fermant la colonne, le phaéton du vaguemestre, tiré par un percheron de labour que les brancards habillaient trop juste.

Les hommes ne regardaient rien, exténués, dormant à moitié. Les roues les frôlaient et ils ne retiraient même pas leurs pieds. Ils s'étaient laissés tomber où ils étaient, sans regarder, la boue ne pouvant plus les salir, et, accroupis contre le mur pour s'abriter sous le rebord des toits, ils se réchauffaient l'un l'autre comme des bêtes, ne trouvant plus le courage de grogner. Quelques-uns, restés debout, les bras croisés sur le fusil, parlaient de paille fraîche, de vin pas cher, de repos sans exercice, tout un chimérique bonheur, et les camarades assis sur leurs sacs écoutaient sans répondre, trop hébétés pour rien désirer d'autre que le droit de dormir.

Par moments, un officier passait et, d'un coup subit de sa lampe électrique, éclairait crûment les corps effondrés.

— Les agents de liaison... Où est la liaison ? C'est insensé !

Un fourrier cria, tout courant.

— Ça va, mon capitaine. J'ai déjà trouvé un bon cantonnement pour les chevaux.

La pluie tombait toujours, fine, froide et molle. Là-haut, entre les berges blafardes des maisons, la nuit coulait, comme une eau noire.

*

Toute la maison braille, de la cour au grenier. Dans la cuisine, d'où s'envole une âcre fumée de bois vert, on se bat pour des quarts de jus. Dans l'escalier, on grimpe, on dégringole, on chante.

Mais ici, au jardin, tout est tranquille. J'ai pris, pour m'asseoir, le seau que j'ai retourné et, adossé à la muraille, installé comme sur un fauteuil, je rêvasse. C'est le petit matin. Il n'y a pas longtemps que le jour a fini sa toilette : l'herbe est encore toute mouillée. Et le ciel sort des brassées de nuages blancs qu'il met à sécher, comme du linge.

L'œil indolent, encore lourd de sommeil, je regarde le jardin en friche, avec ses arbustes dépouillés, ses plants d'herbe folle et sa pompe grinçante où des camarades se nettoient. Je paresse entre veille et somme.

On a bien dormi. Pour la première fois depuis quinze jours, on a pu se déchausser, retirer le ceinturon, la baïonnette, tout ce sale équipement qui vous meurtrit les reins. Je me suis réveillé comme je m'étais couché : saucissonné dans ma couverture, la tête dans un placard, avec le plancher pour matelas et un sac de haricots en guise d'oreiller. J'ai dû faire un beau rêve : il m'en restait, au réveil, des bribes dans l'esprit, comme un duvet d'édredon.

Les caporaux, rassemblés dans la buanderie, se partagent des effets de laine pour leurs escouades. Depuis qu'il fait moins froid, il en arrive des ballots toutes les semaines. Il était temps...

Le long de la haie, Sulphart brosse les molletiè-res de Gilbert, tout en sifflant. Il a trouvé, chez de bonnes gens, une salle où nous ferons notre popote, et, déjà, il pense au déjeuner. Manger sur une table, dans des assiettes, cela me paraît presque trop beau, et je n'ose pas tout à fait y croire, de peur d'être déçu.

"C'est la bonne vie", répète Sulphart. Autour de lui, ils sont six ou sept qui nettoient leurs capotes crottées. Ils grattent d'abord la boue avec leur couteau ou un tesson de bouteille, et, quand elle est convertie en poussière, ils battent leurs frusques comme un tapis, à grands coups de bâton. C'est ce que nous appelons se brosser...

— Tu parles d'une garce de boue... Et ça tient bon, c'est de la craie...

Avec la charmante impudeur des soldats, deux copains, le torse nu, cherchent leurs poux. Vairon tient sa flanelle à bout de bras, comme un peintre regarde une toile et, le nez froncé, l'œil fixe, il inspecte son linge. Puis, quand il a découvert la bête, il joint rapidement les pouces, et "clac !" il l'écrase. Broucke, au contraire, examine sa chemise pli par pli, le nez dessus et chasse posément. Quand il en débusque un gros, il pousse un cri.

— Cor un qui n'maquera plus mi.

Vairon, dont les ongles claquent, compte à haute voix :

— Trente-deux... trente-trois.

— Vingt-sept... vingt-huit, réplique tranquillement le gars du Nord.

Tout en grattant les molletières, Sulphart les suit des yeux en connaisseur. Il a déjà son favori.

— Tu verras que ça sera Vairon qu'en aura le plus. Il a le sang plus chaud... C'est des gros ?

— "Des à la croix de fer", renseigne vaniteusement le camarade.

— C'est encore rien, ceux-là, fait Sulphart de son air important. On en a eu des rouges, des poux d'arbis. C'est les plus féroces, ceux-là, ça vous bouffe le sang. Et puis ça donne des maladies. Tandis que les autres, ça retirerait plutôt les mauvaises humeurs.

— Y a rien de meilleur pour la santé, ajoute un camarade instruit qui retire sa chemise pour commencer sa battue. Ça vous suce le mal...

— J'ai eu mon petit frère, c'est les poux et la gourme qui l'ont empêché d'avoir la méningite.

— Ça ne m'étonne pas, reprend l'autre, qui commence l'inspection de sa ceinture.

Mais dès le premier regard il se sent découragé. Son linge fourmille de vermine, on voit grouiller une file noire dans chaque pli. Un moment, il semble hésiter, puis, se décidant, il met tout en boule, sa chemise, son caleçon, sa ceinture, et jette le ballot par-dessus le mur.

— Tant pis, j'en toucherai du neuf. Ça me fera toujours ça de moins à laver.

Fouillard, que j'entendais depuis un moment crier dans sa tanière, vient de se montrer sur la porte, ses bras nus noirs de suie et luisants de graisse ; de ses souliers délacés à ses cheveux en broussaille, on ne trouverait pas, même en cherchant bien, un endroit à salir. Sa peau, son linge, son pantalon, tout est gras, maculé, et quand, d'un geste familier, il se passe les paumes sur les reins, pour les essuyer, on se demande lequel va tacher l'autre, de son fond de culotte ou de ses mains. Il nous dévisage un instant avec sévérité, fouille le jardin d'un regard méfiant, et crie :

— Quel est le salaud qui m'a calotté mon seau ?

Mon premier mouvement a été de me lever, pour lui restituer l'objet. Mais non, je suis vraiment trop bien. Je me trouve encore mieux assis, depuis qu'on veut me le prendre. Le bien-être me paralyse.

— J'peux pourtant pas aller chercher de la flotte dans mes godasses ! braille le cuistot.

Oh ! non, cela ne serait pas à conseiller. Pourtant je serre hypocritement les genoux pour cacher mon siège, et je regarde innocemment Fouillard déchaînée qui hurle sa fureur impuissante :

— Tas de vaches !... Puis après tout, j'm'en colle. J'vous laisse tomber avec votre cuistance ; s'il y en a un qui veut la place, il n'a qu'à aller se faire inscrire au burlingue.

*

Nous devons faire un bel ensemble, les quatre sections en carré, en ligne sur deux rangs.

Pas deux tenues qui se ressemblent. Sauf les derniers venus, nous avons été équipés de bric et de broc, dans le désarroi du premier mois de guerre, et depuis, on s'est arrangé comme on a pu. Il y a des capotes de toutes les teintes, de toutes les formes, de tous les âges. Celles des grands sont trop petites, et celles des petits trop longues. La martingale de Fouillard lui bat minablement les fesses, et sur le large coffre du père Hamel, la capote trop étroite fait des plis circulaires, tous les boutons prêts à péter. Moi, c'est Sulphart que je préfère.

Il est vêtu d'une capote ancien modèle, bleu foncé, avec une grande poche rapportée, d'un joli bleu hussard. Il a cousu son paquet de pansement sur son téton gauche et renforcé ses molletières grises d'une bande de gros cuir, découpée dans des jambières réglementaires. Comme tout bon soldat d'active, il a voulu se distinguer en cassant la visière de son képi, à la Bat'd'Af', et il a encore enjolivé ce couvre-chef, plus aplati qu'une galette, d'une jugulaire tressée du meilleur effet.

Ses larges godillots craquelés et racornis, qu'on dirait taillés à la serpe dans du vieux bois, portent encore à leurs talons tournés un peu de la boue glorieuse des tranchées, et son pantalon rouge apparaît aux cuisses, par une large déchirure dans sa cotte de toile bleue. On le croirait dessiné pour l'*Illustration*.

D'autres, qui ont déjà touché les nouvelles capotes bleu horizon, font les farauds. On dirait qu'ils vont faire la guerre en habit des dimanches. Les camarades les regardent avec une ironie forcée.

— T'occupe pas, toujours les mêmes qui se démerdent...

— En douce tu comprends, le fourrier n'en a refilé qu'aux mecs qui lui lavent la gueule.

Et Sulphart, qui regarde ces petits élégants avec des yeux captivés, songe déjà aux heureuses transformations qu'il fera subir à la sienne.

— J'taillerai deux grandes poches raglan de chaque côté et j'm'arrangerai un col aiglon... Tu verras si je serai *rider*.

Le capitaine Cruchet, qui a l'oreille fine, se retourne, lèvres pincées.

— Silence ! Qui a parlé ?... Vous êtes au garde-à-vous. Faites attention à vos hommes, Morache.

Ricordeau, qui attend son galon de sergent, fronce les sourcils en nous regardant, pour faire croire qu'il a de l'autorité. Sulphart ne bronche pas, mais derrière lui Gilbert se ratatine, ayant peur qu'on ne découvre son chandail qui dépasse. Tout le monde se tait. Satisfait, le capitaine continue sa revue. A mesure qu'il approche, les corps se redressent, comme sous un déclic ; les bras gauches tombent bien raides et les yeux pas rassurés regardent intelligemment dans le vague, à une distance que la théorie évalue à quinze pas. Maigre, haut sur jambes, sa longue figure encadrée de courts favoris noirs, le capitaine Cruchet a un air naturellement sévère qui impressionne. Les sourcils soucieux, il avance sans hâte, dévisageant chaque homme comme s'il le rencontrait pour la première fois.

— Décoiffez-vous.

Le camarade, tout rouge, retire gauchement son képi.

— Tt ! Tt ! Tt ! Tt ! C'est trop long, c'est sale. Il faudra me faire couper ces cheveux-là... Prenez son nom, Morache.

Comme il nous tourne le dos, plusieurs copains se décoiffent furtivement, et, s'étant craché dans les mains, collent de leur mieux leurs cheveux rétifs. Malheureusement, le capitaine ne s'intéresse pas qu'aux cheveux. Il remarque tout : le bouton qui manque, le point de rouille au fusil, le brodequin mal graissé, la tache de boue sur la cartouchière ; et, la voix glaciale, il demande :

— Où vous êtes-vous sali comme ça ?

Quelle drôle de question !...

Ayant gourmandé Bréval, dont la cartouchière tient avec des ficelles, il s'arrête devant Sulphart. L'autre s'est raidi, talons joints, le regard fixe. Le capitaine l'examine un bon moment, puis :

— Il est joli, celui-là, raille-t-il.

Sulphart n'a pas bougé, pas même baissé les yeux. Les voisins le regardent de biais, avec des sourires en coulisse.

— Vous vous trouvez plus séduisant avec votre visière cassée, comme une casquette de voyou, ttt... ttt... C'est pour plaire aux filles ? Elles auraient du goût.

La joie des camarades fuse en petits rires serviles. Sulphart ne bronche toujours pas, la main gauche bien ouverte, la tête une idée renversée.

— Et ces cheveux ! Ma parole, il ne les a pas fait couper depuis le début de la campagne... Un pantalon déchiré, ttt..., ttt... de la boue aux souliers... Mauvaise tenue, très mauvaise tenue. Vous prendrez son nom, Morache : quatre jours de prison... Et qu'on lui coupe les cheveux, ttt... ttt... bien ras.

Sulphart est resté impassible. Il n'a pas sourcillé, pas frémi. Ah ! ces vainqueurs de la Marne...

On croyait la revue terminée et des impatiences nous fourmillaient dans les genoux, quand le capitaine a commandé :

— Sac à terre !

J'en étais sûr ! C'est la revue des vivres de réserve, à présent. A genoux devant le barda débouclé, il faut tout démonter, tout défaire, tout sortir, pour retrouver la tablette de potage salé écrasée sous les chemises, ou le cube de café qui s'émiette dans les chaussettes, et salit le linge.

A genoux on vide son armoire en rageant.

— Y croit qu'on va les bouffer ses biscuits, grogne Vairon.

On étale tout son bien : les cartouches, le sachet

de sucre, la boîte de singe. Le sac qu'on avait eu tant de mal à monter doit être vidé jusqu'au fond. Des camarades à quatre pattes comptent et recomptent leurs cartouches d'un air inquiet.

— Bon Dieu, il m'en manque un paquet... T'en as pas un en rab ?

Tout notre bien tient dans ce petit tas de hardes et de conserves, que le capitaine dérange du bout de sa canne, pour compter les trousses de cartouches. Il fait rapidement le tour, puis, se plaçant face à notre section, il demande :

— Quelqu'un veut-il être cuisinier ? Celui de la cinquième escouade est relevé. Qui veut le remplacer ?

Aussitôt, d'un seul mouvement, tout le monde a regardé Bouffioux. Deux cents bonnes têtes épanouies le dévisagent, rigolant d'avance. Le marchand de chevaux est devenu tout rouge, mais il a crié quand même :

— Présent !

— Vous savez faire la cuisine ? lui a demandé Cruchet.

— J'ai été cuisinier dans le civil, mon capitaine.

Alors, la compagnie tout entière a éclaté de rire. Broucke étouffait, plié en deux. Les sergents au garde-à-vous ne pouvaient pas se retenir et Cruchet, mécontent, a dû commander : "Rompez vos rangs !"

Quand je redescendis dans la cuisine où des lames de parquet brûlaient en flammes joyeuses, l'ancien cuistot, noir comme un Savoyard, passait ses pouvoirs à Bouffioux devant l'escouade assemblée. La cérémonie fut toute simple. Fouillard, qui remuait le rata avec un bout d'échalas, tendit l'objet à son remplaçant.

— Tiens, v'là la cuiller. T'as plus qu'à servir... Pour ce soir, c'est toi qui feras la croustance... Seulement, moi, j'boufferai avec du saucisson, parce que t'as autant une gueule à être cuistot comme moi à être sacristain.

Un hurlement chargé de rires approuva le cuisinier. Bouffioux, posément, retira sa capote.

— T'en fais pas pour la croûte, répondit-il doucement.

Sulphart, qui le regardait avec sympathie, lui bourra les côtes.

— Hé, nez de bœuf, on dit que t'as la tremblote pour monter aux tranchées. Tu serais pas né un jour de grand vent, des fois ?

Bouffioux commençait tranquillement à remuer son rata.

— T'en fais pas pour le vent non plus... Moi, pourvu que mes cheveux frisent et que mon ventre ne fasse pas de plis, je m'en fais jamais...

*

C'est ainsi que les sauvages doivent faire leur cuisine, j'imagine.

A genoux devant son chaudron, Bouffioux, un peu saoul, les yeux larmoyants, sa grosse face luisante de sueur et balafrée de suie, souffle à perdre haleine sur un petit bûcher mouillé qui fume sans vouloir flamber. Près de lui, tenant le couvercle comme un bouclier, Vairon remue le rata avec l'échalas, tandis que Broucke, dépenaillé, demi-nu, découpe du "frigo" bien rouge avec une hachette à bois, en hurlant des refrains flamands. On dirait qu'il dépèce un explorateur. Précautionneusement il jette les tranches glacées sur un sac à patates, boueux comme un paillasson.

Tout autour du foyer, des camarades se pressent, les mains dans les poches, l'air prodigieusement intéressés, avec un bout de sourire au coin des lèvres. On dirait qu'ils pincent la bouche pour ne pas laisser fuser leur joie ; de leurs yeux brillants à leurs joues gonflées, on les sent tout prêts à péter de rire.

A genoux, Bouffioux souffle toujours, s'arrêtant pour tousser et cracher de la suie.

— Vas-y mec, l'encourage Vairon, ça commence à bouillonner.

Et ayant prévenu les copains, d'un coup d'œil complice, il ajoute, très sérieux :

— Veux-tu mon idée, gosse de gosse ? Eh bien, ton fricot serait meilleur si t'ajoutais un peu de riz... Ça te lierait ta sauce.

L'autre lève sa face aux yeux pleurards, l'air ahuri.

— Quoi, du riz ?...

Ainsi écroulé sur les genoux, tout en larmes, hirsute et barbouillé, on dirait qu'il demande pardon à ses bourreaux au moment d'être rôti vif.

— Nature, du riz, approuve perfidement Fouillard qui veut faire bénéficier Bouffioux de son expérience. Ça te fera quéque chose de plus doux, de plus présentable.

Les camarades se bourrent les côtes, étouffant de joie.

— Allons-y pour du riz, consent Bouffioux qui se relève péniblement.

Et il va en prendre plein ses deux mains, une écuellée qu'il jette dans la marmite. Caché derrière le cabot d'ordinaire, l'un des cuisiniers rit dans son mouchoir, n'en pouvant plus.

— Ah ! j'me marre... Qu'est-ce qu'ils vont bouffer les gars de la cinquième !...

— Du bois, ch'timi, commande Vairon, le feu reprend. Pas de branches, surtout, ça fume de trop.

Sans changer d'arme, Broucke prend une moitié de porte, posée contre le mur, et la fend d'un bon coup.

— Va falloir cor inlever d'marches à l'z'escayer, dit-il, v'lo qu'y a déjà plus d'bo... Ch'est cor cha qui brûle el mieux.

En effet, sur ce bois bien sec qui flambe clair, la soupe se met à chanter.

— Ça y est ! Ça chauffe ! bredouille le marchand de chevaux. Je serai à l'heure !

Tout un cercle de faces épanouies le contemple : leur joie devient de la béatitude.

— Tu sais pas, Bouffioux, suggère alors astucieusement le caporal d'ordinaire, à ta place, j'verserais deux bons litres de vin la n'dedans et je ferais bouillir un petit quart d'heure.

Un rire fuse : Fouillard ne peut plus se retenir. Mais les autres approuvent de la tête sérieux comme un concile.

— T'es pas louf que je vas y foutre du vin, proteste pourtant Bouffioux qui retrouve une lueur de raison dans les fumées du tord-boyaux. Vous m'avez déjà fait mettre du lait.

— Qu'est-ce que ça prouve ? D'abord du lait, t'en as pas mis lerche, et puis les légumes ont tout bu. J'te dis que tu as tort.

— Sûr, que ça serait meilleur, opine hypocritement Vairon.

— Mais j'en ai pas, d'pinard. J'peux pourtant pas prendre celui de l'escouade.

Le caporal d'ordinaire, sentant faiblir le cuistot désemparé, a un beau geste :

— Tiens, j't'en refile deux litres, moi... Broucke, prends dans le coin. Il y en a six seaux pleins et trois bouteillons.

Prompt, le ch'timi saisit le premier seau venu — je reconnais le seau de toile dans lequel, ce matin j'ai fait ma toilette —, et en vide quatre bons quarts, au jugé.

— Ce sera fameux, affirme Vairon, qui fait déjà claquer sa langue d'un air de gourmandise.

— Tu crois ? demande Bouffioux vaguement inquiet.

— Probable, approuvent tous les autres avec ensemble. T'as rien mis de mauvais dedans... De la viande, des patates, du lait pour adoucir, des poireaux, du vin, du lard d'Amérique, pour graisser un peu, du riz, pour lier la sauce, des biscuits. C'est du bon, tout ça.

Bouffioux, soucieux malgré tout, soulève le couvercle et flaire le mélange.

— J'sais pas si c'est une idée, mais ça sent drôle.

— Pourquoi que ça sentirait drôle ? proteste Sulphart qui veut s'en mêler.

Et écartant les autres, il vient humer à son tour le fumet de notre dîner.

— Ça donne faim, affirme-t-il avec un aplomb scandaleux. Tu goûtes pas ?

Vairon, sans se faire prier, puise dans le chaudron avec son quart, et en sort une sorte de pâte épaisse et violâtre dont la seule vue lève le cœur. Il goûte lentement, à petites gorgées de gourmet.

— C'est fameux, fait-il. Sans charre, c'est pépère ; seulement — et il semble chercher un moment — on dirait tout de même qu'il manque...

— Quoi, éclate Bouffioux, tu vas pas dire qu'il manque encore quelque chose !

— J'dis pas, seulement à mon idée, un petit peu de chocolat râpé dans ce fricot-là, ça ne ferait rien de sale...

Tous les dos se courbent ; ils étranglent de rire, ils étouffent, ils n'en peuvent plus. Mais cette fois, le cuistot résiste. Il hausse les épaules en relevant son pantalon à deux mains, d'un geste de dandy.

— Du chocolat dans d'la soupe, ça s'serait jamais vu. Tu m'prends pour un c...

— Dans d'la soupe qu'il dit, l'enfifré ! s'exclame Sulphart. Ce que c'est de la soupe, d'abord ? Et puis moi, hein, j'm'en colle. Mais si t'étais si marle que ça, c'était pas la peine de venir me chercher avec Broucke pour t'aider à faire la croûte. Une autre fois, tu ne m'auras plus...

Toute la bande approuve Sulphart, et Fouillard

flétrit en trois mots crus la noire ingratitude de son successeur :

— Il t'donne un bon conseil et tu l'envoies ch... T'as tout d'la vache.

— Mais non, braille Vairon, il sait tout mieux que tout le monde...

Un des cuistots haussa les épaules :

— Ils sont tous les mêmes. Ça ne sait rien foutre et ça ne veut écouter personne. Demande voir aux gars de mon escouade si je leur fais pas du riz au chocolat maous...

— Mais c'est pas du riz, se défend encore Bouffioux, plus mollement, c'est du rata.

— Ça ne fait rien, intervient le cabot. T'as tort de t'obstiner. Du chocolat, c'est toujours bon... Ce soir, je becqueterai à ton escouade, tiens, tu m'feras une part...

Cette fois encore le marchand de chevaux, abruti, se résigne avec une docilité de poivrot. Sortant son couteau, il râpe deux barres de chocolat dans son rata qui bout, tandis que derrière son dos Broucke mime une danse canaque, en brandissant sa hachette.

En bousculade, les autres sortent, étouffant de rire, pliés, bégayant, et laissent Bouffioux tout seul devant son chaudron.

Dans le jardin, au pied du mur brodé de joubarbes, des foyers fument : la cuisine de toutes les escouades. Ici de la soupe, là du rata. Celui de la deuxième prépare des frites.

— C'est pas nous qui aurons la veine d'en dégauchir un comme ça, regrette Vairon.

Un autre, planté perplexe devant son feu, tient dans sa large patte noire un gros morceau de bœuf conservé, enroulé dans sa gaze.

— Encore du paquet de pansement ! peste-t-il avec dégoût. Comment que tu veux faire cuire c'te saloperie-là, j'te le demande.

Et il considère longuement sa viande, l'air absorbé, comme Hamlet devait regarder le crâne de

Yorick. Je cherche Sulphart. Sifflotant, il s'est planté au bout du clos, la pensée au vent, les regards perdus par-delà les bois dépouillés.

— A quoi penses-tu, Sulphart ?

Il garde son air rêveur.

— J'pense qu'à la mobilisation, en quittant l'usine, j'ai laissé mes outils et mes bleus chez l'bistrot d'en face en lui disant : "Mettez ça de côté, j'vous les reprendrai un de ces samedis, en rentrant d'Berlin..."

V

LA VEILLE DES ARMES

SIX HEURES, et la croûte qu'est pas encore là... Non, c'est tout de même cherré !

Sulphart ne peut plus tenir en place. Ayant sorti son quart et sa gamelle, il va se poster à l'entrée du boyau des Zouaves, par où arrivent les corvées. Ainsi perché sur ses deux jambes maigres aux molletières plaquées de boue séchée, on le croirait monté sur pilotis. Adossé à la tranchée, il regarde, il regarde furieusement.

— Tu parles de fumiers ces cuistots-là... Y a pas, moins t'en fous, moins t'en veux foutre. Et j'ai une dent !

Mais personne ne l'écoute, personne ne le plaint. Les uns lisent, les autres dorment dans leur terrier, le petit Belin coud les boutons de sa capote avec du fil téléphonique, Hamel chique. Il y en a même un qui, poussé par l'oisiveté, regarde au créneau. Cette veulerie générale écœure Sulphart. Il hausse les épaules, se venge d'un coup de pied dans une gamelle qui traîne et, peut-être pour ne pas entendre ses boyaux gémir, il entreprend un âpre réquisitoire où ses camarades, les cuisiniers et le haut commandement sont comparés à des cochons de mœurs abominables et plus particulièrement à de la paille souillée par les bestiaux. Il trouve même le courage de ricaner :

— On les aura... oui... On les aura, les lentilles aux cailloux et le macaroni à l'eau froide. Et pendant ce temps-là, les cuistots se tapent la tête avec les autres vaches.

Je connais Sulphart et ses opinions excessives : "les autres vaches" ne peuvent désigner que l'ensemble des individus qui ne prennent pas les tranchées, sans distinction de sexe, de costume, ni de grade. Ensuite, il se perd dans des projets de réformes d'ordre militaire où il est expressément convenu que "tous les mecs seront cuistots, chacun son tour", et qu'ils seront condamnés "à bouffer de leur tambouille au lieu de se les caler avec des frites, parce que, comme ça, ils mettront un peu plus de goût à préparer la cuistance des poilus". Telles sont les paroles d'un juste.

Mais les autres, qui n'ont pas encore faim, n'ont pas le moindre mot d'approbation : Bréval écrit, Broucke ronfle, Vairon sifflote. Alors définitivement dégoûté, Sulphart se tait, sort son couteau et se met à découper en tartines la boue durcie qui alourdit ses godillots. A ce moment, un bruit familier lui fait relever la tête.

— Les v'là !... A la soupe, les gars !

Dans un brimbalement de bouteillons et de bidons, c'est en effet la corvée de soupe qui arrive. Bouffioux marche en tête, portant en sautoir un gros chapelet de boules de pain enfilées sur une corde, un plat de rata d'une main et, de l'autre, un bidon à essence qui tient ses cinq bons litres de vin.

Tous les cuistots suivent en file indienne, chargés de bouteillons qu'ils portent à deux, suspendus à une perche, de sacs à patates gonflés d'on ne sait quoi, de plats où la terre dégouline, de seaux de toile, de boules de pain mises en brochettes sur un gourdin, tout un attirail rudimentaire de négresses ravitaillant leur tribu.

Sulphart a tout de suite découvert le bidon que Bouffioux a en bandoulière.

— Bath, y a du cric...

Écrasés contre la paroi qui s'écaille ou rentrés dans nos trous, nous laissons passer la corvée, puis nous entourons notre cuistot et son aide, qui ont posé leur charge. Avidement on découvre les plats.

— Qu'est-ce qu'il y a à becqueter ?

Tout le monde à la fois interroge Bouffioux qui s'éponge.

— T'as les babilles ? Ce que j'en ai ?

— Ce que t'as pensé à m'apporter une bougie et un paquet de trèfle ?

Les deux hommes répondent posément, à petits mots, avec un drôle d'air que j'ai remarqué tout de suite.

— C'est du paquet de pansement, renseigne Bouffioux, on n'a pas touché d'autre viande. J'ai fait du riz au chocolat, il doit être pépère... Le bidon de pinard est à ras... C'est le copain qui a les lettres.

Mais il dit tout cela d'une voix pas naturelle, avec un air préoccupé que Vairon à son tour finit par remarquer :

— Vous en faites une drôle de gueule, leur dit-il gentiment... Qu'est-ce qu'il y a de cassé ?

Bouffioux hoche la tête, et sa grosse face, si reluisante que je l'ai longtemps soupçonné de se laver avec un morceau de lard, réussit presque à paraître soucieuse.

— On ne peut pas être content, répond-il comme à regret... Vous attaquez après-demain.

Un bref silence tomba sur nous : juste le temps que le cœur fasse toc toc. Plusieurs ont brusquement pâli ; d'imperceptibles petits tics : un nez qui se fripe, une paupière qui saute. Les cuisiniers nous dévisagent, en hochant la tête. On les regarde, voulant douter. Puis, d'un même mouvement, on se serre autour d'eux et des demandes se bousculent :

— T'en es sûr ? Mais on devait être relevés demain ! Pas possible, c'est un bobard... qui c'est qui t'a dit ça ?

Bouffioux, fort des vérités qu'il apporte, se tourne simplement vers son second :

— Ce que c'est pas vrai ?

L'autre confirme, d'une voix affligée :

— Vous pensez bien qu'on n'irait pas vous bourrer la caisse avec un machin comme ça. C'est tout ce qu'il y a de vrai et de sûr.

Broucke s'est réveillé tout seul et est sorti de son gourbi. Sulphart a reposé la gamelle où il allait faire chauffer la boîte de cassoulet de Gilbert, et Bréval a replié la lettre qu'il lisait. Avec un peu d'angoisse dans la poitrine on écoute.

— Y a les bicots qui sont à Fismes, explique Bouffioux, le patelin en est plein, toute la division marocaine... Les infirmiers divisionnaires sont arrivés à Jonchery, on les a amenés en camions... Il paraît que le deuxième corps arriverait de Lorraine... Et puis de l'artillerie, alors, des pièces maous, il faut voir ça...

Toute une armée surgit de leurs paroles décousues : des cavaliers, des nègres, des aviateurs, des zouaves, du génie. Il paraît même que la légion en serait, mais cela Bouffioux ne le jurerait pas : c'est le cycliste du trésorier qui l'a entendu dire au téléphone. Enfin, on a tout prévu : les brancardiers pour nous ramasser et les aumôniers pour la messe des morts.

Je suis resté une minute interloqué, mon sourire oublié sur mes lèvres comme un drapeau du 14 juillet qu'on n'aurait pas pensé à décrocher. "Non, il faut encore aller faire les fous dans la plaine ? Eh bien ! vrai..." Et mon sourire s'est décroché tout seul.

Les camarades non plus ne rient pas : rien qu'en tournant la tête, ils pourraient voir, par le créneau, ceux de la dernière attaque, restés couchés dans l'herbe haute. Aucun ne sort un médaillon de sa poche pour l'embrasser furtivement, aucun non plus ne s'écrie, comme dans les contes : "Enfin ! On va sortir des trous !" Comme mot historique, Sulphart dit simplement : "Ah ! les tantes..." et sans savoir lui-même à qui s'adresse le compliment.

Muets, nous écoutons les hommes de soupe qui parlent d'abondance, l'un relayant l'autre. Ils rangent les troupes, ils installent l'artillerie, ils assurent le ravitaillement, ils étudient l'arrivée des réserves... Ils parlent, ils parlent...

Ils donnent même tant de précisions qu'un léger doute commence à me gagner. J'en ai tellement entendu de ces tuyaux de cuisine que les cuistots recueillent à l'arrière avec une crédulité de Peau-Rouge et nous montent le soir aux tranchées, en même temps que le jus et les bouteillons de riz.

Le matin, à la distribution des vivres, ils échangent leurs nouvelles, issues de sources mystérieuses : ce que le cycliste du trésorier a compris de travers, ce qu'un téléphoniste a cru entendre dire, ce qu'un planton de la brigade a rapporté au voiturier du colonel. On assemble tout cela, on commente, on suppose, on déduit et on invente un peu, pour que cela fasse mieux. C'est fini, le rapport des cuisines est au point. Et le soir, la tranchée apprend que le régiment part au Maroc, que le kronprinz est mort, que Joffre a tué Sarrail d'un coup de sabre, que nous sommes envoyés au repos à Paris, que le pape a imposé la paix ou que l'observateur de la saucisse a été fusillé parce qu'il était feld-maréchal dans l'armée allemande. On est impitoyable avec celui-là : on le fusille au moins une fois par mois.

Personne ne doute, surtout quand le messager vous apprend, la veille d'un coup dur, qu'on restera "peinards" en soutien d'artillerie. Le lendemain on est généralement dans les fils de fer à se battre comme des Sioux, mais on a autre chose à faire qu'à blâmer l'imposture des cuisiniers, et, la fois suivante, on les croira quand même. Depuis la guerre, la vérité sort des marmites ; tant mieux pour elle, d'ailleurs : elle y a moins froid que dans son puits.

Tous ces racontars, toutes ces balivernes me reviennent à mesure en mémoire, et cela, peu à peu, me rend méfiant. J'écoute encore un instant Bouffioux, qui discute à présent l'attaque au point de vue purement stratégique et poliment, ne voulant pas le vexer, je lui demande :

— Dis donc, vieux, tu en es sûr, au moins ? Ça ne serait pas un tuyau de cuisine ?

Le maquignon tout suant s'est arrêté brusquement de discourir, une moitié de mot sur les lèvres, l'air stupéfait. J'ai dû le froisser. Il reste deux secondes bouche bée, trop indigné pour répondre. Puis il devient tout rouge, il va éclater...

Mais non, il se ressaisit. Il prend simplement une lippe méprisante, se penche, ramasse son plat et déclare avec une dignité d'apôtre outragé.

— Ça va bien, je suis un c..., tout ce que je vous ai dit c'est du bourrage de crâne. Seulement vous verrez, après-demain.

Il veut écarter les camarades pour s'en aller, mais les autres se serrent les coudes et, pour le retenir, lâchement ils me donnent tort.

— L'écoute pas... Dis-nous voir... C'est vrai que le troisième bataillon restera en réserve ?... Pourquoi celui-là plutôt qu'un autre ?... D'où qu'on sortira ?... Ce qu'on attaquera aussi le Bois Carré ?

Ils le retiennent à deux mains, comme des pauvres cramponnés à la robe de saint Vincent de Paul. Par pure bonté d'âme, Bouffioux consent tout de même à livrer ses derniers tuyaux, et, professant le pardon des injures, il renseigne les camarades en laissant tout bonnement "tomber l'autre noix". C'est moi, l'autre noix.

Sans me vexer je m'écarte et je me jette à quatre pattes, comme si j'allais demander pardon. Mais non, je respecterai mon uniforme. Je me glisse dans mon trou la tête la première, et je cherche à tâtons une boîte de conserves dans ma musette. Je sors mon réchaud à alcool solidifié, ma gamelle remplie d'eau sale que j'ai précieusement conservée depuis hier matin et, installé sur un sac à terre, je prépare mon bain-marie.

Penché sur la flamme bleue, je me donne un air absorbé, pour tromper mon monde, mais j'écoute hypocritement le marchand de chevaux qui parle toujours. Pour me mortifier, il retrouve des détails oubliés, des précisions nouvelles dont une seule suffirait à me confondre. Comme un refrain, il répète :

— C'est peut-être des bobards, ça aussi...

Tant d'assurance finit par me troubler. Si c'était vrai, pourtant ? ils n'ont pas l'air de plaisanter. La tête penchée, je les observe sournoisement par-dessus ma gamelle où l'eau commence à chantonner. Toute l'escouade est groupée autour d'eux, agitée. Seul, Demachy reste calme et les écoute criailler avec son sourire de tous les jours, narquois, un peu amer, un sourire d'enfant gâté à qui rien ne plaît plus.

En me voyant commencer à manger, les camarades se rappellent que la soupe les attend.

— Ça va froidir, fait remarquer Broucke.

Et il remplit sa gamelle, grasse encore du rata précédent, des haricots restés collés au fond. Après lui, chacun se sert honnêtement. Puis en cercle, tendant le quart, nous entourons Bréval qui partage le vin. Pendant qu'il verse le rabiot goutte à goutte, Sulphart ausculte le bidon d'eau-de-vie. Il fait entendre un cri plaintif, de douleur et d'indignation.

— Ah ! il n'est même pas plein...

Et, brandissant le bidon comme un témoignage accablant, il beugle :

— Ça de cric pour douze hommes, la veille d'une attaque ! Faut pas demander qui c'est qui s'le tape à notre santé... Eh bien ! qu'ils en demandent des volontaires, ils peuvent toujours aller se faire coller.

— C'est le compte, lui répond fermement Bouffioux. Pas tout à fait le bidon par escouade.

— Eh ben, va voir au château, à la table des officemars, s'ils n'ont pas chacun leur plein demi-setier. Et après ça on se foutra des Boches ? Non, laissez-moi me marrer. Tiens, j'en veux pas de leur cric, ils peuvent se le foutre au...

Et il jette avec dégoût le bidon sur le bord du parapet, après s'être assuré que le bouchon tenait bien.

Les bouteillons sont vides, les plats saucés, Bouffioux et son aide reprennent leurs ustensiles, emportant quelques cartes écrites à la hâte.

— Au revoir, les gars, nous souhaite le gros cuistot... Ne vous en faites pas, allez, il y aura des balles filons à récolter... Ce que je souhaite à tout chacun, c'est la petite blessure coquette avec trois semaines d'hostau...

Ces vœux, que l'autre nous fait d'une voix bonasse, ont fait sursauter Fouillard. D'un œil mauvais, il regarde le maquignon rougeaud, qui a hérité de sa place.

— Tu ne l'auras pas, toi, la blessure coquette, lui lance-t-il de sa voix usée de poitrinaire. Ça te va bien de parler d'attaque, toi qui t'es toujours planqué, foireux !

Bouffioux s'est retourné :

— Écoute-moi, l'autre... Mais s'il fallait que j'fasse l'attaque, j'aurais pas plus les foies que toi... On a fait la Retraite, dis donc.

— Oui, au cul d'un camion.

— Tiens, t'as des raisons de terreux, riposte l'autre pour en finir, j'aime mieux pas discuter.

Et, dédaigneux, il s'en va, sur un dernier "Bonne chance, les gars", rejoindre la procession des cuistots, qui s'en retourne par le boyau des Zouaves. Un court instant, on n'entend plus qu'un bruit de bouches qui lapent, les têtes penchées sur les gamelles comme un cheval de fiacre plongé dans sa musette.

— Ça ne fait rien, il vous l'a bien mis, raille le père Hamel, qui se gave de riz au chocolat.

— Débloque pas, lui répond Fouillard, sa barbe rare grasse de soupe. Moi j'l'avais dans l'idée qu'on allait attaquer.

— Eh bien, si on attaque, on le verra, s'écrie Gilbert. Toutes les balles ne tuent pas.

Accroupi dans son trou comme dans une échoppe le petit Belin l'approuve :

— Quoi, ils ne bouffent pas le linge, les Boches. Pas la peine de s'en faire d'avance.

Toute la tranchée connaît à présent la nouvelle ; l'assiette à la main, on bavarde, et des bruits courent d'escouade en escouade. Il paraît que les pionniers vont venir cette nuit, pour préparer les escaliers d'attaque... On doit installer des canons de 37 et des lance-bombes... La première compagnie va faire une grosse patrouille.

Tout cela commence à m'ébranler, et pourtant, partageant mon fromage avec Gilbert, j'essaie de le convaincre que nous n'attaquerons pas. Sulphart beugle, la bouche encore pleine. Il ne pense plus à l'attaque, mais seulement aux injustices qui l'entourent. Tout en nettoyant son assiette avec une poignée d'herbe, il flétrit l'infamie du Grand Quartier général qui favorise indignement "les gonziers du troisième bataillon qu'en foutent jamais une ramée", et ne donnent même pas aux combattants l'eau-de-vie à laquelle ils ont droit. Il pousse ses cris sous le nez de Bréval, seul gradé à présent, pourtant innocent de ce déni de justice et, pour le faire taire, il faut que le sergent Berthier se dérange.

On se répand dans la tranchée, comme le village dans sa rue, après la soupe du soir. On parle, on discute, on s'énerve. Quelqu'un m'appelle :

— Jacques !

C'est Bourland, l'un des cyclistes du colonel.

— Eh bien ?

— C'est vrai ; on attaque... Je suis allé toucher deux mille cigares au ravitaillement.

J'ai dressé brusquement la tête. Quoi !... des cigares, des cigares à bague ? Cette fois, je suis convaincu, nous attaquons sûrement.

Hamel, dont l'esprit est cependant fermé aux déductions subtiles, ne s'y est pas trompé non plus.

— Il avait tout de même raison, l'autre vendu, soupire-t-il.

Puis, comme le sage ne doit considérer que le bon côté des pires choses, il ajoute :

— Comme tu ne fumes pas, tu me donneras le tien, hein ? Je le retiens.

Distraitement, avec une sorte de gêne au cœur, je me rapproche des camarades.

Vairon, monté sur la banquette de tir, regarde par le créneau le grand champ désolé, crevé de trous d'obus comme autant d'accrocs, où s'est brisée la dernière attaque. On peut compter les morts, dispersés dans l'herbe jaune. Ils sont tombés comme ils chargeaient, front en avant ; certains, abattus sur les genoux, semblent encore prêts à bondir. Beaucoup portent le pantalon rouge du début. On en voit un, adossé à une petite meule, qui, de ses mains crispées, tient sa capote ouverte comme pour nous montrer le trou qui l'a tué. Vairon les regarde longuement, rêveur, sans bouger et il murmure :

— Alors, il va falloir aller renforcer les copains d'en face...

*

Comme je dois prendre la veille le deuxième, je rentre dans le gourbi pour me reposer un peu ; Bréval y est déjà, il écrit. Allongé sur sa toile de tente, les mains sous la nuque, Gilbert rêve. Je prépare mon coin, ma musette pour oreiller, et je m'allonge. On n'entend plus rien que nos respirations égales et, dans les rondins du plafond, le cui-cui pointu des rats.

Bientôt chassés par le froid qui tombe sur la tranchée avec le soir, les camarades rentrent. Une autre bougie s'allume, un quillon de baïonnette pour bougeoir, et, accroupis en rond autour de la lumière, ils se mettent à jouer à la banque. Mais la partie s'arrête vite : le cœur n'y est pas, ce soir.

— J'm'en gourais qu'on allait attaquer, dit, le premier, Lemoine.

Leur fièvre d'un instant est tombée ; ils parlent maintenant de l'attaque avec résignation — presque de l'indifférence.

— Quoi ! On l'enlèvera cor bien, l'bois, s'écrie Broucke, qui ne dort pas encore. On a fait pire...

Bréval a cacheté sa lettre. A la bougie, je vois son maigre menton qui tremble.

— Si, seulement, après ça, on nous renvoyait chez nous, soupire-t-il.

Chez nous ! Rentrer !... Toutes les faces s'éclairent subitement, les bouches rient comme celles des gosses à qui l'on parle de Noël.

— Dis donc, Lemoine, demande Sulphart, assis sur le créneau de bois blanc qui lui sert d'escabeau, une supposition qu'on te dirait : "Vous allez rentrer chez vous, seulement, il faudra faire la route à reculons, avec un gros rondin sur le dos en plus du sac complet et sans godasses." Tu marcherais ?

— Sûrement que je marcherais, accepte Lemoine, sans hésiter... Et toi, si on te disait : "La guerre sera finie pour toi, seulement t'as plus le droit de boire de vin ni d'eau-de-vie jusqu'à ce que tu meures ?" Qu'est-ce que tu dirais ?

Sulphart réfléchit un moment : un obscur combat doit se livrer dans son âme.

— Heu... J'pourrais toujours boire du cidre, pas vrai ?... Et puis en douce, ça n'm'empêcherait pas d'me mettre un vieux coup de rhum dans le col. Je dirais "oui".

78

Les voilà lancés dans les suppositions insensées, les hypothèses absurdes qui, pendant des heures, les font parler, bercés de fabuleux espoirs. La volière est ouverte : les rêves les plus saugrenus vont s'envoler. Ils imaginent des marchés impossibles, des conditions stupéfiantes que le général en personne vient leur proposer — donnant, donnant — contre leur libération. Et si formidables que soient ces conditions, ils acceptent toujours.

De supposition en supposition, ils en arrivent à offrir un membre, à sacrifier un peu de leur peau pour sauver le reste. Chacun choisit sa blessure : un œil, une main, une jambe.

— Mi, dit Broucke en se grattant, j'donnero min pied gauche... J'in o pas besoin, d'min pied pour travailler à ch'cuve... Et pis, vaut cor mieux rintrer à cloche-pied que point rintrer du tout.

— J'aimerais mieux avoir un œil crevé, moi, dit Fouillard. A quoi que ça sert, d'abord, d'avoir deux yeux ? Tu vois aussi bien avec un... Tu vois même mieux, à preuve que t'en fermes un pour mieux viser.

Ils discutent posément, raisonnablement, chacun faisant valoir ses préférences, et en petites phrases honnêtes ils taillent dans leur chair vive, ils débitent tranquillement leur corps par membres, en choisissant soigneusement l'endroit.

— Non, un œil, ça ne se touche pas, dit Sulphart qui a des principes. Une bonne jambe assez amochée, c'est ce qu'il y a de mieux. Seulement, comme, si t'attends les brancardiers, t'es sûr de cramser sur l'tas, voilà comment que j'ferais.

Il prend deux lebels aux culasses emmaillotées de flanelle et, sa crosse sous l'aisselle, s'en servant comme de béquilles, il se met à sautiller dans le gourbi, une jambe morte, en geignant d'une voix aiguë :

— Houla ! Houla !... Laissez-moi passer, les gars...

Il a minutieusement réglé sa scène d'évacuation

jusqu'au ton de ses cris, glapissants et plaintifs. Mais tout cela ne convainc pas le ch'timi têtu :

— C'est cor el'pied qui vaut l'mieux.

— Eh bien, moi, dit le père Hamel, je veux leur laisser ni pied, ni patte, ni rien... Et le Boche qui voudra m'avoir, faudra pas qu'il s'y reprenne à deux fois ; sans cela, je lui crève le ventre, comme à celui de Courcy.

Ils se taisent, songeurs. Se voient-ils déjà courant dans la plaine, tête enfoncée, courbant le dos sous la mort qui siffle ?

Sulphart et Vairon parlent tout bas :

— Moi, j'ai repéré un trou d'obus, près du ruisseau... Si je vois que l'attaque loupe, je m'planque dedans et j'attends le soir.

— Si on leur paume leurs tranchées, y aura du fricot... Ça fait longtemps que je voudrais une jumelle boche ou un revolver... Après Montmirail, j'en ai vendu un vingt balles à un automobiliste.

Bréval sort de sa méditation morose :

— Ça ne fait rien, dit-il en déroulant ses molletières, on n'en reviendra pas tous...

Près de lui Broucke retire ses godillots.

— Tu sais bien que c'est défendu de se déchausser, lui dit-il. S'il y avait une alerte ?

— J'iro à pied d'bas, lui répond tranquillement le ch'timi en posant sur sa musette sa tête ébouriffée aux cheveux de lin.

Hamel et Vairon, qui ont des trous individuels, sortent du gourbi, et, sous la toile de tente qu'ils soulèvent, entre un peu de nuit froide et noire.

— Ça va encore pincer dur, me dit Fouillard qui enfonce son passe-montagne. Tu me réveilleras, hein ? on prend ensemble.

Je ne veux pas dormir : j'aurais à peine le temps de fermer les yeux. Je prends mon sac à patates et j'y glisse mes jambes pour ne pas avoir froid. Puis, la couverture tirée jusqu'aux yeux, les mains sous les aisselles, je regarde rêveusement sautiller la flamme de la bougie qui meurt. Je reconnais la voix de Sulphart, qu'une fureur impuissante tient éveillé.

— Ce qui me fout à ressaut, explique-t-il au petit Belin, c'est d'aller me faire fendre la gueule pour aller prendre trois champs de betteraves qui ne servent à rien... Qu'est-ce que tu veux qu'ils en foutent, de leur petit bois qui est dans un creux ? C'est pour le plaisir de faire descendre des bonshommes, quoi !...

Le monologue du rouquin doit bercer le gosse comme une chanson de maman. Et sa voix endormie répond :

— Cherche pas à comprendre, va, cherche pas à comprendre.

Les autres voix ont bourdonné un instant, puis se sont tues. Ils dorment à présent. Redressé sur le coude, je les regarde, à peine distincts ; je les devine plutôt. Ils dorment, sans cauchemar, comme les autres nuits. Leurs respirations se confondent : lourds souffles de manœuvres, sifflements de malades, soupirs égaux d'enfants. Puis il me semble que je ne les entends plus, qu'elles se perdent aussi dans le noir. Comme s'ils étaient morts... Non, je ne peux plus les voir dormir. Le sommeil écrasant qui les emporte ressemble trop à l'autre sommeil. Ces visages détendus ou crispés, ces faces couleur de terre, j'ai vu les pareils, autour des tranchées, et les corps ont la même pose, qui dorment éternellement dans les champs nus. La couverture brune est tirée sur eux comme le jour où deux copains les emporteront, rigides. Des morts, tous des morts... Et je n'ose dormir, ayant peur de mourir comme eux.

Brusquement, Bréval se réveille avec un cri rauque et se dresse, effaré. Il reste un instant assis appuyé sur ses bras raides, pas encore dégagé du mauvais rêve. Il se force à rire.

— Sans blague, je rêvais que les Boches...

Une voix grogne. Les autres ne se sont pas réveillés.

— Alors quoi, personne n'a soufflé la chandelle ?
Je m'en fous, je la laisse...

Il s'étend, se ramasse, se rendort. La bougie à sa
fin éclaire soudainement le gourbi d'une flamme
plus haute, la dernière... Tout est noir...

Je les envie, maintenant. On est si bien, ici, à
l'abri, les pieds chauds, les membres lâches. Dormir... après-demain ? Baste ! c'est encore loin...

. . . .

Quelqu'un a écarté la toile de tente :

— Jacques... Fouillard... Il est l'heure.

Déjà !... Je secoue Fouillard qui grogne, nos mains
tâtonnent à la recherche des fusils. Nous sortons.
Qu'il fait froid ! Le camarade qui m'a réveillé claque
des dents, sous sa couverture mise en capuchon.

— Rien de neuf ?

— Non... Une patrouille va sortir... Bonsoir.

On ne voit rien ; dans la tranchée obscure on ne
peut distinguer les gabions des guetteurs somno-
lents. Je glisse mon fusil dans le créneau. Trois
heures à passer là...

Par-dessus le parapet, on ne voit pas à dix pas. Le
regard fouille les ténèbres jusqu'au réseau enchevê-
tré où titubent les pieux, puis se perd. Hébété, je
regarde sans voir. Je regarde la nuit et j'ai froid.
Cela me glisse le long des bras comme un vent
glacé, et me pénètre. Je me mets alors à danser
d'un pied sur l'autre, en serrant bien ma couverture.

Quand on sort du gourbi, le froid vous mordille
le menton, vous pique le nez comme une prise, il
vous amuse. Puis il devient mauvais, vous grignote
les oreilles, vous torture le bout des doigts, s'infiltre
par les manches, par le col, par la chair, et c'est de
la glace qui vous gèle jusqu'au ventre. Frissonnant,
on danse.

Un long piétinement se rapproche, un cliquetis
d'armes. C'est la patrouille qui va sortir. Les hom-

mes portent d'énormes cisailles au cou, comme les vaches suisses portent leurs cloches.

— Tu parles d'un business, dit le premier qui grimpe : il faut ramener chacun un bout de fil de fer boche, pour montrer qu'on y est allé... Comment qu'on va déguster !

Pesamment, ils escaladent le parapet, cherchent la chicane et s'éloignent, le dos voûté. Le silence retombe sur notre fosse obscure. Des veilleurs parlent à voix basse. Sous une toile de tente, glisse un mince fil de lumière : on doit faire du vin chaud.

On entend monter des gourbis la respiration de ceux qui dorment : on dirait que la tranchée geint comme un enfant malade. Transi, je me remets à danser comme un ours devant mon créneau noir, sans penser à rien qu'à l'heure qui s'écoule. Nez à nez, les bras croisés, les hommes sautillent pesamment en bavardant, ou battent la semelle d'un rythme régulier. La nuit s'anime de ce bruit cadencé. Dans le cheminement, dans le boyau, la terre gercée résonne sous tous ces pieds cloutés. Toute la tranchée danse, cette nuit. Tout le régiment danse, cette veille d'attaque, toute l'armée doit danser, la France entière danse, de la mer jusqu'aux Vosges... Quel beau communiqué pour demain !

Fatigué, je ne saute plus. Accoudé au parapet, je pense vaguement à des choses... Puis ma tête tombe tout d'un coup et je me redresse.... C'est bête, je m'endormais. Je regarde ma montre à mon poignet : encore deux heures. Jamais je ne pourrai attendre minuit, jamais. J'écoute, avec envie, le ronflement d'un camarade qui "en écrase" dans son trou. Si je pouvais me glisser près de lui, sur la paille tiède, la tête sur son oreiller de sacs à terre, et dormir... Mes yeux se ferment délicieusement en y pensant...

Non, pas de blague... Je me secoue et me force à regarder le trou noir du créneau, où l'on ne voit jamais rien. C'est trop tranquille, aussi, pas un obus ; on dirait que les Allemands sont partis.

Tac ! Un coup de feu claque sec, venant des lignes boches. Puis un autre, aussitôt... Les hommes qui rêvassaient à leur créneau se sont brusquement redressés. Nous écoutons, anxieux. Un instant se passe, puis quelques coups de feu partent à la débandade, et la fusillade gagne en crépitant.

— Ils tirent sur la patrouille !

Une fusée ennemie tire son trait blanc et éclate. Une autre siffle à droite, puis à gauche, et leurs yeux fulgurants, balancés par le vent, épient la plaine réveillée. Rien n'y bouge, les nôtres sont planqués.

Face à nous, toute la ligne allemande tire : les balles miaulent au-dessus de la tranchée, très bas, et plusieurs claquent sur le parapet, comme des coups de fouet. Dans ce bruit de fusillade, le crépitement régulier d'une mitrailleuse domine, exaspérant. Gare ! une fusée verte ! les Boches demandent l'artillerie. Nous attendons, un peu plus courbés derrière nos créneaux.

Cinq coups éclatent, en gerbes rouges, cinq shrapnells bien en ligne. Leur lueur soudaine éclaire les dos ronds et les têtes qui s'enfoncent. Dans la plaine, dispersés, des obus éclatent, percutants et fusants. Quelques minutes de fracas et, sans raison, tout se tait ; le canon a passé sa colère. La fusillade aussi s'est arrêtée.

— Faites passer, ne tirez pas... La patrouille est dehors, commande une voix.

— Faites passer, ne tirez pas.

Le commandement arrive, passe, s'éloigne. Nous guettons, nous écoutons... Clac ! A quelques pas, un coup de feu brise le silence. Mais il est fou, celui-là ? Clac ! Encore un..

— Ne tirez pas, bon dieu ! crie le sergent Berthier qui est sorti de son gourbi. C'est la patrouille qui rentre.

Au même instant j'entends dans les ténèbres une

voix qui grelotte. On dirait qu'on chante... Mais oui, c'est une chanson

Je veux revoir ma Normandie...

Derrière moi, Fouillard rit. Et je ris aussi malgré moi, le cœur serré. C'est tragique et burlesque cette romance bredouillée dans le noir. La voix se rapproche et cesse de chanter :

— Ne tirez pas... Verneau, de la quatrième... Patrouille.

Mais un autre, plus loin, a repris le refrain, d'une voix étouffée :

ma Normandie,
C'est le pays qui m'a donné le jour...

Plus loin encore, on en entend un troisième qui siffle, perdu dans les champs d'ombre :

En avant la Normandie !

Partout, dans les champs noirs, on entend les voix assourdies qui fredonnent et des sifflotements peureux, au ras des champs. C'est comme un retour de foire, saisissant et bouffon. Pour se garder d'une ruse des Allemands, qui peuvent avoir surpris le mot, on a ordonné aux patrouilles de chanter des airs du pays, pour se faire reconnaître. Et rampant dans les betteraves dures, se traînant, ils chantent. Leurs voix étranglées rôdent, de l'autre côté de la broussaille barbelée ; ils cherchent la chicane...

— Par ici, les gars !...

Un homme saute dans la tranchée.

— Y en a de mouchés ?

— Je ne sais pas... Ils nous ont entendus, les vaches. C'était forcé, avec leur saloperie de cisailles qui s'entendent à une lieue.

D'autres se laissent glisser dans notre trou, l'arme à la main. On distingue un groupe sombre qui s'avance lentement.

— Ne tirez pas. Un blessé.

Par-dessus le parapet, on leur tend la main. Péniblement ils font descendre leur camarade qui geint. Il se tient courbé en deux, comme cassé, touché aux reins.

— On en a laissé un autre près du ruisseau... Une balle en pleine tête. Tu parles que leur mitrailleuse tirait bas.

On entend encore une voix égarée qui chantonne. Elle se rapproche enfin. Un saut dans la tranchée. Plus rien.

— Tout le monde est rentré, attention, fait passer Berthier.

— Tout le monde est rentré, répètent les guetteurs.

Dans un gourbi, derrière moi, des voix discutent :

— Après c'te patrouille-là, ils vont se douter de quelque chose... On va encore être bonards... Et le troisième bataillon, pourquoi qu'il n'attaque pas ?

J'écoute avec peine, je m'engourdis. Encore une heure un quart... Je vais compter jusqu'à mille, cela fera bien un quart d'heure. Après je n'aurai plus qu'une heure à tirer.

Mais cela m'endort, ce chapelet de chiffres bêtes. Pour me tenir éveillé, je veux penser à l'attaque, notre course folle dans la plaine, la chaîne d'hommes qui se brise maille à maille ; je veux me faire peur. Mais non, je ne peux pas. Ma tête lourde ne m'obéit plus. Mon esprit engourdi se perd en titubant dans une rêverie confuse.

La guerre... Je vois des ruines, de la boue, des files d'hommes fourbus, des bistrots où l'on se bat pour des litres de vin, des gendarmes aux aguets, des troncs d'arbres déchiquetés et des croix de bois, des croix, des croix... Tout cela défile, se mêle, se confond. La guerre...

Il me semble que ma vie entière sera éclaboussée de ces mornes horreurs, que ma mémoire salie ne pourra jamais oublier. Je ne pourrai plus jamais regarder un bel arbre sans supputer le poids du rondin, un coteau sans imaginer la tranchée à contre-pente, un champ inculte sans chercher les cadavres. Quand le rouge d'un cigare luira au jardin, je crierai peut-être : "Eh ! le ballot qui va nous faire er'repérer !..." Non, ce que je serai embêtant, avec mes histoires de guerre, quand je serai vieux !

Mais serai-je jamais vieux ? On ne sait pas... Après-demain... Ce qu'ils ronflent, les veinards ! Un coin de paille n'importe où, ma couverture, je n'envie plus que cela. Dormir.

Dans un demi-sommeil, ma pensée vacillante ébauche une idylle burlesque, une sorte de songe inconscient que je ne comprends pas. J'ai rejoint la jeune fille à l'entrée de son cantonnement et, lui montrant la campagne d'un geste autoritaire, je lui fixe le rendez-vous.

— Devant vous, à douze cents mètres une meule de paille... A deux doigts à gauche, un arbre en boule...

Et militairement, les pieds en équerre, la jeune fille me répond en saluant :

— Vu...

Ce qu'il fait froid !... Et noir... Pourquoi sommes-nous là, tous ?... C'est bête. C'est triste. Ma tête penche, tombe... J'ai peur de dormir... Je dors...

VI

LE MOULIN SANS AILES

J'ai retrouvé la ferme telle que nous l'avions laissée dimanche, avant l'attaque. On croirait que les quatre compagnies viennent à peine de franchir l'herbage, montant aux tranchées, et le gros chien qui gambade semble courir après un traînard. Rien n'a bougé.

C'est là, par ce chemin de boue gercée, que nous sommes partis. Combien sont revenus ? Oh ! non, ne comptons pas...

Je rentre dans la grande salle, tout embaumée de soupe, et m'assieds près de la fenêtre, sur *ma* chaise. Voici *mon* bol, *mes* sabots, *mon* petit flacon d'encre. Cela semble si bon de retrouver ces choses à soi, ces riens amis qu'on aurait pu ne jamais revoir.

Mon bonheur m'attendait ; la vie continue, avec de nouveaux délais d'espoir. Une sorte d'âpre joie sourd en mon cœur. Je vois le soleil, moi, j'entends l'eau qui chante, moi ; et mon cœur est tranquille, lui qui a tant battu.

Comme l'homme est dur, malgré ses cris de pitié, comme la douleur des autres lui semble légère, quand la sienne n'y est pas mêlée ! Je regarde les choses d'un œil distrait. Le tas de fumier, humide et luisant, est appuyé au mur, si bien que, de la salle, on voit le petit coq noir à hauteur de la fenêtre, dans une légère vapeur bleue. Sur les pierres grises de l'étable, des balles perdues ont laissé comme des cicatrices blanches. Au milieu du courtil, le puits à la margelle usée, et ses trois murs verdis... Comment, cela n'est pas fini, là-bas ? On dirait que le canon reprend. Qui nous a relevés ? Le 148. Pauvres gars !...

L'eau du ru passe en cascadant devant la ferme. Elle traverse la mare sans y tracer son passage et s'échappe en sautant de pierre en pierre, jusqu'à la roue pourrie du moulin, sur laquelle un gros chat feint de dormir.

Les volées froufroutantes de pigeons vont et viennent, caressant les murs de leurs ombres rapides ; les oies promènent leur troupe grave, marchant, criant et se taisant ensemble. Deux petits veaux, l'un taché de noir, l'autre de roux, jouent avec des grâces pataudes de jeunes chiens et le grand épagneul, tout jappant, s'amuse à faire peur aux poules. Ils n'entendent rien. Seul, l'âne qui mange lentement son foin, très digne sous sa tunique de boue séchée, écoute d'une oreille. Parfois, de la paille aux dents, il s'arrête de mâcher, lève sa longue tête rêveuse et écoute le canon qui tonne.

Quel brouhaha, dimanche, dans la cour, quand on a distribué le "cric" — un quart pour deux ! — et donné les cigares, de beaux cigares à deux sous, avec la bague ! Ma foi, nous avions bien mangé.

— Si les Boches m'font l'autopsie, ils ne trouveront pas le buffet vide, avait dit le grand Vairon, les joues violettes et le ceinturon débouclé.

C'est là, dans cette grange au toit hérissé de chaume, que nous avions entassé nos sacs. Ils y sont encore, presque tous, l'ossuaire d'un bataillon. C'est un tragique fouillis d'outils rouillés, d'équipements, de havresacs éventrés, de cartouchières, de musettes. Du linge traîne, déjà boueux. Une boule de pain pas entamée, un goulot qui dépasse, des paquets de lettres, des cartes en couleurs, si niaises et qui feraient pleurer... Malgré soi, on lit les noms, sans se baisser : je les connais tous...

Ça, c'est la veste de Vairon. Il l'avait laissée craignant d'avoir trop chaud. On a tout fouillé, on s'est partagé le chocolat et les boîtes de singe, et on a noué dans un mouchoir les papiers, les pauvres bricoles qu'on envoie aux familles : héritages de soldats. Une photo a glissé dans l'ornière : une maman en robe des dimanches, son gros bébé sur les genoux. Des chemises encore pliées, des paquets de pansements, une pipe. Et, perdu sur ce tas misérable, un coussin de soie, un beau coussin rose, amené là on ne sait comment, par on ne sait qui.

Bon sang, mais cela tonne dur...

C'est comme un gros convoi qui roule, un orage assourdi qui gronde et se rapproche. Puis la fusillade commence à pétiller, tout un brusque fracas d'attaque.

Le chien inquiet rentre le premier, l'échine basse. Puis les volailles apeurées, puis les deux petits veaux, soudain surpris de se voir seuls dans le courtil. L'âne n'a pas bougé. Songeur, il reste devant sa botte. Parfois il dresse ses oreilles, renverse la tête comme s'il allait braire ; puis dédaignant ce tonnerre qu'il connaît, il s'incline sagement, tire une gueulée de foin et, la tête basse, il mange...

*

Je n'aime pas les gens de ce village. Les marchands ne nous estiment même pas pour l'argent qu'ils nous volent. Ils nous regardent avec une sorte de dégoût ou de crainte, et quand on entre dans leur boutique en s'écrasant, ses billets de cent sous à la main pour être plus tôt servis, ils crient plus fort que si les Prussiens venaient les piller.

Quand les Allemands occupaient le pays, nous ont dit les paysannes, ils étaient moins fiers. Ils n'avaient pas voulu se sauver, à cause des marchandises. Mais lorsque les derniers Français furent passés — des chasseurs à pied qui firent le coup de feu pendant tout un après-midi, embusqués dans le cimetière — la panique les prit. Ils cachaient tout : leurs liqueurs, leurs conserves, leurs gros sous, et les femmes geignaient pendant que les vieux creusaient des trous dans le jardin pour y enfouir le magot.

L'institutrice — une petite femme volontaire, aux joues pâles, que les gens n'aiment pas parce qu'elle se coiffe en bandeaux — avait fermé les fenêtres de l'école et mis son drapeau en berne. Mais le gros Thomas, l'épicier marchand de vins du Lion d'Or, avait aussitôt couru chez elle, suivi de quelques mégères, pour l'obliger à retirer son drapeau "qui allait faire mettre le pays à feu et à sang".

La petite lui avait tenu tête un moment.

— Vous n'êtes pas le maire, vous n'êtes rien. Je n'ai pas d'ordres à recevoir de vous.

— Ordre ou pas ordre, vous ferez comme tout le monde, s'étranglait l'épicier, qui se voyait déjà fusillé à son comptoir. C'est moi qui l'ordonne.

— Au nom de qui ?

— J'm'en fous, au nom du roi de Prusse si vous voulez !

Bégayant, apoplectique, les yeux prêts à rouler, le mercanti cognait furieusement le bureau de l'institutrice de son poing massif. Elle avait dû céder.

Terrorisés, les uns cachés dans leur maison, les autres groupés muets sur le bord de la route, les paysans avaient regardé passer les premiers bataillons bavarois qui braillaient joyeusement : "Paris ! Paris !" comme s'ils avaient dû, le lendemain, le mettre à sac. C'était une automobile qui était arrivée d'abord, pleine de soldats armés. Les gamins gambadaient autour, en faisant des grimaces.

— Allez-vous arrêter, maudits garnements ! leur criait la vieille, la doyenne du pays ; ils vont croire que vous vous moquez d'eux.

Et elle faisait de si grands saluts que les longs rubans noirs de son bonnet des dimanches traînaient par terre.

Les Allemands riaient, et jetaient aux enfants des poignées de bonbons, qu'ils avaient volés dans Reims. Pendant cinq jours, le pays avait été plein de Bavarois et de Prussiens. Ils avaient emmené trois otages qu'on n'avait plus revus ; le plus vieux, disait-on, avait été fusillé à une lieue de là, sur le bord de la route, sans raison, pour servir d'exemple.

— Et ils payaient recta, ces cochons-là, racontait le gros Thomas. Les officiers réglaient avec des bons, mais les hommes nous donnaient de l'argent, et de l'argent français, même.

Cet argent-là — celui de nos prisonniers, de nos blessés, de nos morts — l'épicier en avait pris plein ses tiroirs, et ç'avait été pour sa boutique le commencement de la prospérité, qui continuait avec nous.

Le jour de l'attaque, comme il ne restait pas un seul soldat dans le village, il avait pu enfin prendre un peu de repos. Il aurait voulu aller à la pêche, mais les sentinelles, au bout du Chemin des Vaches, l'avaient arrêté. Il était rentré chez lui en rage, brandissant sa gaule au risque de casser ses bocaux. Puis, pour passer le temps, grimpé dans son grenier, il avait suivi le combat à la jumelle, pendant que sa femme faisait des crêpes.

Quand il nous avait vus, à midi juste, sortir de nos tranchées, et nous élancer au pas de charge vers la ligne ennemie, jetés dans les champs nus comme des graines au vent, il avait éprouvé quelque chose qui était peut-être un sentiment.

— Viens vite voir, avait-il braillé à sa bourgeoise. Dépêche, il ne va plus en rester.

— Je peux pas laisser le lait, avait-elle répondu d'en bas, il va se sauver.

Et seul, Thomas avait tout vu.

Le village, cependant, a eu un frisson d'émotion ce jour-là, en voyant revenir les premiers brancards et la longue file des blessés clopinants, qui traînaient leurs pattes sanglantes. Sur le pas de la porte, la mère Bouquet, larmoyante, cherchait à reconnaître ses clients, dans le défilé. En pleins champs l'institutrice avait installé une sorte de relais, où elle attendait les blessés avec un broc de citronnade.

Le curé — un vieux brave homme qui nous aime bien — ne s'est pas couché de la nuit ; au petit jour, il donnait encore l'absolution à des mourants.

On en a enterré six fosses pleines, et les derniers ont dû attendre, mis en tas dans un coin, que les territoriaux eussent fini de creuser le trou. On n'a pas trouvé de fleurs pour parer leurs tombes, que quelques giroflées transies, et c'est ce qui a donné l'idée aux Thomas d'ouvrir un rayon de couronnes.

— On gagne encore plus là-dessus que sur la conserve, a avoué le gros homme.

Il y en a tout un choix, sur une étagère, alignées comme des liqueurs de marque. On en trouve de toutes simples, en immortelles jaunes, qui sentent la pharmacie, et de grandes en perles, où s'entrelacent des fleurs noires à tiges violettes.

— C'est pour la clientèle aisée, celles-là, me dit Demachy qui les examine complaisamment, en monsieur sérieux qui réfléchit avant d'acheter.

Et il ajoute gentiment :

— C'est une comme cela que je t'offrirai.

La soupe mangée, les boutiques se remplissent et les rues s'animent. Le village prend un air de dimanche. Tout le monde est dehors : de vieilles grand-mères qui trottinent, des bidons en bandoulière, des gosses qui piaillent en jouant à la marelle avec les débris du calvaire abattu par un 305, des paysans qui ne vont plus aux champs, et des soldats, des soldats...

On se bat à la porte des épiceries, sans trop savoir ce qu'on y achètera. Au passage, on se donne des tuyaux.

— Hé ! ils n'ont plus de pinard au *Comptoir français*.

— La maîtresse d'école a reçu des saucisses.

— Y en a aussi chez le charron, mais faut se grouiller.

Tout le monde est marchand, ici ; chaque maison est une boutique, chaque ferme un cabaret, et toutes les fenêtres sont enguirlandées d'amadou au mètre, en guise d'enseigne. Le charcutier vend des peignes et M. le maire du tord-boyaux.

Devant le *Comptoir français*, trente soldats se bousculent et braillent. Rien que des bidons vides.

— Tas de vaches, crie un des hommes, en fendant le groupe pour s'en aller. Comment que j'serai heureux l'jour où une marmite défoncera leur crèche !

— Y a que les cognes qui sont bien reçus ici, approuve un autre. Ils sautent la patronne, tu comprends, comme ça elle est parée pour les contraventions et eux ont la croûte...

La porte du boulanger est verrouillée, les volets mis. Une douzaine de naïfs font pourtant la queue dans l'espoir insensé d'avoir un peu de pain chaud. Un arrêté du maire interdit d'en vendre à d'autres qu'aux civils, et la porte ne s'ouvre pas.

Nous l'avons vu en gerbes, pourtant, en meules blondes, le beau pain des civils, après la Marne. Ah ! c'est bon, le pain chaud...

Dans les maisons, on entend chanter. Sur la place, on discute, on rigole.

La guerre est finie pour nous, finie pour cinq jours. L'attaque, les morts, c'est oublié ; on s'en souvient juste pour parler entre copains, se dire avec une joie sourde : "On s'en est tiré, hein !" Dans cinq jours, c'est vrai, il faudra remonter aux tranchées, au Redan ou à gauche du ruisseau, mais personne n'y pense. Il n'y a que le présent, le jour même qui compte — le seul qu'on soit certain de vivre. Sans y prêter attention, comme l'oreille s'habitue à un tic-tac d'horloge, on entend le canon. Quand ce sont les 75 de la gare qui tirent, on dirait que leur miaulement traverse la place.

— Tu vas voir qu'à force de jouer aux c..., ils vont finir par gagner, dit Lemoine qui n'aime pas les artilleurs. Les Boches nous foutent la paix, il faut qu'ils les emm... Total : ils bombardent le patelin et c'est nous qui serons encore verts.

Les Allemands bombardent souvent, et la mairie, toute neuve, avec son clocheton d'ardoise, leur sert de cible. Des maisons, crevées jusqu'à la cave, laissent voir leur pauvre cœur mis à nu et leur toiture sans tuiles s'ouvre sur le ciel, comme une porte à claire-voie. De grands trous chaotiques sont creusés où se trouvaient des granges ; au fond de la cuvette, l'obus a pilé des pierres, des solives et des débris calcinés d'on ne sait quoi. Avec toutes ces ruines, les territoriaux font, sans trop se presser, des petits tas, et les gamins viennent y chercher des lattes de plafond, pour se faire des sabres. Car les gosses aussi jouent à la guerre.

En sortant de chez Thomas, nous allons chez la mère Bouquet, dont la boutique peinte en noir attriste la place aux ormes dépouillés. Il faut faire la queue pour entrer, se battre pour être servi. Dans la salle d'épicerie aux casiers vides, c'est une cohue d'hommes qui beuglent. La mère Bouquet, une femme énorme, se défend à son comptoir contre vingt mains avides.

— Il n'y a plus de sardines... Trente-deux sous le camembert... Si vous n'en voulez pas, laissez-le, on a la vente... N'allez-vous pas tripoter tout comme ça, tas de dégoûtants !

Ceux qui s'écrasent contre le comptoir se font suppliants, et ceux de derrière crient par-dessus les têtes.

— Madame Bouquet, la boîte d'haricots qu'est là-haut, s'il vous plaît... Moi, je suis un bon client...

— Du pâté, madame Bouquet... Hé ! par ici... ça fait une demi-heure que j'attends.

L'épicière se démène, crie et ne sert personne, ne pensant qu'à écarter les mains qui se tendent, de peur qu'on ne lui vole quelque chose.

— Y a plus rien, j'vous dis... Allez-vous-en... Lucie ! Viens fermer la porte... Ils vont tout casser, les saligauds !

Mais Lucie, la fille de la patronne, ne bouge pas : elle n'aime pas les saligauds. Un sautoir en argent sur son corsage empesé, ses cheveux fades ondulés aux papillotes, elle siège, hautaine, dans la petite salle du fond, aussi fière sur son tabouret, entre le portrait du général Joffre et le tableau des pièces à refuser, qu'une grue débutante dans son taxi.

Tout le régiment connaît Lucie, tous les hommes la désirent, et quand elle traverse le débit bondé, portant les verres, ils la guignent d'un air goulu et disent crûment leur goût. Les plus hardis tendent la main en se cachant, et palpent, au passage. Elle ne daigne même pas s'en apercevoir et passe au milieu d'eux avec l'air offensé d'une princesse en exil, condamnée à faire des ménages. On peut dire d'elle ce qu'on veut, c'est une fille qui garde son rang. Elle ne sourit qu'aux soldats "bien" et ne rougit que pour les officiers.

Un soldat "bien", c'est celui qui achète du lait condensé, des petits gâteaux, du chocolat extra et du vin bouché. Ce sont à ses yeux des denrées nobles dont l'acquisition dénote l'éducation accomplie et les goûts "comme il faut" d'un fils de famille. Demachy ayant acheté de l'eau de Cologne et du champagne, est estimé presque à l'égal d'un sous-lieutenant et Lucie l'appelle "Monsieur".

— Quatre petites verres, mademoiselle, commande Lemoine. Quelque chose de doux.

— Du marc, par exemple, ajoute Sulphart à titre d'indication.

La fille minaude, en regardant Gilbert :

— Vous n'êtes pas raisonnables. Vous savez bien que c'est défendu... Je vais vous servir quand même, mais faudra vous dépêcher de boire que je remporte les verres.

Sulphart, obéissant, vide le sien d'un trait et passe dans l'autre salle, où il va faire nos achats pour le dîner. Tout de suite, il commence à brailler :

— J'l'avais retenu, l'boudin. Pas vrai, madame Bouquet ?... Et le gruyère, "mon gruyère"...

A l'entendre, il aurait tout retenu depuis la veille, depuis huit jours, depuis tout le temps.

— Il est à moi, l'boudin, gueule de raie... demande-z-y voir.

A une table près de nous, des copains boivent du vin rouge, litre par litre. Avant, on le payait vingt-quatre sous. Mais une note du colonel a interdit de vendre le vin ordinaire plus de quatre-vingts centimes. Alors, la mère Bouquet a fait cacheter le goulot de ses litres, et maintenant, nous le payons trente sous : c'est devenu du vin bouché.

Vieublé, un soldat de notre compagnie, fait le service en bras de chemise. Dans tous les villages où nous allons au repos, il trouve un débitant pour l'embaucher. Il sert dans la salle, descend à la cave, lave les verres, ramasse les pourboires, chaparde, et tous les soirs va se coucher saoul. Avec le cuisinier du colonel, c'est l'homme le plus envié du régiment.

Il s'approche de notre table avec un sourire satisfait de patron dont les affaires prospèrent.

— Eh bien, les gars, vous avez aussi coupé à la marche ?... Moi, je m'suis fait porter pâle, l'toubib me r'connaît toujours. Y m'fout une purge et c'est marre... Y a bien Morache qu'a essayé de me poirer au tournant, mais comment que j'en ai joué !...

— Oui, je l'ai vu qui faisait le pet derrière les saules. Il trouve que c'est pas assez des bourres.

— Et on a nommé ça sous-lieutenant ! s'indigne Vieublé, son torchon sous le bras. C'est toujours pas pour ce qu'il a fait le jour de l'attaque.

— Tu peux être sûr que si le colon l'avait vu comme on l'a vu, il n'aurait pas été nommé... Tu sais qu'il a foutu quatre jours à Broucke, sans même qu'on sache pourquoi.

— Aie pas peur, prédit Sulphart qui revient chargé comme une corvée, tout ça se paiera en gros et en détail.

— C'est du bien de mineur, ça rapporte, opine sentencieusement Lemoine.

— On se retrouvera après la guerre.

C'est toujours la même chanson : cela se réglera après la guerre. De fixer leurs revanches à cette date incertaine, cela les venge déjà plus qu'à moitié.

A la caserne, pendant leur temps d'active, quand l'adjudant les nommait de piquet d'incendie ou que le sergent leur faisait faire demi-tour à la grille, ils s'en allaient, rageant à blanc, et grommelant de mystérieuses menaces.

— Que la guerre arrive, on se marrera... On les retrouvera, les mecs...

La guerre a éclaté ; ils ont en effet retrouvé l'adjudant et le sergent, qu'ils ont vite emmenés à la cantine en les appelant "ma vieille". Puis, ils en ont détesté d'autres — ou bien les mêmes. Et maintenant qu'on se bat, ce n'est plus à la guerre qu'ils remettent leurs desseins de vengeance, c'est à la paix...

— Qu'on redevienne civils, tu verras...

Et Demachy, qui sait bien qu'il ne verra rien, sourit d'un air sceptique, en jouant avec le fond de son verre, où roule une goutte de lumière.

Venant de l'épicerie ou de la rue, d'autres s'attablent bruyamment.

— Hé ! vieux, un litron de rouge.

Un gros caporal essaie vainement de fléchir Mlle Lucie, méprisante et revêche.

— Deux petits verres seulement, mam'zelle, on boira vite. N'importe quoi, pourvu que ça soit du solide, du "tiens-toi bien".

— Fichez-moi la paix, on ne vend que du vin ici, c'est pas pour les soûlots.

Les coudes sur la table ou à cheval sur des tabourets, les buveurs discutent, dans un tumulte de voix, de godillots traînés, de cris, de verres qu'on choque.

— Paraît que le ...e qui nous a relevés à Berry s'est fait poirer une tranchée.

— Ça ne m'étonne pas de ces enfoirés-là.

— Des bons à lappe qu'ont même pas été foutus de creuser de bons gourbis... C'est pas de la blague, y a que nous qui grattent.

Une dispute éclate soudain entre Vieublé et des mitrailleurs qui veulent lui carotter un litre. Un petit rougeaud aux yeux sans cils défend ses sous et sa réputation d'une voix pâteuse :

— Faut pas crâner, tu sais. C'est pas parce qu'on n'est pas des Parisiens qu'on est des voleurs. On l'est peut-être pas plus que toi. Et j'y ai été avant toi, à Paname, moi qui te cause.

— Tais-toi, réplique Vieublé sans se fâcher. T'as jamais eu l'honneur d'y traîner tes grolles, à Paname, bouseux. Je la connais, ta capitale : y a que des cochons sur le boulevard.

— Quoi qu'il dit ce feignant-là !

— Il dit que t'as jamais débarqué à Paris, plein vase, même avec ton bleu costume des dimanches et le canard dans le panier. D'abord, t'aurais pas pu, avec la machine à refouler les croquants. Tu la connais seulement pas, c'te machine, bellure. C'est juste en face de la gare : quand un péquand débarque, v'lan ! Y a un grand coup de piston, et le mec est refoutu dans son train. Ça t'en bouche un coin, Saturnin...

Sa voix de faubourg, aux mots qui traînent, me rappelle étrangement celle de Vairon. Je crois encore l'entendre rouspéter, le matin de l'attaque, parce qu'on lui donnait à porter une grande planche qu'il devait jeter au-dessus de la tranchée allemande pour servir de passerelle. Pauvre gars ! Broucke nous a dit qu'il était repassé près de lui, en se repliant, et qu'il remuait encore. A présent, depuis quatre jours, c'est sûrement fini. Et pourtant...

— Allons, sois pas méchant, Ferdinand, fait Vieublé la main tendue. Lâche tes trente bourgues, et ne pleure pas : tu la reverras, ton étable.

A la table qui prolonge la nôtre, des soldats de la compagnie causent du moulin et des Monpoix, les fermiers, en nous regardant de côté, comme s'ils parlaient pour nous. Tout leur paraît suspect dans la bicoque : les pigeons qui volent à heure fixe, la fumée, le chien blanc qui gambade dans le pré, en vue des Allemands et surtout le vieux qui, chaque soir, sort tout seul pour fumer sa pipe.

— Plus de dix fois, je te dis, il a fait marcher son briquet.

— Mais il y en a qui s'en foutent, tu comprends, pourvu qu'ils se tapent bien la cloche, insinue un petit maigrichon au nez retroussé.

Sulphart, qui sert d'arbitre dans le conflit des mitrailleurs, n'est pas là pour leur répondre et Demachy ne les entend pas. Le menton dans les paumes, il rêvasse, les yeux perdus.

— A quoi penses-tu, Gilbert ? Le cafard ?

— Non, souvenirs...

Et il parle tout bas, de loin, comme si le passé le gardait.

— L'an dernier, jour pour jour, j'arrivais à Agay. C'était le matin. Je me souviens que, près de la gare, on brûlait un beau tas vert d'eucalyptus ou de pin dont l'âcre fumée piquait l'air d'un parfum sauvage. Elle me disait que cela la faisait tousser. Elle portait une robe bleue, bleu pervenche...

Puis il se força un peu pour rire :

— Maintenant, c'est moi qui suis en bleu. C'est la guerre...

Nos voisins parlent plus fort, avec de mauvais rires et des brocards qui sont pour nous. Un soir qu'ils rejoignaient leur gourbi, une gamelle de riz dans le ventre, sans même un quart de vin, ils ont dû nous entendre rire, dans la maison bien chaude, et cela les a rendus jaloux. Comme ils voient que je suis décidé à ne pas répondre, ils insistent.

— J'te dis qu'ils s'envoient la fille, moi. On peut toujours, en douce, avec ses sous... Ah ! je voudrais bien faire la guerre comme ça.

Gilbert tourne à peine la tête et les regarde. Il sourit drôlement — un peu amer, un peu narquois — et me dit, sans baisser la voix :

— Tu les entends ?

Puis il hausse les épaules, songe un instant, et :

— Après la guerre, reprend-il, son sourire déçu au coin des lèvres, nous ne pourrons plus nous montrer, même avec une jambe de bois. Si on paraît avoir de l'argent, on ne se sera pas battu. Avec un faux col et des gants, on ne croira jamais que tu as été dans les tranchées, et le muletier du train de combat, le laveur de camions automobiles, le cuistot du colonel, le mécanicien en sursis, tout cela t'injuriera dans la rue et te demandera où tu te cachais pendant la guerre. Moi, cela m'est égal. Pour être sûr de ne pas me faire écharper, dès que je verrai que cela tourne mal, je m'achèterai des espadrilles, une casquette de trente-neuf sous, et je ferai ma toilette avec du cambouis... Ça et une cuite, on est à peu près sûr de s'en tirer : les ivrognes sont les seuls qu'on épargne, pendant les révolutions.

Les débits devant fermer à une heure, nous payons Lucie, qui nous rend autant de sourires que de gros sous, et sortons. Sulphart veut nous entraîner au café Culdot, où, assure-t-il, on trouve de l'absinthe, en venant de la part du fourrier de la troisième. Par habitude, Lemoine dit que ça n'est pas vrai. Nous partons en flânant. Le village est maintenant presque désert. Il est interdit de quitter les cantonnements avant cinq heures et les quelques traînards qui musardent rasent les murs et tendent le cou, à chaque coin de rue, craignant de se jeter dans les gendarmes.

— Ça serait pas le coup de se faire poirer, dit Sulphart l'œil méfiant. Être pris à se baguenauder pendant que les autres se font les pieds, ça ch...

— Y a pas de danger, rassure Lemoine optimiste ;
— il l'est toujours quand il a bu son compte.

— Pas de danger ! L'ouvre pas, tiens, tu causeras mieux.

Prisonniers dans leurs granges, les hommes désœuvrés se sont assis aux lucarnes, jambes pendantes. Ils savourent une bonne oisiveté en regardant passer les compagnies qui vont à l'exercice pour apprendre à présenter les armes en décomposant.

Sur le Chemin des Vaches, où passe le Decauville, des territoriaux grisonnants qui vont à la corvée jouent au chemin de fer. L'un d'eux, un vieux, assis sur un wagonnet, se laisse entraîner sur la pente en faisant : "Pin ! Pin !" et les autres courent derrière, criaillant comme des gosses.

Pour traverser la place, il faut raser les murs, se défiler derrière les piles de rondins, utiliser le terrain.

— Vise, nous dit Lemoine, le gars Broucke qui nous fait bonjour.

Le ch'timi est enfermé dans le sous-sol de la mairie, dont on a fait une prison. La tête passée entre les barreaux du soupirail, il prend l'air et sans rien dire, de peur de nous faire repérer, il nous sourit.

— Passer son repos en taule quand on n'a rien fait, c'est tout de même ressautant, grogne Sulphart. Y a pas à chiquer contre, on est moins que rien. Si jamais Morache nous disait : "Vous allez me baiser le gras des reins", on n'aurait rien à répondre, rien à foutre, qu'à l'aider à se déculotter. Sans charre, y a de l'abus... Puisqu'on est en République on devrait tous être égal.

Gilbert, qui n'est pas démocrate, hausse les épaules et fait sa petite moue de guenon déçue.

— L'égalité, c'est un mot, l'égalité... Qu'est-ce que c'est, l'égalité ?

Sulphart réfléchit un instant. Puis il répond sans vouloir rire :

— L'égalité, c'est de pouvoir dire m... à tout le monde.

Au bout du village nous nous arrêtons un instant pour bavarder avec Bernadette, qui garde ses bêtes. Elle plaît beaucoup à Gilbert, avec ses longs yeux minces de chevrette, ses joues criblées de son et son cou frêle de Parisienne. Il lui dit des bêtises, qui la font éclater d'un gros rire, et je crois qu'il la voit en cachette. Trop niaise pour être perverse, cela doit l'amuser, tous ces hommes échauffés qui la poursuivent, la relançant jusque dans l'écurie. Peut-être, cependant, en a-t-elle remarqué un dans la bande.

Elle pense à nous, lorsque le régiment est aux tranchées. Et quand le canon tonne dur, elle compte candidement chaque coup... "Un peu... Beaucoup... Passionnément..." comme si elle effeuillait la marguerite.

*

— Dépêchez-vous, monsieur Sulphart, vous allez m'aider à plumer le canard.

Une bonne haleine chaude nous accueille en entrant dans la cuisine. La table ronde, toute blanche sous la lampe, semble nous attendre pour lire. Mes chaussons sont là, près du poêle, le gros chat roux couché dessus. On croirait rentrer chez soi, un jour de pluie.

Les joues encore brûlantes de la marche au vent vif des champs, nous soufflons, tout heureux.

— On est mieux ici que dans la tranchée, hein, gamins, nous dit la mère Monpoix, qui tourne dans son saladier la pâte crémeuse des beignets.

C'est vrai, on est bien au moulin. Cela fait deux mois que nous y venons au repos : six jours en ligne, trois jours à la ferme.

Au début, nous avons dormi dans les granges, sous la remise, au grenier et jusque dans l'escalier. Mais depuis, sans nous soucier des Allemands, qui du clocher de L... devaient nous voir piocher, nous nous sommes creusé des gourbis dans l'herbage. De loin, tous ces tumulus font songer à des tombes fraîches qui attendraient leur croix. Il ne reste plus, des fragiles paillotes construites en septembre, que quelques huttes malgaches, dont les pluies ont pourri le bois et crevé la toiture de roseaux. Pourtant le cantonnement s'appelle toujours le village nègre. Ceux que je visitais, enfant, pour vingt sous, n'étaient pas plus amusants, et je crois, quand je nous regarde, retrouver les mêmes sauvages — un peu moins noirs tout de même — qui préparent leur couscous dans des gamelles de fer-blanc.

Nous sommes une dizaine de camarades, sergents et soldats, qui vivons à la ferme en popote. On y retrouve Lambert, le fourrier, Bourland, de la liaison du colonel, Demachy, Godin qui était sergent et que Barbaroux, le major, a fait casser pour une bêtise. Ricordeau et parfois l'adjudant Berthier quand il s'ennuie à sa popote.

Malgré les gourbis creusés dans l'herbage, malgré la fumée qui leur montre que la maison est habitée, jamais les Allemands ne tirent par ici. Ils marmitent tout, détruisent le village, toit par toit, mais jamais un obus sur la ferme. On dirait que quelque chose de miraculeux la préserve.

— Ce sont les arbres qui cachent, explique Monpoix.

La ferme, c'est notre maison. On ne la quitte

jamais tout à fait, même étant aux tranchées on y laisse son bonheur en partant.

Les bergers provençaux, lorsqu'ils conduisent le troupeau dans la montagne, voient toujours de là-haut la ferme blanche, les étables, les pâtis verts, et croient vivre quand même dans le mas au bonnet de tuiles tuyautées. Nous, de la tranchée, nous vivons encore à la ferme : nous voyons descendre et monter la spirale blanche des pigeons, se dénouer la fumée légère, d'un bleu tout pareil à celui des peupliers et, au matin, quand rentrent les derniers guetteurs, on entend le coq qui nous crie bonjour.

— C'est des signaux, tout ça, répète obstinément Fouillard qui sait que cela nous ennuie.

Des signaux, ils croient en voir toutes les nuits, là et ailleurs. Parfois une patrouille part en courant, vers la lumière, et bat les champs. On tourne des heures, on s'égare, on rôde autour de fermes endormies, ou bien on va terrifier une femme qui montait coucher ses petits, une bougie à la main.

Quand on parle de cela à la ferme, Monpoix grogne :

— C'est tout espions, dans ce pays, gamin... Ah ! les brigands !

Le matin, très tôt, avant d'aller aux champs, il vient bavarder avec nous, dans la cuisine obscure où nous prenons le chocolat. Une grande flambée lèche la plaque d'âtre, aux trois fleurs de lis à demi rongées, et, piquant les tartines à la pointe d'une baïonnette, on se fait griller du pain.

Cela lui plaît, notre jeunesse bruyante de soldats. Et puis il aime à parler de nos travaux, de tout ce qu'on creuse, là-bas, dans ces champs.

— De bonnes tranchées, au moins ?... Vous ne les laisserez plus passer, ces bandits de Prussiens... Et ce poste d'écoute, où que vous le mettrez, à c't'heure ?

Il connaît le secteur comme nous, boyau par

boyau, sans y être jamais allé. Malgré ses airs bourrus, il doit nous aimer. Les cuisiniers m'ont dit que, le matin de l'attaque, il était plus agité que nous. Je leur ai demandé :

— Il connaissait l'heure de l'attaque ?

— Oui, comme tout le monde... Il nous l'avait demandée souvent.

La mère Monpoix, elle, n'entend rien "à toute notre guerre", mais la fille tient du père : une mémoire dure et fidèle de paysanne. Un jour qu'on parlait de batteries lourdes allemandes, démasquées dans le Bois Noir, elle avait dit :

— Ah ! oui, sur la cote 91.

Surpris, je l'avais regardée. Rien ne ternissait son regard naïf. Elle avait dû dire cela tout simplement, un chiffre retenu...

Les Monpoix sortent à peine. On leur a bien permis de rester à la ferme, mais il leur est interdit de circuler du côté des lignes. Pour se dérouiller les jambes, le père faisait autrefois le tour du village nègre, mais il s'est disputé avec les soldats, à propos de deux brancards tout neufs qu'ils ont pris pour faire le chambranle d'une porte de gourbi, et, injurié par eux, il n'ose plus se montrer dans le cantonnement.

Depuis, il va faire son tour du côté des batteries. Il siffle Féroce, son grand chien, et on les voit de très loin aller et venir, le maître noir et le chien blanc, jusqu'à la crête : il ne va jamais plus loin. Si les Allemands se mettent à tirer, il ne se presse pas de rentrer : il n'a pas peur.

Parfois, au milieu de la journée, si une lubie lui vient, il monte se coucher, sans rien dire à personne. On l'entend qui marche dans le grenier, qui déplace des caisses, ouvre et ferme les lucarnes. Cela fait rire sa femme.

— Qu'est-ce qu'il peut faire ? Il ne peut pas tenir en place, ce maudit-là...

Je ne sais pourquoi, je me sens gêné pendant ces absences que rien n'explique.

Ce que nous donnons aux Monpoix pour la popote les aide à vivre, car ils n'ont pas d'argent. Ils vendent du lait, des œufs, un peu de volaille. Mais jusqu'à présent, ils n'ont pas voulu vendre de pigeons, même au colonel.

— C'est que ça ne se prend pas comme ça, pas vrai, gamins, nous dit Monpoix. Allez donc les attraper, ces bestioles-là ! On ne veut pas non plus y monter la nuit : les Prussiens verraient la lumière. Et puis on s'habitue à ses bêtes, aussi.

Dès qu'il fait beau, la ronde infatigable des pigeons fait au moulin une couronne blanche, d'où quelques fleurs s'envolent. Un jour, de la tranchée, on en a tiré un qui volait très bas, au-dessus des lignes. A-t-il eu peur ? Il s'est sauvé du côté des Boches.

Mais nous ne verrons plus longtemps les pigeons de la ferme : le colonel a parlé de les faire tuer tous.

Les Monpoix ne s'indignent pas de ces tracasseries. Ils ne semblent même pas s'apercevoir de la défiance qui les entoure et n'en parlent jamais. C'est ce qui m'étonne le plus.

Si on leur refuse un laissez-passer de quelques heures, le père grogne un peu, c'est tout. La fille fait parfois une allusion, de sa voix qui traîne, mais sans montrer la moindre émotion, comme elle parlerait d'un ennui naturel qu'il faut subir avec les autres, parce que c'est la guerre.

Drôle de fille, falote, douce, maladive, qui parle d'une voix pâle comme ses joues. Je sens bien que nous l'amusons, mais elle ne rit jamais aux éclats comme sa mère. Elle a toujours cet air réfléchi, et, quand nous parlons sérieusement au lieu de brailler, elle s'arrête de travailler pour nous écouter, quel que soit le sujet. Elle n'oublie rien de ce qu'elle entend — notre vie à tous, nos familles, nos affaires —, et de son côté elle ne recevrait pas une lettre de son frère le chasseur à pied, dont elle est si fière, sans nous la lire.

Nos travaux de soldats aussi l'intéressent. Elle connaît, depuis qu'elle entend parler, les détours tortueux des boyaux, dans les bois où naguère elle allait aux mûrons, et l'emplacement des batteries, qu'on croirait installées devant la ferme, tant les murs tremblent quand elles tirent. Elle ne questionne jamais ; elle nous écoute sans placer un mot, et l'on pourrait supposer qu'elle pense à autre chose, quand on observe ses yeux vagues.

Je me souviens qu'un matin, devant Morache qui prenait alors son petit déjeuner à la ferme, elle parlait à Demachy de notre corvée de la nuit précédente. Nous avions creusé un emplacement à la lisière du bois et charrié des rondins, pour un abri de mitrailleuse. Gilbert lui expliquait l'endroit sous les sapins, près du ruisseau.

— Bavard, dangereux bavard ! avait lancé l'adjudant de sa voix criarde.

Gilbert, je me rappelle, était devenu tout pâle ; mais elle avait seulement regardé Morache d'un air à peine étonné, sans rien répondre. Elle n'a jamais reparlé de l'incident.

Emma est encore plus prévenante que sa mère. J'ai toujours, quand je descends des tranchées, de l'eau chaude pour laver mes cuisses à vif. Elle connaît les goûts de tout le monde, fait la soupe aux choux comme l'aime Gilbert et prépare le café très fort, pour nous plaire, préférant n'en pas boire. Le jour où le bataillon redescend, nos chaussons sont devant le feu depuis le déjeuner, et quand un blessé passe, tout raide, sur un wagonnet, elle court vite jusqu'au chemin, pour voir si ce n'est pas un de ses soldats. Dès qu'un de nous parle, elle s'approche. Je l'observe qui écoute Berthier. Il explique à Gilbert comment il envisagerait une nouvelle attaque, en précisant chaque détail. Son bol à la main, elle se tient debout, près de la lampe, et l'on dirait que son menton taché de lumière a trempé dans le lait. Écoute-t-elle seulement ?

Elle tourne la tête, m'aperçoit, et se rapproche

aussitôt de sa mère, les yeux baissés, sans qu'on entende ses chaussons sur les carreaux.

Monpoix est assoupi dans un coin. C'est une heure chaude et tranquille de bon repos. On est bien. Je m'étire paresseusement, comme un chien qui se chauffe et je m'assieds contre le lit, un bras sur le dossier, un bras sur le matelas. On se sent à l'abri de tout, dans ces êtres familiers, mieux que dans une sape profonde. Il suffit de tirer les gros rideaux et d'allumer la lampe pour se sentir chez soi et ne plus rien craindre. Par prudence, on met encore une toile de tente devant la fenêtre. La nuit n'aura rien de notre chaleur, pas un fil de notre lumière.

On est chez soi, loin du danger, loin de la guerre. Les énormes rondins des gourbis craignent l'obus et s'arc-boutent ; ici, c'est un joli mur tendu de papier rose, qui nous protège. On a confiance. Mieux que par tous les parapets on se sent défendu par cette lumière qui vous semble si belle après la lueur jaune et dansante des bougies, on se sent défendu par le feu qui ronfle, par la marmite qui fume, par tout cet humble bonheur — et même par cette odeur provocante d'oignons, tout pareils à de petits fruits blancs, dans une assiette.

*

Un vrai dîner de famille, de ces dîners d'hiver, plus intimes, plus cordiaux que les autres, où le bonheur frileux vient se blottir près du feu.

Sommes-nous des soldats ? A peine, on l'oublie. Il y a bien la vareuse de Berthier, une ou deux vestes bleues, mais les autres sont en chandail, en gilet, sans rien de militaire. Demachy s'est même fait envoyer un gros pyjama à brandebourgs de soie, ce qui l'a définitivement perdu dans l'esprit du village nègre et désigné à la malveillance tenace de Morache.

Insoucieux, solides, nos vingt-cinq ans éclatent de rire. La vie est un grand champ, devant nous, où l'on va courir.

Mourir! Allons donc! Lui mourra peut-être, et le voisin et encore d'autres, mais soi, on ne peut pas mourir, soi... Cela ne peut pas se perdre d'un coup, cette jeunesse, cette joie, cette force dont on déborde. On en a vu mourir dix, on en verra toucher cent, mais que son tour puisse venir, d'être un tas bleu dans les champs, on n'y croit pas. Malgré la mort qui nous suit et prend quand elle veut ceux qu'elle veut, une confiance insensée nous reste. Ce n'est pas vrai, on ne meurt pas! Est-ce qu'on peut mourir, quand on rit sous la lampe, penchés sur le plat d'où monte un parfum vert de pimprenelle et d'échalote?

D'ailleurs, nous ne parlons jamais de la guerre: c'est défendu pendant les repas. Il est également interdit de parler argot et de s'entretenir du service. Pour toute infraction, il faut verser deux sous d'amende à la cagnotte: c'est notre jeu de tous les jours. Ricordeau, notre nouveau sergent, y mange ses dix-huit sous de solde. Il parle prudemment, pourtant, car nous l'avons rendu méfiant, mais Sulphart trouve toujours des ruses nouvelles pour amener la conversation sur le terrain glissant, et tout à coup le mot malheureux échappe: la corvée de la veille, l'attaque du seize, le poste d'écoute...

— Deux sous! Deux sous! crions-nous.

Si par malheur Ricordeau veut se défendre, c'est pour mieux se perdre:

— Je ne marche pas, proteste-t-il, ne voulant pas payer l'amende.

Aussitôt, tout le monde hurle de plus belle:

— C'est de l'argot! Deux sous de plus!...

De quoi parlons-nous? De tout, pêle-mêle. On parle de son métier, de ses amours, de ses affaires, avec de la gaieté partout. La vie de chacun se disperse en bribes d'anecdotes et, sans vouloir mentir, on brode un peu : il y a si peu de choses dans notre passé naissant de jeunes gens !

Les moins gais n'ont jamais de souvenirs tristes à raconter ; on n'en devine dans l'existence d'aucun. Ils ont connu des deuils, pourtant, des misères. Oui, mais c'est passé... De sa vie, l'homme ne garde que les souvenirs heureux ; les autres, le temps les efface, et il n'est pas de douleur que l'oubli ne cicatrise, pas de deuil dont on ne se console.

Le passé s'embellit ; vus de loin, les êtres semblent meilleurs. Avec quel amour, quelle tendresse, on parle des femmes, des maîtresses, des fiancées ! Elles sont toutes franches, fidèles, joyeuses, et l'on croirait, à nous entendre ces soirs-là, qu'il n'y a que du bonheur dans la vie.

Parfois, quelque chose claque sur le mur, comme un coup de fouet. C'est une balle perdue.

— Entrez, crie Demachy.

Si quelqu'un parle du Fritz qui l'a tirée, toute la tablée s'agite : "Deux sous ! deux sous !" Et l'on rit.

— Il a fallu la guerre pour nous apprendre que nous étions heureux, dit Berthier, toujours grave.

— Oui, il a fallu connaître la misère, approuve Gilbert. Avant, nous ne savions pas, nous étions des ingrats...

Maintenant, nous savourons la moindre joie, ainsi qu'un dessert dont on est privé. Le bonheur est partout : c'est le gourbi où il ne pleut pas, une soupe bien chaude, la litière de paille sale où l'on se couche, l'histoire drôle qu'un copain raconte, une nuit sans corvée... Le bonheur ? mais cela tient dans les deux pages d'une lettre de chez soi, dans un fond de quart de rhum. Pareil aux enfants pauvres, qui se construisent des palais avec des bouts de planche, le soldat fait du bonheur avec tout ce qui traîne.

Un pavé, rien qu'un pavé, où se poser dans un ruisseau de boue, c'est encore du bonheur. Mais il faut avoir traversé la boue, pour le savoir.

J'essaie de pénétrer l'avenir, de voir plus loin que la guerre, dans ce lointain brumeux et doré comme une aube d'été. Irons-nous jusque-là ? Et que nous donnera-t-il ? Serons-nous jamais lavés de cette longue souffrance ; oublierons-nous jamais cette misère, cette fange, ce sang, cet esclavage ? Oh ! oui, j'en suis certain, nous oublierons, et il ne restera rien dans notre mémoire, que quelques images de bataille, que la peur n'enlaidira plus, quelques blagues, quelques soirées comme celle-ci. Et je leur dis :

— Vous verrez... Des années passeront. Puis nous nous retrouverons un jour, nous parlerons des copains, des tranchées, des attaques, de nos misères et de nos rigolades, et nous dirons en riant : "C'était le bon temps..."

Alors ils protestent tous, même Berthier, bruyamment :

— Hou ! Assez !

— Si tu t'y plais, rempile.

— Le bon temps, les relèves dans la boue ! tu vas fort.

— Et la corvée de tôle ondulée, la nuit où il pleuvait, tu l'as oubliée ? Tu gueulais pourtant assez.

— Est-ce que c'était le bon temps, le seize à midi moins deux ?

Je ris, heureux de les entendre crier :

— Vous verrez !

La mère Monpoix, qui s'amuse autant que nous, tournant le coin de son tablier bleu, m'approuve dans le brouhaha !

— Certainement, vous regretterez la ferme.

— On y reviendra, la maman !

Bourland s'est levé pour aller prendre son violon. Il l'a fabriqué lui-même avec une boîte à cigares et des cordes qu'il a fait venir de Paris et c'est à ce joujou, à cet instrument de cirque, que nous devons nos meilleures soirées.

Il l'accorde — deux plaintes — et aussitôt on se tait. Musique, notre amie à tous.

C'est l'*adagio* de la *Pathétique* qu'il joue. Tout s'apaise... Musique ardente et tendre comme nos cœurs. Y a-t-il rien de pathétique dans ce long frisson ? Non... C'est comme un beau rêve déchirant. Et puis, qu'importe ce qu'il joue... La *Mort d'Aase*, un *aria* de Bach, je ne sais plus. La pensée ne suit pas. Autant de trames ténues où brodent nos songes.

Nous écoutons, l'esprit et les regards en allés. Voici les voix chères d'autrefois qui reviennent. Qu'elles sont douces, entendues de si loin ! On rêve. C'est un dimanche chez Colonne, l'atelier où le piano égrenait les gouttes du *Jardin sous la pluie*, la mélodie que chantait une amie...

Berthier, la bouche un peu déclose et les mains jointes, écoute comme on prie. De Gilbert, je ne vois rien, que son front droit d'enfant têtu au-dessus des doigts mêlés qui cachent ses yeux. Sulphart a pris un air sérieux, les traits tendus, comme s'il fallait comprendre. Puis, je ferme les paupières pour ne plus rien voir.

N'être plus rien qu'une âme charmée et qui s'endort. Tout s'abolit. Loin, la guerre... Loin, le présent... Les jurons, les râles, le canon, tous les bruits de notre pauvre vie de bêtes, cela ne pouvait pas endurcir notre âme et flétrir sa tendresse infinie. Elle renaît, jardin d'août sous l'ondée. Et dix soldats, ce n'est plus qu'un même cœur qu'on berce, dix soldats.

— La *Méditation de Thaïs*, Bourland !
— Non ! la *Valse des Ombres*.

Gilbert, qui a une jolie voix, chante les romances, *mezzo voce*, et tous les camarades reprennent au refrain. Alors, c'est Paris qui revient, le beau Paris d'automne dont les trottoirs pluvieux luisent sous les réverbères. On les chante toutes, l'une après l'autre, tous les succès du dernier hiver, et, de refrain en refrain, les voix grossissent. Renversés

113

sur nos chaises, nous crions, insoucieux, gonflés de trop de joie. Le violon de Bourland ne s'entend plus, perdu dans ce chœur assourdissant : on braille...

— Écoutez !

Un brusque silence tombe. Bourland s'est arrêté, l'archet levé. Les visages surpris se froncent... On écoute, inquiet. Qu'est-ce que c'est ?

Le même poing cogne à la porte, et une voix vient de la nuit :

— Un blessé.

On ouvre vite ; les paupières clignotantes, il entre. Il est blême, avec de grands yeux cernés qui lui mangent les joues. Son bras gauche est tenu en écharpe par un grand mouchoir sale où s'élargit une tache rouge, et, ayant glissé jusqu'à sa main inerte, le sang s'égoutte sur son passage.

— Non, pas de rhum. J'aime mieux du vin.

La main de Monpoix tremble en le servant. Muets, gênés, nous entourons le copain. Il s'est assis lourdement, énergie fauchée. Plus un bruit, que le glouglou du vin dans sa gorge sèche.

Le chien s'est réveillé. Il se lève, flaire la piste et, goutte à goutte, il lèche le sang encore tiède, sur les carreaux.

*

Six jours encore de tranchée — six jours de pluie — et nous voici revenus à la ferme. J'écris. Assis tout contre le poêle, tassé, le dos rond, Monpoix a laissé sa pipe s'éteindre. On n'entend que la soupe qui chantonne et sa respiration oppressée qui siffle.

Je le trouve changé, depuis l'attaque. Il ne plaisanté plus avec nous comme autrefois. Il reste des heures sans rien dire, acagnardé sur sa chaise basse, et quand nous parlons entre nous, il tourne à peine la tête pour nous écouter, timidement, comme s'il craignait qu'on ne le rabroue.

Sa femme dit qu'il est malade. Pourtant il ne se plaint pas. Il a bougonné qu'il ne voulait pas voir le major, et il se soigne à sa façon, avec de pleins bols de tisane.

Que peut-il avoir ? J'y pense souvent. Sans doute, ses traits tirés, la fièvre dont il frissonne chaque soir, montrent qu'il est malade, mais cette raison ne me suffit pas. Il me semble qu'il doit y avoir autre chose sous cet accablement ; ce n'est pas seulement un malaise qui peut le voûter ainsi et le tenir des jours entiers devant son feu, taciturne. Il ne paraît pas souffrir. Il réfléchit, c'est tout.

— C'est un homme qui se mine, a diagnostiqué Maroux, qui autrefois sortait avec lui, pour lui raconter ses histoires de chasse.

On dirait en effet qu'un chagrin le tourmente. Les nouvelles de son fils sont toujours bonnes, pourtant. A quoi peut-il penser, pendant ces longues siestes ? Il ne sort plus, même à la nuit, pour fumer sa pipe. L'autre soir, pourtant, il s'est levé, a pris sa blague, et s'est dirigé vers la porte du courtil, d'un pas traînant. Il a ouvert et s'est arrêté sur le seuil, regardant le champ noir où se hélaient des hommes. Est-ce le vent froid, est-ce l'ombre, je l'ai vu frissonner. Brutalement, il a refermé la porte et est revenu s'asseoir à sa place, devant le poêle. Il n'a pas fumé, ce soir-là.

Quel souci cache-t-il donc ? On ne l'ennuie pas plus qu'avant l'attaque au contraire. On lui a même proposé plusieurs fois des laissez-passer dont il n'a pas voulu.

Rien ne l'intéresse plus, pas même les gambades de Féroce.

— Pourquoi n'allez-vous pas faire un petit tour avec le chien, monsieur Monpoix ?

— Je n'ai pas le goût à sortir, gamin.

Plusieurs fois, Berthier a dit :

— Nous vous cassons la tête, à brailler ainsi. Nous mangerons dans la cuisine.

La mère Monpoix et Emma ont protesté : ne plus

nous entendre rire, chanter, nous chamailler, ah ! non. Et le vieux a dit comme elles :

— Restez, au contraire. De vous entendre causer, ça me change les idées.

Cependant, il ne nous parle guère. Plus jamais il ne nous questionne comme autrefois sur les nouvelles tranchées, nos corvées, nos patrouilles, tout ce qui l'intéressait tant. Au contraire, lorsque nous en parlons, il a toujours une raison pour s'écarter, ou bien il baisse la tête et ferme à demi les yeux, comme s'il cherchait à s'assoupir. Je ne suis pas le seul à avoir observé cela.

— Ce pauvre homme, on dirait que ça lui fait quelque chose quand on parle de l'attaque, m'a dit Gilbert apitoyé.

C'est vrai. Pas une fois il ne nous a parlé de l'affaire du seize, jamais il ne s'est approché pour en écouter le récit. Lorsqu'on en parle, il ne tourne même pas les yeux. Seulement, on dirait que son dos se voûte encore plus, et que sa tête s'incline... Je ne vois que son dos, son large dos rond, mais j'y devine cachée je ne sais quelle attention farouche. On jurerait qu'il sommeille, et il écoute, pourtant, je suis sûr qu'il écoute.

L'autre soir, Berthier racontait au sergent vaguemestre notre repli par le boyau en V, quand il avait fallu reculer. Quelques hommes et lui couvraient le mouvement, tirant sur les capotes qui coupaient par les champs et jetant en travers du boyau des chevaux de frise, des rondins, tout ce qui traînait. Dans les lignes droites, il faisait courir ses hommes, craignant le feu d'enfilade, et comme ils regardaient derrière eux, ils se prenaient les pieds dans des cadavres et s'abattaient en jurant. Heureusement on avait déjà emporté les blessés, car maintenant il était trop tard. Jusqu'à la première ligne, ils n'en avaient rencontré qu'un. Il était assis sur le parapet, jambes ballantes, comme au bord d'un fossé — ne craignant plus les balles —, et il criait d'une longue plainte obstinée : "Je ne vois plus clair... Ne me laissez pas.... je ne vois plus clair..." Un large filet rouge coulait de sa tempe et lui barrait la joue.

Il les avait entendus passer en galopant et, ayant deviné sans doute qu'on se repliait, il avait couru derrière eux, penché d'abord, presque à quatre pattes, puis tout droit, trébuchant, tâtant la nuit de ses mains effarées. Sa supplication les avait poursuivis un instant : "Ne me laissez pas, les copains, je vous jure de ne pas crier !..." Puis, un pas dans le vide du boyau, et d'un bloc, les mains tendues, l'aveugle était tombé dans son tombeau. Comme ils tournaient le redan, ils avaient entendu le coup sec d'un mauser. Le coup de grâce, sans doute.

Par hasard, je regardais Monpoix pendant que Berthier parlait. Il avait à demi levé la tête pour écouter, et il ouvrait des yeux étranges, de grands yeux fixes dont les paupières ne battaient pas. Mais il m'avait vu et aussitôt il avait rebaissé la tête et repris son somme.

Ce n'est rien, ce regard surpris, et cependant depuis ce soir-là, d'étranges idées me viennent. Malgré moi, d'instinct, j'observe le vieux.

A quoi peut-il penser pendant des journées entières ? Je crois le savoir à présent. Ce n'est rien, pas même une supposition, rien qu'une inquiétude vague, une angoisse irraisonnée qui se cristallise. Mais cela s'impose à mon esprit, avec des petits faits qui se raccordent, des coïncidences banales. J'épie ses moindres gestes, à présent, comme si je devais découvrir quelque chose.

Parfois, je résiste à cette obscure suggestion. Voyons, c'est stupide : pourquoi vouloir prêter une âme de roman à ce paysan malade ? Il souffre comme souffriraient ses bêtes qui, ne sachant pas se plaindre, se couchent le mufle au mur et dorment sur leur mal. Il n'y a point là de psychologie à faire.

Et cependant... Le doute hésitant se précise, c'est

comme un pressentiment que la raison ne peut écarter.

Il doit sentir cette attention tenace qui le suit, et il n'aime pas que nous restions seuls. On dirait qu'il a peur que je ne lui parle. Je vais m'asseoir de l'autre côté du poêle, à cheval sur une chaise, le menton posé sur mes bras croisés, comme si j'allais bavarder avec lui. Il n'ouvre même pas les yeux. Pourtant, je suis certain qu'il me sait là et que cela le gêne. Je pourrais dire les mots qui l'effraient, je les connais. Nos deux angoisses se devinent. Au bout d'un moment, je crois voir trembler ses grosses mains aux ongles courts sur ses genoux de velours usé. Va-t-il enfin ouvrir les yeux, me regarder en face ?

Non. Peu à peu, sa respiration s'allonge, se fait régulière. Il s'est endormi... Alors, tout mon échafaudage de soupçons s'abat d'un coup et, comme ses mains tremblent toujours, frémissantes de fièvre, je voudrais le réveiller, honteux d'avoir été mentalement cruel, et lui parler comme autrefois, gaiement, en camarade.

Pourquoi me suis-je mis dans l'idée qu'il avait peur de passer près de la grange où les hardes des morts sont entassées ? L'autre jour, comme il était arrêté devant, je l'ai rejoint. Échappé des sacs éventrés, le linge traînait jusque sur le chemin.

— Tenez, lui ai-je dit, voilà le sac du grand Vairon. Ce sont les lettres de sa mère qui dépassent. Elle était à l'hôpital. Elle s'était crevée pour lui envoyer quelques sous, de bons tricots, la pauvre vieille... Deux tués d'un coup.

Il s'est retourné, tout blême.

— Il ne faut pas me raconter cela, gamin. Mon fils est soldat aussi.

Je n'ai su que dire, je l'ai laissé rentrer sans oser le suivre. Le soir, j'hésitais presque à pousser la porte de la salle où j'entendais sa voix essoufflée. Je suis entré avec Bourland. Le vieux demandait à Gilbert :

— C'est vrai que ce grand Vairon, il appelait encore le lendemain, blessé dans la plaine ?

Nous ayant vus, il s'est arrêté, les yeux vite détournés. Il n'a plus reparlé ce soir-là et est monté se coucher avant qu'on se soit mis à table. Je me remémore tout cela et je n'écris plus. Je regarde le vieux qui respire à coups haletants, les épaules secouées. Il a mauvaise mine, ce soir. Ses joues se devinent grises et creuses, sous sa barbe de huit jours. Je le trouve plus abattu encore qu'à notre dernier tour de repos. Toujours acagnardé sur sa chaise basse, il poursuit son mauvais songe.

Et dans le jour mourant qui frotte d'un éclat glacé le dos ciré des chaises, il me semble que je vais voir, penchées sur lui, toutes les ombres de nos morts, pour qui l'horloge égrène son rosaire.

*

On enterre Monpoix. Il est mort l'autre nuit, sans une plainte, sans agonie. Au jour, sa femme l'a trouvé froid dans le lit.

Sa bière portée à bras vient de partir à travers champs, deux robes noires derrière, quelques paysans et des soldats. Pouvant à peine marcher, je suis resté seul à la ferme. Je la sens autour de moi vaste et triste.

On n'entend plus rien, que le sautillement des pigeons dans le grenier. C'est inquiétant, ce grand silence qui sent la mort. Les deux escabeaux rapprochés semblent encore attendre son cercueil. Il est bien revenu une fois, déjà...

Sur le moment, cet incident en somme banal ne m'a pas frappé, mais, maintenant, resté seul, un malaise indéfini me gagne. Je ne devrais plus y penser.

Comme l'enterrement, ayant traversé l'herbage, atteignait le chemin, les Allemands nous ont aperçus et se sont mis à tirer. Le premier obus est tombé court, l'autre à cinquante pas, et le cortège aussitôt s'est disloqué. Les quatre porteurs — je les vois encore — s'étaient arrêtés, interdits, puis, voyant les paysans courir, ils ont lourdement posé le brancard d'où la bière a culbuté, et ils ont sauté avec nous dans le fossé. Il était temps : le troisième obus a éclaté juste sur le talus, criblant le cercueil. En file, courbés, nous avons filé en nous poussant, et le mort est resté seul au milieu du sentier, sa bière renversée échappée du drap noir. La mère et la fille, qui n'ont jamais peur, s'étaient sauvées en criant, et quand les camarades ont ramené la bière à la ferme, Emma s'est évanouie. Elle avait remarqué, la première, que la boîte était à demi déclouée, comme si le vieux avait fait un effort pour sortir et se sauver aussi.

Sa bière couchée sur les deux escabeaux, il est resté jusqu'à la brune dans sa ferme qu'il ne voulait pas quitter. Au jour tombant, les paysans sont revenus et les porteurs ont repris leur charge. Ils viennent à peine de partir ; dehors le chien hurle encore, tirant sur sa chaîne.

Ce retour tragique du vieux m'a frappé comme un intersigne. Jamais ils n'avaient bombardé si près de la ferme. Vont-ils la détruire, maintenant qu'il n'est plus là ? Un trouble inexplicable m'envahit. J'ai l'impression gênante d'avoir quelqu'un derrière moi, tout près.

Alors, une crainte vague à fleur de peau, je me lève et, sans me retourner, sans un regard à la chaise basse du vieux, je sors dans le courtil en sifflotant. Vite, je tire la porte sur moi...

La nuit est presque venue. Le puits de pierre a un air de tombeau. De l'autre côté du ru, une relève passe, troupe noire qui bourdonne. Lourdes silhouettes confondues, hérissées de pioches et de fusils : une bande de terrassiers en armes. Quelques traînards suivent, appuyés sur le gourdin. Des territoriaux sans doute.

Pas un coup de feu aux tranchées. Loin, sur

Berry, le canon aux coups sourds. Les saules au front penché rêvent autour de l'étang ; dans l'ombre, les canards couchés ont des airs de cygnes. La nuit tient, tout entière, dans cette eau morte. Les arbres y découpent leur silhouette précise, branche par branche, et l'on y revoit le ciel d'étain, le grand ciel triste qui se mire.

Plus un bruit. Dans la campagne, une voix perdue, une perdrix qui radote. Ce vaste silence me calme... Tiens, pourquoi Féroce n'aboie-t-il plus ?

Brusquement, dans le pigeonnier, s'éveille un bruit léger de plumes, le bruit froufroutant qu'on entend lorsqu'on éveille un poulailler. Un pigeon, deux pigeons sortent et, d'un coup d'aile, vont se poser sur une branche... Pourquoi ? Qui les a dérangés ?

Une idée absurde me vient : Emma est rentrée, elle est montée là-haut, en se cachant, et elle fait quelque chose, elle continue ce que faisait le vieux... L'esprit alerté, le cœur battant, j'écoute. Quelque chose a craqué ; une lucarne qu'on ouvre ?

Tant pis, je veux savoir. J'entre dans la ferme par le fournil obscur. Mes mains tâtonnent. Je me cogne à une brouette, et mon cœur débuché bat, bat...

Je monte par l'escalier de bois. Dieu, qu'il crie !... Le grenier. Un peu de nuit bleue entre par les carreaux sales de la lucarne. Dans l'ombre, des formes tapies... Non, rien : des sacs.

Mes jambes tremblent. Je n'ai pas peur, pourtant. J'avance d'un pas étouffé et mes mains froides fouillent le noir, reconnaissent les choses. Mes yeux qui scrutent s'habituent. Je reconnais une capote qui sèche, bras pendants.

De l'autre côté de la cloison de planches, les pigeons s'agitent toujours. J'approche, et lentement, pour étouffer le cri aigu des gonds qui grincent, je pousse la porte... Le cou tendu, le poing serré, je regarde. Rien, rien...

La clarté lunaire qui filtre par les tuiles éclaire les pigeons, en boule sur les perchoirs. Un roucoule. Dehors, le vent siffle un air aigu, les lèvres pincées...

Alors, je referme la porte qui grince, et seul, tout seul, dans le grenier obscur, je regarde la triste défroque aux bras pendants, cette capote lasse où mourra un soldat.

VII

ON avait dit à Demachy : "Tu les retrouveras au *Café de la Marine*, près du pont de pierre."

Le grand pont aux piles ébréchées ne se franchissait plus que la nuit. Le jour, il suffisait qu'un cycliste s'y montrât pour déchaîner une salve qui fouettait furieusement l'eau ou arrachait un pan de parapet. Arrivé à la fin de l'après-midi, Demachy passa la rivière en amont, sur le pont de bateaux.

Dans l'eau verdâtre, qui frissonnait à peine, les hauts peupliers plongeaient jusqu'à leur cime, comme s'ils avaient encore cherché du ciel dans l'eau tranquille. Une grosse péniche dormait près de la berge, couchée sur le côté. Ses planches arrachées laissaient voir la cale vide, entre ses énormes côtes de bois, et l'on se demandait comment cette carcasse de baleine était venue s'échouer si loin.

La rivière froufroutait, en se brisant sur les bateaux du pont. C'étaient de ces petites barques, vertes ou noires, de pêcheurs, qu'on mène d'une rame indolente, les beaux dimanches d'été. A l'avant de la plus fraîche, peinte en blanc, on lisait un nom : "Lucienne Brémont. Roucy." Un éclat d'obus l'avait blessée au côté.

Tout le long de la berge, des croix de bois, grêles et nues, faites de planches ou de branches croisées, regardaient l'eau couler. On en voyait partout, et jusque dans la plaine inondée, où les képis rouges flottaient, comme d'étranges nénuphars.

Avec la crue, les croix devaient s'en aller, au fil de l'eau grise, pour accoster on ne sait où, près d'un enfant qui épellerait sur la planche rongée : "... infanterie... pour la France..." et s'en ferait un sabre de bois. On eût dit que ces morts fuyaient leurs tombes oubliées, et la file infinie des autres morts les regardait partir, leurs croix si rapprochées qu'elles semblaient se donner la main.

Dans le taillis touffu, les églantiers fleuris tendaient leurs bouquets blancs. Demachy en cueillit tout en marchant. Il approchait de la Tuilerie. Sur le toit éventré, le drapeau à croix rouge ne flottait plus : c'était une sorte de loque grise, déchiquetée, qui pendait le long de la hampe. Le mur de briques, percé de meurtrières en septembre, avait été crevé par les obus, la tourelle abattue, la façade criblée et, à présent, on pouvait entrer dans l'ambulance par dix brèches. C'est pourtant là qu'on soignait les blessés, depuis que l'eau avait envahi les caves. Et comme on n'osait rien allumer, la nuit, dans cette ferme repérée, on les pansait dans l'ombre, à tâtons, les doigts cherchant les plaies.

Ceux qu'on ne sauvait pas avaient leur lit fait à la porte : les trous étaient creusés, ils n'avaient qu'à sortir. Le cimetière aussi avait appris à faire la guerre ; il ne laissait plus ses morts aller à la débandade, il les rassemblait en compagnie devant la Tuilerie. Il fallait se pencher, soulever une couronne de fleurs, une cocarde tricolore faite de trois haillons pour retrouver un numéro de régiment, un nom. Le couteau d'un camarade avait bien gravé ces choses sur une plaque de ceinturon, mais la rouille les rongeait vite, comme si la mort avait voulu tuer jusqu'à leur souvenir.

Demachy s'arrêta aux premières tombes. Des

cadavres avaient été amenés depuis la veille, et attendaient leur fosse, couchés entre les croix. L'un était enveloppé dans une toile de tente, linceul rigide que le sang durcissait encore. Les autres étaient restés comme ils s'étaient battus, la capote terreuse, le pantalon boueux, et sans rien pour cacher leurs visages bouffis ou cireux, leurs pauvres faces violacées, qu'on eût dit barbouillées avec la lie de vin. La tête d'un sergent, pourtant, était voilée. On l'avait enfoncée dans une musette, comme dans une cagoule, et l'on devinait l'horrible blessure, sous ce suaire de sang caillé. Il portait une alliance au doigt. Le bras d'un petit chasseur s'était détendu et semblait barrer l'allée, les ongles enfoncés dans la terre molle. S'étaient-ils traînés depuis les tranchées, pour venir mourir là ?

Parmi les croix blanches et noires, Demachy chercha celle de Nourry, qui avait été tué au Bois des Sources, huit jours auparavant. Le petit Belin l'avait faite avec une grande planche de caisse fendue en deux, et Gilbert la reconnut de derrière, en lisant : "Champag..." Au pied, quelqu'un avait enfoncé une douille d'obus où jaunissait un bouquet de muguet. Demachy le jeta pour y mettre ses églantines.

Les yeux fermés, il songeait à Nourry, le dernier jour. Blessé au ventre, il avait râlé dans le gourbi toute la nuit, les brancardiers n'arrivant pas, et, tournant parfois vers nous sa maigre tête au nez pincé, il murmurait :

— Hein, je vous empêche de dormir, mes pauvres gars.

Il était mort au petit jour. La fusillade nocturne s'était tue, les canons ne tiraient pas encore. Un pinson chantait dans le bois. Et, dans cette paix, on avait mieux compris cette mort.

Pour lui donner une vraie tombe, l'escouade avait voulu le ramener à l'arrière. Quatre hommes étaient partis pour la soupe au lieu de deux, portant alternativement le grand corps enroulé dans sa couverture brune, et Demachy les avait suivis, la croix de bois blanc sous le bras, tenant les bouteillons de l'autre main.

Depuis la mort de Nourry il était arrivé deux lettres à son nom. On aurait pu les retourner avec le brutal avis de décès, dans le coin : "Le destinataire n'a pu être atteint." Demachy avait cru mieux faire de les prendre. Il les sortit de sa cartouchière, les déchira sans les ouvrir, et sur cette tombe réglementaire de soldat, carrée comme un lit de caserne, il effeuilla les pétales de lettres, pour qu'il pût au moins dormir sous des mots de chez lui.

Ce camarade lui était plus cher, maintenant qu'il n'était plus. Il regrettait de n'avoir pas mieux aimé ce grand garçon timide et doux, de n'avoir pas été meilleur. Il portait ainsi en lui le nom de quelques camarades, laissés dans les petits cimetières de Champagne ou de l'Aisne, ou bien entre les lignes, sur la terre à personne, et il leur parlait, les écoutait se plaindre, ces pauvres hommes que, vivants, il n'avait pas toujours aimés, parce qu'ils étaient parfois grossiers, le geste et l'esprit lourds. Il n'en oubliait aucun et aimait se pencher sur leur souvenir, alors qu'il ne restait déjà plus d'eux qu'un nom banal dans la mémoire oublieuse de leurs copains d'escouade.

Ainsi arrêté sur une tombe, il retrouvait, intacte, son âme d'autrefois, son âme d'avant-guerre, douloureuse et passionnée, qui dormait, usée par la fatigue, la vie misérable, les appétits quotidiens, le frottement des autres. Elle se réveillait ainsi, aux heures de solitude — le temps de souffrir...

— Hé ! vieux, lui cria un brancardier qui le vit s'en aller, ne traîne pas dans le pays. Ils sont mauvais, c't'après-midi, ils n'arrêtent pas de marmiter.

Il repartit sans hâte, en suivant l'eau, pas pressé d'arriver. Il aurait aimé rester seul, ce soir-là.

Les premières maisons, dont les jardins en friche

continuaient les champs, étaient presque habitables, tout juste écornées, par les 210, leurs tuiles envolées devant l'obus comme des nichées de pigeons rouges. Mais, le raidillon monté, c'était le massacre.

On voyait l'église d'abord ; une ruine de clocher sans faîte et une haute muraille démantelée, dont les fenêtres en ogive ouvraient sur le ciel. La petite porte du presbytère, bien droite, gardait ces ruines et, au-dessus de la sonnette, une plaque bleue conseillait innocemment : "Tirez fort."

L'artillerie peut s'acharner sur un pays, il restera toujours quelque chose : un pan de mur avec son papier à fleurs et deux photographies au cadre noir en pendant ; une porte de chambre fraîchement peinte qui coquette au milieu des moellons pilés, une cheminée de marbre restée là-haut, en équilibre sur trois lames de parquet.

Avec ces débris, Demachy imaginait le pays vivant. Ce n'était ni un village, ni un bourg de campagne : un petit coin de plaisance, plutôt, une villégiature paisible où les boutiquiers de la ville devaient se retirer, à la soixantaine, pour bouturer des roses et pêcher à la ligne. Pas de fermes, des villas qu'on reconnaissait malgré tout aux trois marches de grès d'un perron, à un bout de façade rose, dont les éclats avaient griffé la peinture.

Il suivait en trébuchant la grande rue bordée de boutiques dévastées et de vestiges de maisons. Sous les ruines, montant des escaliers des caves, on entendait des voix, des rires, le hennissement d'un cheval, le grincement d'un violon.

Derrière les pans de mur, des cuistots accroupis essayaient de faire du feu sans fumée et tournaient simplement la tête, en curieux, quand un obus s'annonçait en froissant l'air. On peut bien risquer quelque chose, quand on veut des frites.

— Le *Café de la Marine* ? leur cria Demachy.

— Plus bas, à gauche.

Il repartit en se pressant, car un gros noir venait

de tomber tout près, dans les ruines, arrachant une gerbe de gravats et de fumée. Il espérait trouver l'enseigne encore vivante sur un bout de façade, mais autour du pont de pierre, que les Boches cherchaient, il ne restait qu'un bouleversement de gravats et de poutres broyées, autour d'un grand toit rouge intact que les obus n'avaient pas vu. Pourtant, par les trous des soupiraux, on entendait brailler. Il se pencha et demanda :

— Le *Café de la Marine* ?

— A côté... Il y a une cage à la porte.

D'un coup d'œil circulaire il chercha, mais ne vit rien. Des shrapnells ayant éclaté au-dessus de l'église — deux coups cuivrés — il s'énerva : "Il n'y a pas de cage, bon Dieu !"

Les éclats passèrent, en jurant, et rebondirent sur les tuiles, comme des grêlons. Il se redressa et aussitôt tendit l'oreille.

— Ah ! ils sont là...

Il venait de reconnaître la voix de Sulphart, qui devait s'expliquer amicalement avec Lemoine.

— Quoi ! vociférait-il, mais, pauvre croquant, tu marchais à quatre pattes que j'avais déjà des vernis.

Guidé par ces clameurs, Demachy chercha l'escalier et s'y jeta. En effet, à l'entrée, une grande volière était posée, et un maigre corbeau hérissé se tenait dans un coin, son long bec dans les plumes, observant le désastre d'un œil rond.

C'était au sujet de l'oiseau qu'on se disputait, dans la cave du *Café de la Marine*, où notre section attendait la relève, n'ayant fait que trois jours en première ligne.

— Demande-z-y voir à Demachy, braillait Sulphart en apercevant son ami dont le regard tâtonnait dans le noir du souterrain, demande-z-y si les corbeaux ça ne vit pas des cent ans.

— J'en ai déniché plus que t'en as jamais vu, répliquait tranquillement Lemoine, assis sur une moitié de tonneau coupé en baquet. Tu ne sais pas ce que tu causes : le corbeau, il n'y a pas plus bête.

— N'empêche que ça vit vieux, et que celui-là il a vu plus de guerres que toi, peut-être la Révolution, et 70...

Étendu dans un coin, sur un hamac en grillage, Vieublé protesta.

— Ah ! ne nous en fais pas un plat avec 70. Tu parles d'une guerre à la noix. Ils se battaient une journée tous les mois et ils croyaient avoir tout bouffé. Et les gars qui se baladaient dans Paname avant d'aller se mettre ça à Buzenval, tu crois pas que c'était un filon ? Ça me fait marrer, moi, des guerres comme ça.

— J'te parle pas de 70, insistait Sulphart têtu, je parle du corbeau.

— Hou !... Houoou !... Ta gueule !

Tout le monde se mit à hurler, pour le faire taire. Quelqu'un lui lança un quart de boule.

— Ça va, dit-il, d'un ton vexé. Je vais toujours lui donner à becqueter.

Et ayant pris un morceau de singe, un bout de fromage et un quart de boule qu'on lui avait jeté, il monta le dîner de son corbeau, qui n'en demandait pas tant.

Demachy, brusquement, se sentait heureux. Sulphart lui avait gardé une bonne place, sur un sommier, et il allait pouvoir lire, revâsser, paresseusement étendu, comme sur un divan.

La grande cave regardait la rivière par deux longs soupiraux grillagés. Le matin, il y entrait, avec le petit jour, un brouillard glacé qui sentait l'eau.

On y voyait à peine, et, pour écrire, les hommes avaient allumé une bougie, fixée avec trois larmes de suif sur le coin d'un guéridon en acajou. Il y avait de tout dans cette cave : des chaises, des lits, des tables, des casiers à bouteilles qui nous servaient d'armoire, des matelas, et jusqu'à un rocking-chair, que Bouffioux lorgnait pour allumer son feu. Jamais, depuis qu'ils étaient en guerre, ceux de la compagnie n'avaient si bien dormi. Ils savouraient leur bonheur toute la journée, vautrés dans leur coin, marquant la literie de leurs godillots sales, et la tête moelleusement posée sur un oreiller de duvet.

Dans la cave du fond, on faisait un concert. Un caporal jouait de l'ocarina, et, accroupis autour de lui, les camarades reprenaient la romance au refrain avec des voix langoureuses. Juché sur un secrétaire Empire, le père Hamel marquait la mesure à coups de talon sur le panneau de palissandre.

On se rendait des visites de cave à cave. Toutes étaient bien meublées. Il ne devait plus rien rester dans les maisons, ni même sous les pierres : peu à peu on avait tout enlevé. Ce qu'on n'avait pas descendu dans les caves, on l'avait emporté dans le bois où l'on prenait les tranchées. Le soir, les corvées arrivaient, en bandes d'ombres, et s'en retournaient chargées de tables, de fauteuils, de sommiers. Meuble par meuble, le village déménageait, et l'on rencontrait dans le Bois des Sources d'étranges gourbis dont la porte était celle d'un bahut Renaissance, avec d'affreux petits Bretons bien sculptés qui jouaient du biniou. Dans notre guitoune, nous avions trouvé un fauteuil en osier, et un édredon rouge. Le sous-lieutenant Berthier possédait un canapé et une grande glace fendue au milieu, sur laquelle un guerrier crédule avait gravé : "Trois mois et la classe."

Sur le bord de la route, il y avait même un piano que les hommes, découragés, avaient abandonné à mi-chemin du bois, et le soir, en attendant les voitures de distribution, les cuistots, en sourdine, jouaient un petit air d'un seul doigt.

Les premières lignes n'étaient pas terribles, dans ce secteur sylvestre. Quelques obus indifférents, de loin en loin — c'est ainsi qu'avait été tué Nourry — une balle à risquer quand on allait cueillir du muguet entre deux boyaux, c'était tout. On se promenait librement dans le bois et les cuistots y faisaient leur tambouille, cent mètres à l'arrière, suffisamment cachés par les taillis. Pour la première fois, aux tranchées, on avait mangé chaud et bu du café qui fumait dans les quarts.

Les Allemands, au début, avaient lancé des torpilles, d'énormes "tuyaux de poêle" qui broyaient tout. Aussitôt on avait fait venir une section de bombardiers, pour leur répondre. Ceux-ci avaient creusé la terre pendant près d'un mois, nuit et jour, charrié des rondins, et fait un abri aux étais solides qui ne craignait rien. Puis, ils avaient amené leur canon.

C'était une riche pièce de musée, une sorte de tout petit mortier en bronze qui portait, gravé sur son ventre de crapaud, ses date et lieu de naissance : "1848, République française, Toulouse." On le chargeait au jugé : un gramme de poudre par mètre. Nous étions à 180 mètres de l'ennemi, à peu près ; on en mettait quatre cuillerées, et, pour faire bonne mesure, le sergent bombardier ajoutait une pincée de rabiot. Cela faisait un bruit épouvantable et le mortier, ayant tiré, sautait d'effroi. On voyait le boulet décrire en tournoyant une immense parabole et il tombait où il voulait, dans le bois, acclamé par les Boches qui, je crois bien, criaient bravo. Cela éclatait parfois. Après un court séjour, les bombardiers avaient touché un autre canon — un vrai — et s'en étaient allés l'essayer ailleurs, nous laissant avec leur beau gourbi une arme baroque et inoffensive, une espèce de grande fronde ou de baliste faite avec des caoutchoucs de pneumatique et des leviers de bois. Avec cet instrument on pouvait lancer des grenades : le premier qui avait essayé en était mort.

Depuis, les sections en ligne s'en servaient pour envoyer les projectiles les plus imprévus : des godillots, des bouteilles vides, des bottes de tranchée aux semelles de bois et, en général, tous les objets qui traînaient, à condition que leur poids fût satisfaisant.

Sulphart était d'une jolie force, à ce jeu-là. Il avait passé ses trois jours à bombarder la sape qui se trouvait à quarante mètres de nos lignes. Il avait jeté tout ce qu'il avait pu : des chaussettes bourrées de cailloux, de boîtes de singe, des briques, des culots d'obus. La veille, au moment de partir, il leur avait lancé le coup d'adieu : un gros pot à moutarde plein de terre, qui dût tomber en plein dans la tranchée, car on entendit crier. On avait acclamé Sulphart, hué les Boches, et de leur sape l'un d'eux — peut-être le blessé — avait répondu en mauvais français, nous traitant de vaches et de cocus.

Depuis, Sulphart manifestait une joie insolente. Il avait braillé pendant toute la relève, raconté son fait d'armes à tout le régiment, interpellé les officiers, ameuté les cuisiniers à la sortie des boyaux, sa face radieuse pétant d'orgueil.

— Il l'a reçu en pleine gueule, que je vous dis, j'en suis sûr ; à preuve qu'il m'a appelé cocu, et en français... C'était sûrement un officier.

Il avait couru dans toutes les caves pour narrer son histoire, et, pour un quart de vin, il en faisait en public un récit détaillé et adroitement enjolivé. A l'entrée de la cave où il gavait patiemment son oiseau vorace, on l'entendait raconter son histoire pour la centième fois, à des bleus gobeurs qui l'admiraient.

— Oui, mon gars, clamait-il, le général l'a reçu en pleine gueule. Même qu'il m'a appelé cocu en français.

Et comme il savait, malgré tout, rendre hommage à ses ennemis, il ajoutait, avec une intonation de respect :

— Y a pas, ils sont tout de même instruits ces mecs-là !

VIII

Du Bois des Sources, on le voyait entre les branches, où se posaient en essaims verts les premiers bourgeons. Hersée par les obus, éventrée à coups de torpilles, usée, tragique, c'était une haute butte crayeuse, hérissée de quelques pieux qui avaient été des arbres. Sur les cartes d'état-major, elle devait avoir un nom. Les soldats l'avaient appelée le mont Calvaire.

C'était l'enfer du secteur. Lorsque le régiment montait en ligne, on se demandait, anxieux : "Qu'est-ce qui prend au Calvaire, ce coup-ci ?..." Et quand on l'avait appris, les victimes grognaient :

— Toujours les mêmes... Sûr que le piston s'en fout, on ne le verra pas souvent là-haut...

Bombardé sans répit, le Calvaire fumait comme une usine. On voyait les torpilles monter du bois des Boches et tomber lourdement sur cette terre morte, où elles ne pouvaient plus rien arracher que des lambeaux d'hommes et des cailloux. La nuit, c'était là qu'on tirait le feu d'artifice : globes rouges, étoiles blanches, chenilles vertes balancées, vision splendide des nuits de guerre. Des éclairs d'éclatements y joignaient leur fracas. Et, pendant quatre jours, deux sections restaient là, guettant l'inconnu par-dessus un champ râpé, jonché de capotes bleues et de dos gris.

De loin, lorsqu'on regardait le nuage jaune et vert des éclatements qui ne se dissipait jamais, qu'on voyait le panache épais des torpilles, qu'on entendait cet orage incessant, on se disait :

— C'est impossible. On ne peut pas tenir là... Il ne doit pas en revenir un.

On y tenait quand même ; on en revenait pourtant.

Notre tour était venu d'y monter. Ce n'était pas un boyau qui menait au Calvaire, mais une sorte de sentier taillé dans la craie, un chemin muletier, bordé d'étroits gourbis suintants et froids. Tout le long, c'était un navrant fouillis d'équipements, de bouteillons, de cartouches, de hardes, d'outils, tout un cimetière de choses. Et de loin en loin, des croix de bois : "Brunet, 148e d'infanterie... Cachin, 74e d'infanterie... Ici un soldat allemand..." A peine recouverts d'une couche de marne, on voyait nettement la boursouflure des corps. Il y avait plus de douze stations à ce chemin de croix.

La relève se fit plus vite, ce soir-là. On avançait, le dos bossu, l'oreille inquiète. On se poussait. Comme on distinguait, à la lueur des fusées, les courts moignons des arbres, le sous-lieutenant Berthier, qui nous guidait, fit passer :

— On approche, silence.

Conseil inutile. Pas un grognement, pas un tintement, pas un murmure. Lemoine, qui ne croyait pas au danger, retenait pourtant sa baïonnette, qui ferraillait. La même gravité nous dominait tous. Seul, Maroux était satisfait. Il avait prétendu que c'était un filon, que là-haut personne ne viendrait nous voir, que nous serions tranquilles. Mais, comme les autres, il allait la tête basse, maintenant sa gamelle qui brimbalait.

— Planquez-vous !

Deux obus sifflèrent et vinrent éclater à vingt

pas, éclair rouge qui nous éblouit. Tous s'étaient écrasés, les uns dans les autres. Les éclats fouettèrent la craie.

— Faites passer, en avant...

Dans la tranchée étroite, creusée sur l'autre versant de la butte, les hommes du régiment relevé nous attendaient, impatients, sac au dos. Tout bas, à mots hachés, les sergents transmirent les consignes :

— Leur tranchée est à la lisière du bois... Un peu plus de cent mètres. Ne tirez pas sur la gauche plus loin que les bouleaux : c'est un petit poste à nous...

Brièvement, les camarades nous souhaitaient bonne chance, tout en ramassant leur barda.

— Gare aux torpilles, surtout le soir, à l'heure de la soupe. Si vous pouvez, ramenez le gars qui est dans le champ, juste devant les fils de fer. C'est un copain à nous qui s'est fait descendre l'autre nuit. Vous l'enterrerez, hein ? Un nommé Questel...

Vite, ils partirent, encaqués dans l'étroit boyau où toute la tranchée se déversait. Leur rumeur étouffée s'éloigna et se tut. Veinards...

Ils n'avaient rien laissé au Calvaire : quelques boîtes de singe, des paquets de cartouches, des boules pas entamées, un copain dans la plaine... Ils étaient partis.

Tandis que les premiers guetteurs, s'accoudant au parapet, prenaient la veille, notre section reflua sur l'autre versant du mont pour s'installer.

Un régiment de mineurs — des gars du Nord tristes et violents — avait creusé là une sorte de casemate dont l'entrée donnait sur nos lignes et les créneaux sur le bois boche. Elle comprenait une galerie assez haute, solidement étayée, flanquée à droite et à gauche d'étroits réduits, garnis de vieille paille et de journaux. Les premiers arrivés s'y jetèrent en braillant, repoussant les autres des poings et des pieds, et ce fut dans le demi-jour d'une bougie tremblotante une brusque bouscu-

lade, un tohu-bohu furieux de cris et de jurons.
Sans mal, Berthier rétablit l'ordre :

— Allons, pas de pagaille, pas de dispute, ça ne
sert à rien... Tout le monde aura de la place.

Avec sa lampe électrique, il fouillait les coins
sombres et logeait posément les hommes. Les soldats, derrière lui, attendaient bien sages, comme
des enfants que case le maître, et personne ne
criait plus, pour ne pas l'ennuyer. On acceptait le
coin désigné et l'on se nichait.

Bréval, en déroulant sa couverture, faisait des
trouvailles dans la paille : "Un journal de chez
nous ! s'écria-t-il joyeusement... Je vais lire au lit,
comme dans le temps..."

Nous étions quatre dans notre soupente, bien
serrés, le ceinturon défait et les molletières
dénouées. Broucke avait même retiré ses chaussures et ronflait déjà, tandis que le petit Belin fabri-
quait avec un bout de barbelé un bougeoir ingé-
nieux, dont la lumière ne se verrait pas du
dehors.

— Ah ! on est bien, soupira Bréval en s'étirant...
Pourvu que les Boches nous foutent la paix...

— Dans le fond, c'est bien ce que j'avais dit, fit
Maroux, qui couchait de l'autre côté de la galerie.
De loin, avec ce qui dégringole, on se fait des idées,
et quand on y est, c'est pas pire qu'ailleurs.

A tout moment, pourtant, un coup sourd ébranlait la butte et la détonation entrait, avec un coup
de vent, dans notre grotte dont les bougies trem-
blaient. Cela tombait parfois sur l'autre versant du
Calvaire, devant l'entrée de notre sape, et l'on
voyait flamber l'éclair sur la toile de tente.

— Trop long, disait Lemoine, rassuré par les
quatre mètres de terre que nous avions au-dessus
de nous.

Broucke ronflait plus que d'ordinaire, pour ne
pas entendre les obus, et Bréval lisait son journal,
loin de la guerre.

— Tas de dégoûtantes, grommela-t-il... Encore

des femmes qu'on a arrêtées, au camp des Anglais. Et pas des catins, tu peux en être sûr : des femmes mariées... On m'a dit comme ça qu'on affichait leur nom à la mairie. Tu parles d'un coup pour leur mari, quand il apprendra ça...

Il lut encore quelques lignes, puis coléreusement froissa son journal, le jeta et se tourna contre le mur de craie humide en me disant : "Tu souffleras."

A grands coups sourds, têtue, l'artillerie s'acharnait sur le Calvaire, tout en haut du Calvaire, là où auraient dû se dresser les trois croix. Entre deux explosions, on n'entendait rien, que parfois un pas d'homme trébuchant sur les cailloux, ou des coups de feu égarés, lubie de sentinelle.

A la clarté dansante de la bougie qui se mourait, je regardais les rondins trapus où pendaient nos équipements et nos bidons. Les musettes gonflées couvraient le mur, des baïonnettes pour patères. Sous la tête, nos sacs ; dans un coin, les fusils... Et l'on porte tout cela, des nuits, des jours, des lieues... On porte sa maison, on porte sa cuisine, et jusqu'à son linceul : la couverture brune où, bien enroulé, je vais dormir.

*

La nuit, lentement, semblait fondre. On eût dit que la dernière étoile se dépêchait de rentrer.

Dans le brouillard du petit jour, des choses revenaient de leur voyage au pays noir et, sagement, reprenaient leur place : l'arbre en fourche devant la tranchée, la meule brûlée contre le réseau Brun. Ce fut Broucke qui le premier vit les morts.

— Ben y en o, dit-il. Cor un bois qui reviendro cher...

Gilbert cherchait à découvrir celui de l'autre nuit, que les camarades nous avaient demandé d'enterrer. L'aube le découvrit enfin. Il était resté à vingt mètres des fils de fer, déjà plat et fané, comme les autres. A quoi bon risquer de se faire tuer pour traîner ce cadavre plus près de la tranchée ? Une place ici ou un trou là... On avait ses papiers, cela suffisait. Sa tombe ? Quelque part, sur le front...

Avec le jour, l'artillerie s'éveilla. Une salve de shrapnells tonna d'abord, couronnant le Calvaire d'une auréole verte vite dénouée. Puis, ce fut le tour des gros.

Les premiers qui sifflèrent nous jetèrent terrés au fond de la tranchée. Ce fut un déchirant fracas, et une gerbe de pierraille retomba sur nous en lourds grêlons. Bréval poussa un petit cri, touché à la nuque par un éclat mort ou un caillou. La peau seule était déchirée, mais il saignait.

— Pas de veine, lui dit Lemoine en lui mettant un peu de teinture d'iode... Si ç'avait pu te casser un bras, hein.

— C'est pas moi qu'aurais cette veine-là, regretta le caporal.

La journée se passa ainsi, courbés sous les obus, fuyant sous les torpilles.

Vers onze heures, cela redoubla et les hommes de soupe hésitèrent un bon moment avant de s'en aller, plus à l'abri dans la sape que dans le boyau partout éboulé. Lorsqu'ils revinrent, la moitié du vin était renversé, le macaroni plein de terre et Sulphart s'étranglait à injurier Lemoine, qui n'était "pas même foutu de porter un bouteillon".

Le rata mangé, on commença à jouer aux cartes en attendant le soir. Broucke s'était mis à ronfler ; couché près de lui, Gilbert essayait de rêver.

Soudain il se souleva et nous dit, la voix sèche :

— On creuse là-dessous.

Tous se retournèrent, cartes tombées.

— Tu es sûr ?

Il fit oui, de la tête. Je secouai brutalement Broucke, qui ronflait toujours, et Maroux, Bréval,

Sulphart se couchèrent dans la galerie, l'oreille à terre. Nous autres les regardions, muets, le cœur dans l'étau. Nous avions tous compris : une mine... Anxieusement, nous écoutions, rageant contre les obus qui ébranlaient la butte de leurs coups de bélier. Bréval se redressa le premier.

— On ne peut pas se tromper, fit-il à mi-voix, ils creusent.

— Il n'y en a qu'un qui travaille, on entend bien, précisa Maroux. Ils ne sont pas loin.

Nous étions tous serrés, immobiles, regardant le sol dur. Quelqu'un était allé chercher le sergent Ricordeau. Il arriva, prêta un instant l'oreille et dit :

— Oui... Il faudrait prévenir le lieutenent.

Chacun se couchait à son tour pour entendre, et se relevait rembruni. Dans la tranchée, la nouvelle avait déjà couru, et, entre deux obus, les guetteurs écoutaient la pioche effarante qui creusait, creusait...

Le sous-lieutenant Berthier vint à la nuit, avec la corvée de soupe. Il ausculta la terre un long moment, hocha la tête et, tout de suite, voulut nous rassurer :

— Peuh !... Ce sont peut-être des pionniers qui creusent une tranchée, et même assez loin... Cela trompe beaucoup, vous savez, ces bruits-là. Je vais demander quelqu'un du génie... Mais ne vous montez pas la tête : c'est certainement encore loin, il n'y a pas de danger...

Nous prîmes la veille. Les obus tombaient toujours, mais ils faisaient moins peur à présent. On écoutait la pioche.

Nos deux heures finies, nous remontâmes dans la grotte. Le bruit avait diminué.

— Il est raisonnable, dit Broucke. Il fo moins d'train.

Et tranquillement, il s'endormit.

On allait souffler la bougie quand le lieutenant Berthier, reparut, accompagné d'un adjudant du génie. Tout le monde fut aussitôt sur pied et l'on se tassa dans la galerie. Le premier mot que nous saisîmes fut :

— Nous nous en doutions.

Fouillard eut un tic qui lui tira l'œil.

L'adjudant s'était allongé, l'oreille contre terre, les yeux fermés. Nos silences écoutaient avec lui. Il se releva, brossa d'une tape sa capote blanche de craie, et repartit avec Berthier sans rien nous dire ; pas un mot.

— C'est qu'il n'y a pas encore de danger, supposa Lemoine.

— C'est que nous allons sauter, prédit Sulphart.

On se coucha, pourtant. Et l'on dormit. Berthier revint au petit jour ; il avait un air triste, un air soucieux qu'on ne lui connaissait pas et qui nous inquiéta tout de suite. Que savait-il ? Il entendit encore piocher, sans coller son oreille à terre, car les coups, à présent, nous parvenaient plus distincts. Nous nous sentions troublés par un pressentiment vague, une crainte confuse. Berthier releva la tête :

— L'escouade de Bréval, rassemblement.

Il nous regarda tous, de son profond regard de brave homme, puis arrêtant ses yeux sur Bréval seul, qui, depuis sa coupure, portait un pansement autour du cou, comme un faux col, il lui dit :

— Comme vous l'aviez deviné, les Allemands creusent une mine. Le génie va peut-être venir pour faire une sape, mais la leur doit être bien avancée pour qu'on puisse la couper. Alors... n'est-ce pas... il est inutile que tout le monde reste ici... Vous comprenez bien ça... Alors... c'est votre escouade qui va rester, Bréval : on a tiré au sort. On va relever les deux sections qui vont se porter en deuxième ligne, et vous resterez ici avec votre escouade et des mitrailleurs... Ce n'est pas beaucoup, mais le colonel a confiance en vous : on sait que vous êtes des braves... Et puis, on n'a pas d'attaque à craindre, puisqu'ils creusent... D'ailleurs, leur mine n'est pas encore près d'être finie, vous n'avez pas à avoir peur... Il n'y a pas de danger, aucun danger... C'est une simple mesure de précaution...

Il commençait à bafouiller, la gorge serrée. Son regard fit encore une fois le tour de l'escouade, cherchant nos yeux à tous. Personne ne dit rien ; seul, Fouillard bredouilla :

— On pourra tout de même partir pour aller à la soupe.

— On vous l'enverra.

Les autres se turent, un peu pâles, c'est tout. Courage ? Non. Discipline. Notre tour était venu...

— On est bons, dit simplement Vieublé.

— Mais non, vous êtes fou, coupa vivement le lieutenant. Ne vous faites pas cette idée-là... Tenez — et il baissa les yeux, gêné — j'aurais bien voulu rester avec vous. C'était ma place. Le colonel n'a pas voulu... Allons, bonne chance.

Sa lèvre inférieure tremblait, une buée mouillait ses yeux sous le lorgnon. Brusquement, il nous donna à tous une poignée de main et s'éloigna, les dents serrées, tout pâle.

Déjà les camarades s'en allaient, en se poussant, comme s'ils avaient peur que la mort ne les rattrapât. Ils nous regardaient drôlement, en passant devant nous, et les derniers nous dirent : "Bonne chance." Le cliquetis des chaînettes sur les gamelles s'éloigna, le tintement des bidons vides, les cailloux qui roulent, les voix... Nous restions seuls. Les mitrailleurs s'assirent à leur pièce. Trois de l'escouade descendirent dans la tranchée, et nous rentrâmes dans notre casemate.

— Il n'y a plus qu'à attendre, dit Demachy, qui exagérait son air indifférent.

Attendre quoi ? Tous assis sur le bord de nos litières, nous regardions la terre, comme un désespéré regarde couler l'eau sombre, avant le saut. Il nous semblait que la pioche cognait plus fort à présent, aussi fort que nos cœurs battants. Malgré soi, on s'agenouillait, pour l'écouter encore.

Fouillard s'était allongé dans un coin, la tête sous sa couverture pour ne plus rien entendre, ne plus rien voir. Bréval commença d'une voix hésitante :

— Après tout, ce n'est pas dit qu'on va sauter... Ça ne se fait pas comme ça, une mine.

— Surtout dans la pierre.

— On dirait que c'est tout près, et il y en a peut-être encore pour huit jours.

Ils parlaient tous ensemble, à présent ; ils mentaient tous, pour se donner du cœur, espérer quand même. Ce fut une discussion bruyante d'un moment, où chacun avait son histoire de mine à raconter, et, quand ils écoutèrent de nouveau, il leur parut que cela tapait déjà moins. Machinalement, on déroula les couvertures, on se coucha.

— Tu parles d'un réveil en sursaut, ronchonna Vieublé en se déchaussant.

Où la terre allait-elle se fendre ? En fermant les yeux, on croyait voir ces ignobles photographies des illustrés, ces entonnoirs béants avec des pieux, de la ferraille et des bouts d'hommes qui dépassent, mal ensevelis.

Étendus, la tête sur le sac, nous n'entendions plus que le terrible pic, régulier comme un tic-tac d'horloge, qui creusait notre trou.

— Ça va en faire un bruit, murmura Belin. Tu parles d'une charge qu'il faut pour arracher une butte comme celle-là !

— Encore trois jours avant de se barrer.

— Non, plus que deux et demi : on doit être relevés le mercredi soir.

Bréval, absorbé, écrivait sur ses genoux, son sac pour pupitre.

— Tu le fais à l'émotion à ta bourgeoise, blagua Lemoine. Tu lui racontes qu'on va sauter ?

Les obus tombaient moins nombreux, cette nuit. La brève aurore des fusées naissait et mourait sur la toile de tente. La nuit était presque tranquille.

Seul, ce bruit de pioche assourdi, qui nous berçait...

*

A minuit, je pris la veille. Il faisait froid dans la
tranchée. Le vent rabattait du bois des frissons
glacés et Gilbert grelottait sous sa couverture.

— Tu entends ?

— Oui, ça cogne toujours.

On ne regardait plus dans la plaine. A quoi bon ?
On n'y voyait que du noir trembler dans du noir.
On écoutait, on songeait.

Le premier, Demachy parla à mi-voix, avec ce
petit ton persifleur qui m'irritait et que j'aimais
pourtant :

— C'était trop beau... C'est vrai, c'était trop beau.
Une vie d'insouciance, de joie quotidienne. Un jour,
quelqu'un frappe : "Pan ! Pan ! C'est la vie. — Mais
je ne vous connais pas. — ... Tant pis, c'est bien
votre tour !" Elle vous a mis une pioche et un fusil
entre les mains, et creuse bonhomme, et marche
bonhomme, et crève bonhomme...

— Pourquoi que tu t'es engagé, aussi, lui dit
Lemoine, puisque t'étais réformé ?... Surtout dans la
biffe.

— Le devoir, un emballement : des bêtises...

Nous nous rapprochâmes des mitrailleurs, entassés, muets, sous leur caponnière. L'un dormait dans
le fond, la tête renversée.

— Plus que deux jours et demi, hein ? nous dit le
chef de pièce.

— Ils auront fini avant, dit l'autre.

Lemoine qui, sans y voir, sculptait sa canne,
s'accroupit dans un coin.

— S'ils sont sûrs que ça doit sauter, fit-il, ils
n'avaient qu'à nous relever comme les copains... Et
pourquoi notre escouade plutôt qu'une autre,
d'abord ?

Le vent fauchait les étoiles. La nuit devenait plus

épaisse. Nous n'étions plus, dans la tranchée, que des tas noirs, et dans l'ombre de la caponnière on ne distinguait rien, que le point rougeoyant d'une pipe. Parfois, quelqu'un soulevait le rideau du créneau et regardait. Rien... Un frisson, un murmure : les moutons du soir broutaient les champs.

Après les trois heures de veille, nous étions rentrés gelés. Et bien serrés sous nos couvertures, nos musettes côte à côte comme des oreillers, nous nous étions endormis, d'un bon sommeil de brutes.

*

Au matin, ce fut un présage, une détresse intérieure qui nous réveilla. Ce n'était plus le bruit : un silence tragique, au contraire. L'escouade était muette, atterrée, penchée sur Bréval qui écoutait, couché de tout son long. Redressés sur notre litière, nous les regardions.

— Qu'est-ce qu'il y a ? chuchota Demachy.

— Ils ne cognent plus !... Ils doivent bourrer la mine.

Mon cœur s'arrêta net, comme si quelqu'un l'avait pris dans sa main. Je ressentis comme un frisson. C'était vrai, on n'entendait plus creuser. C'était fini.

Bréval se releva, un sourire machinal aux lèvres :

— Il n'y a pas à se tromper. Ils ne cognent plus.

Nous regardions la terre, muets, comme elle. Fouillard, blême, fit le geste de sortir. Sans un mot, Hamel le retint par le bras. Maroux s'était assis, les mains croisées entre les genoux, et tambourinait la planche de sa litière, avec ses gros talons.

— Tais-toi ! lui dit durement Vieublé. Écoute...

Nous tendîmes tous le cou, anxieux, ayant peur de nous tromper. Non ! la pioche avait bien repris. Elle cognait. Oh ! ce qu'on put l'aimer, un instant, cette horrible pioche ! Elle creusait. C'était la grâce. On ne bourrait pas encore la mine, on ne mourrait pas encore...

Vieublé s'était dégagé de l'angoisse, d'un coup de collier. Blême de rage, il bondit dehors en braillant.

— Il est fou, s'écria Bréval. Qu'est-ce qu'il fait ?

On courut après lui. Il avait grimpé sur des sacs à terre, et, sorti de la tranchée jusqu'au ventre, le cou tendu, il hurlait :

— Vous pouvez creuser, tas de vaches, on vous em... On sautera peut-être tous, mais on vous em...

Sulphart l'avait pris à bras-le-corps.

— Vas-tu te taire, grand c...

Bréval aussi le tirait par le bras, mais l'autre résistait.

— Faut que j'en bute un avant de sauter... Je veux pas crever comme une lope, rugissait-il, il m'en faut un !...

On put pourtant le faire descendre et le rentrer dans la sape, où il se calma, en buvant le vieux marc de Demachy.

— C'est du bon, fit-il en connaisseur.

Toc... Toc... Toc... Elle creusait toujours... Toc, toc... Puis elle s'arrêtait. Nous écoutions alors, plus angoissés. Non. Toc... Toc... Toc...

Cela dura deux jours encore, et une nuit. Quarante heures que l'on comptait, qu'on arrachait, par lambeaux de minutes. Deux jours et une nuit à écouter, la bouche sèche de fièvre. Le dernier soir, on ne put retenir Vieublé : il partit avec quatre grenades dans sa musette, et, au bout d'une heure quatre aboiements nous parvinrent, coup sur coup, puis des plaintes hurlées à la lisière du bois. Il avait bien distribué ses sodas.

Comme il rentrait dans la tranchée, le lieutenant Berthier arriva, précédant la relève. Déjà nous mettions sac au dos, prêts à partir.

— Ah ! je suis content, nous dit-il... Vous voyez qu'il ne fallait pas se désespérer. C'est fini.

— On n'est pas encore parti, trembla Fouillard.

— Sauter maintenant, ça serait vraiment pas de veine, remarqua posément Lemoine.

Les coups, réguliers, nous parvenaient, rassurants malgré tout. Mais ce n'était plus la pioche qu'on guettait, c'était la relève. Une rumeur assourdie nous avertit.

— La relève... Entrez dans la grotte pour dégager. Je me charge des consignes, nous dit Berthier.

Nous regardâmes passer les hommes, d'un régiment inconnu. Ils étaient dix seulement, et quatre mitrailleurs. Le dernier s'arrêta, nous ayant devinés dans l'ombre de la galerie.

— Alors, ils creusent une mine en dessous ?... On est sûrs de sauter. Tu parles, quatre jours...

Tous ensemble, nous cherchâmes à le rassurer :

— Y a pas de raison... Regarde, nous autres, on y est bien resté... C'est long, ces trucs-là... Faut pas s'en faire.

Mais, par-dessus son sac, nous guettions le lieutenant, des frémissements dans les genoux, tant nous étions pressés de partir. Fouillard, on ne sait comment, avait déjà disparu. Berthier revint enfin.

— En route !... Bonne chance, mes petits.

Et, s'étant retourné vers Demachy, il ajouta tout bas :

— Les pauvres gars, j'ai peur pour eux...

Sans le lieutenant qui allait en tête d'un bon pas, nous aurions peut-être couru. On avait peur de ce Calvaire blafard, que les fusées parfois mettaient à nu. Peur de ce danger qu'on sentait derrière soi, tout près encore.

On glissa dans le chemin crayeux, on traversa vite la passerelle sur le ruisseau, et, là seulement, on osa se retourner. Le Calvaire se détachait, terrible, sur la nuit verte, avec ses moignons d'arbres, pareils à des montants de croix.

*

On cassa la croûte à la sortie des tranchées. Les cuistots avaient fait du jus et l'on mangeait voracement, ne sentant plus, à l'estomac, ces doigts crispés qui vous serraient. On buvait du vin à pleins quarts : il fallait vider les seaux avant de repartir. Vantard, Sulphart racontait des histoires à ceux de la compagnie :

— Et comment qu'on les a engueulés, les Boches, avec le gars Vieublé !

Chaque homme de l'escouade avait son groupe et palabrait. Vieublé, dont la voix paresseuse et grasseyante de gouape se remarquait parmi les autres, racontait sa patrouille :

— Tu parles, si ça a gueulé... Je m'étais levé, je tenais un pieu de leur réseau de la main gauche et v'lan ! en plein dedans... J'ai même pas reçu un coup de flingue... Et vise la bath jumelle que j'ai prise à un macchabée boche, un officier...

La compagnie suivait le canal, en longue file décousue. Des gourbis des artilleurs, creusés dans la berge, une vapeur montait, et l'on enviait leurs trous humides : "Finir la guerre là-dedans, tiens tu parles d'un filon..."

L'eau noire ne reflétait que de la nuit et ne vivait que d'un clapotis léger. On franchit la rivière sur un pont tanguant, fait de barques et de tonneaux. Le canal passé, on entraït dans le bois et la fraîcheur vous tombait sur les épaules comme un manteau humide. Cela sentait le printemps mouillé. Quelque part un oiseau chantait, ne sachant pas que c'était la guerre.

Derrière nous, les fusées dessinaient la ligne infinie des tranchées. Bientôt, les arbres les cachèrent et les hautes futaies étouffèrent la voix acharnée du canon. On s'éloignait de la mort.

En entrant dans le premier village, l'escouade de tête se mit à fredonner, en sourdine, et machinalement on se mit à marcher au pas.

C'est aujourd'hui marche de nuit,
Au lieu d'roupiller, on s'promène...

Alors, brusquement, venu de loin, un bruit sourd ébranla la nuit : un bruit tonnant de catastrophe, que l'écho répéta longuement. La mine avait sauté.

La colonne, comme au commandement, s'était arrêtée. Plus une voix... On écoutait encore, le cœur serré, comme si on avait pu, de cette rive, entendre les cris. Les canons aussi s'étaient tus, interdits.

Mais non, plus rien, c'était fini...

— Combien qu'ils étaient ? demanda dans le rang une voix étranglée.

— Dix... répondit quelqu'un. Et quatre mitrailleurs...

IX

MOURIR POUR LA PATRIE

NON, c'est affreux, la musique ne devrait pas jouer ça...

L'homme s'est effondré en tas, retenu au poteau, par ses poings liés. Le mouchoir, en bandeau, lui fait comme une couronne. Livide, l'aumônier dit une prière, les yeux fermés pour ne plus voir.

Jamais, même aux pires heures, on n'a senti la Mort présente comme aujourd'hui. On la devine, on la flaire, comme un chien qui va hurler. C'est un soldat, ce tas bleu ? Il doit être encore chaud.

Oh ! Être obligé de voir ça, et garder, pour toujours dans sa mémoire, son cri de bête, ce cri atroce où l'on sentait la peur, l'horreur, la prière, tout ce que peut hurler un homme qui brusquement voit la mort là, devant lui. La Mort : un petit pieu de bois et huit hommes blêmes, l'arme au pied.

Ce long cri s'est enfoncé dans notre cœur à tous, comme un clou. Et soudain, dans ce râle affreux, qu'écoutait tout un régiment horrifié, on a compris des mots, une supplication d'agonie : "Demandez pardon pour moi... Demandez pardon au colonel..."

149

Il s'est jeté par terre, pour mourir moins vite, et on l'a traîné au poteau par les bras, inerte, hurlant. Jusqu'au bout il a crié. On entendait : "Mes petits enfants... Mon colonel..." Son sanglot déchirait ce silence d'épouvante et les soldats tremblants n'avaient plus qu'une idée : "Oh ! vite... vite... que ça finisse. Qu'on tire, qu'on ne l'entende plus !..."

Le craquement tragique d'une salve. Un autre coup de feu, tout seul : le coup de grâce. C'était fini...

Il a fallu défiler devant son cadavre, après. La musique s'était mise à jouer *Mourir pour la Patrie*, et les compagnies déboîtaient l'une après l'autre, le pas mou. Berthier serrait les dents, pour qu'on ne voie pas sa mâchoire trembler. Quand il a commandé : "En avant !" Vieublé, qui pleurait, à grands coups de poitrine, comme un gosse, a quitté les rangs en jetant son fusil, puis il est tombé, pris d'une crise de nerfs.

En passant devant le poteau, on détournait la tête. Nous n'osions pas même nous regarder l'un l'autre, blafards, les yeux creux, comme si nous venions de faire un mauvais coup.

Voilà la porcherie où il a passé sa dernière nuit, si basse qu'il ne pouvait s'y tenir qu'à genoux. Il a dû entendre, sur la route, le pas cadencé des compagnies descendant à la prise d'armes. Aura-t-il compris ?

C'est dans la salle de bal du *Café de la Poste* qu'on l'a jugé hier soir. Il y avait encore les branches de sapin de notre dernier concert, les guirlandes tricolores en papier, et, sur l'estrade, la grande pancarte peinte par les musicos : "Ne pas s'en faire et laisser dire."

Un petit caporal, nommé d'office, l'a défendu, gêné, piteux. Tout seul sur cette scène, les bras ballants, on aurait dit qu'il allait "en chanter une", et le commissaire du gouvernement a ri, derrière sa main gantée.

— Tu sais ce qu'il avait fait ?

— L'autre nuit, après l'attaque, on l'a désigné de patrouille. Comme il avait déjà marché la veille, il a refusé. Voilà...

— Tu le connaissais ?

— Oui, c'était un gars de Cotteville. Il avait deux gosses.

Deux gosses ; grands comme son poteau...

X

NOTRE-DAME DES BIFFINS

La grand-route grouillait, bruyante et noire, comme une galerie de mine où l'on aurait soudain éteint les lampes, à l'heure de la remontée. Toute une foule obscure qu'on ne voyait pas, mais qu'on sentait vivre, luttait dans cette nuit d'encre, chaque troupe forant son chemin, et de cette cohue montait une rumeur de piétinements, de voix, de grincements de roue, de hennissements, d'injures, tout cela confondu, mêlé comme se mêlaient les champs, la route et les hommes dans la même ombre épaisse.

Cependant, il y avait de l'ordre dans cette cohue. Les territoriaux revenant à l'arrière, nos régiments montant en ligne, les voitures, les caissons, tout avait son chemin ; les compagnies se croisaient coude à coude, rejetées contre le talus par des motocyclistes : "Appuyez à droite ! A droite !" ; les naseaux des chevaux d'artillerie nous soufflaient au visage, les roues énormes des camions frôlaient les godillots, et, dans ce tumulte de choses et d'êtres, l'armée d'attaque enfonçait lentement ses colonnes au piétinement infini.

Tassés le long du fossé, des régiments arrêtés nous regardaient passer. Les hommes debout tendaient la tête, semblant chercher quelqu'un dans ce flot noir. On en devinait d'autres vautrés dans l'herbe : une musette blanche, le point rouge d'une cigarette. D'eux à nous, des voix se hélaient :

— Quel régiment ?

— Ce qu'il y a encore un patelin avant les tranchées ?

— D'où que vous venez ?

Une voix gouaparde de Parisien criait de nos rangs :

— Ce qu'il y a des gars de Montmartre ? Bonjour à ceux de Barbès.

Ces voix inconnues se cherchaient et se joignaient, comme des mains, Sulphart, qu'un coup de vin venait de réveiller, répondait des blagues.

— Quelle compagnie ?

— Compagnie du gaz !

On allait par à-coups, d'une marche inégale qui brisait les jambes. Parfois on s'arrêtait, la route emboutillée ; on entendait, dans les ténèbres, tinter la gourmette des chevaux cabrés et jurer les artilleurs. Des hommes nous prenaient par le bras.

— C'est vous qui allez attaquer ? Les sidis sont déjà là... Et il y a la chiée de canons, vous savez...

Alors, près de moi, Fouillard grognait :

— Et les Boches, ils n'en ont pas de canons, non ? Tas de vieux jetons ! Ça me fout en rogne d'entendre ça.

Comme la colonne repartait, se laminant entre deux files de caissons et de chevaux baveux, il en saisit un par la queue, à deux mains, et tira brutalement. La lourde croupe de la bête ne bougea même pas.

— Il ne sait donc pas jinguer, ton sale bourrin ? cria-t-il au conducteur, empaqueté sur son siège. Il ne pourrait pas me casser une jambe, nom de Dieu !

Un mulet de mitrailleurs marchait dans nos rangs faisant sonner ses caisses : il se colla derrière, dans l'espoir d'une ruade, et, pour l'y inciter, il reprit son jeu, lui tirant la queue ainsi qu'un cordon de sonnette. Abruti comme un homme, le mulet ne broncha pas.

— T'es pas tombé fou ? dit Hamel... Et s'il te foutait un coup de sabot dans le ventre ?

— J'm'en fous... J'en ai marre, je ferais pas l'attaque.

Derrière lui, Gilbert railla, du ton qu'il aurait pris pour lire une citation à l'armée :

— "A toujours fait preuve de la plus courageuse initiative, donnant à ses camarades l'exemple d'une incomparable bravoure."

Fouillard se retourna :

— Toi, je t'em... Occupe-toi de tes fesses.

Écrasé sous le sac, Bréval murmura :

— ... Le courage de s'engueuler... Plus bêtes que les chevaux...

On distinguait à peine la silhouette des arbres, tant la nuit était noire, et au loin, vers les lignes, où nos canons tonnaient par bouffées, nulle lueur n'éclairait le ciel bas. La bataille invisible se déroulait, derrière ce grand mur sombre, et les routes, gonflées ainsi que des artères, chassaient vers elle du sang nouveau.

La colonne, un instant, piétina sur place : "Appuyez à gauche !" criait-on devant nous. On repartit en file disloquée. Des choses noires barraient la route : deux chevaux aux longues pattes raides, une voiture culbutée et des cadavres, dont on devinait la forme douloureuse sous la toile de tente. Une odeur fade et chaude montait de cet amas. Hâtivement, des territoriaux comblaient le large trou qu'avait creusé l'obus.

Un des anciens ne travaillait pas. Debout sur une borne, il dominait notre marée montante et, se penchant, cherchant à voir, il criait :

— Bailleul Émile, de la cinquième compagnie...

C'est pas la cinquième compagnie qui passe ?
Émile ! Émile !... Vous ne connaissez pas Bailleul ?
c'est mon fils. Hé ! Émile !

La colonne fourbue défilait devant lui, obscure,
impénétrable. Personne ne répondait. Des têtes, en
passant, se tournaient et regardaient le vieux. Derrière nous, sa voix appelait encore :

— Émile... Vous ne connaissez pas le petit Bailleul, de la cinquième ?

Parbleu, oui, nous l'avions connu... Pauvre
gosse !

*

De l'église, on n'a gardé que ce coin d'autel : la
chapelle de la Vierge, et six rangs de prie-Dieu.
Tout le reste a été transformé en ambulance et, de
l'autre côté d'une cloison en planches, qui nous
sépare de la nef, on entend les blessés gémir.

Deux cents hommes s'écrasent pour entendre la
messe. Les autres se tiennent sous le porche et
jusque dans le cimetière, où ils écoutent les canti-
ques en bavardant, assis sur des coins de tombe.

Les uns arrivent de la tranchée, boueux, le teint
gris, les mains terreuses ; d'autres, au contraire,
sont tout rouges encore de la toilette à la pompe.
On se bouscule, on s'entasse, capotes sales et vareu-
ses d'officiers. Quelques femmes, toutes en deuil,
quelques filles, qu'on lorgne en se bourrant du
coude, et, à la place d'honneur, un paysan rasé,
cinquante ans, très digne dans ses habits noirs du
dimanche.

A chaque génuflexion du prêtre, on aperçoit sous
la soutane ses molletières bleues : c'est un brancardier de chez nous qui officie. Sur l'unique marche
de pierre, quatre soldats barbus égrènent leur
chapelet : des prêtres encore. Le vent agite mollement des linges blancs, qui cachent les vitraux
brisés.

Pas un chandelier sur l'autel ; le tabernacle

même a été enlevé. Il ne reste plus que la Vierge en robe bleue piquée d'étoiles, un bouquet de pâquerettes à ses pieds. Notre-Dame des Biffins...

Elle étend ses deux mains, deux petites mains roses de plâtre peint, deux mains toutes-puissantes qui sauvent qui la prie. Ils ne croient pas tous, ces soldats désœuvrés, mais tous croient à ses mains, ils veulent y croire, aveuglément, pour se sentir défendus, protégés ; ils veulent la prier comme on se serre contre un plus fort, la prier pour n'avoir plus peur et garder, ainsi qu'un talisman, le souvenir de ses deux mains.

Quelques-uns sont venus vraiment pour prier. Les autres, dont la foule déborde dans le cimetière, attendent le défilé des filles : la messe, c'est un spectacle de soldats.

Cette veille d'attaque, ils sont venus plus nombreux encore que les autres dimanches. Ils chantent. Leurs voix mâles conservent dans la prière un rude accent de vie brutale ; ils chantent sans retenue, à pleine gorge, comme dans une salle de débit, et le cantique, par instants, étouffe le canon :

Sauvez, sauvez la France
Au nom du Sacré-Cœur...

Ils chantent cela sans penser aux mots, ingénument, comme des enfants de chœur qui s'égosillent ; et combien sommes-nous, les yeux fermés, le front dans les mains, que ce cantique émeut à nous serrer la gorge !

Sauvez, sauvez la France...

C'est comme un cri profond qui monte de ces orgues humaines. De l'autre côté de la cloison, un blessé crie : "Non ! Vous me faites mal... Pas comme ça !" On devine la main pressée arrachant le pansement boueux. Ce sont ces plaintes, ces cris rauques qui font au prêtre les réponses.

Puis, la clochette tinte, toutes les têtes s'inclinent. On dirait que la prière les courbe tous, sous son coup de vent. Nous nous tenons, coude à coude, serrés comme dans une sape d'attaque. Le canon rage et tonne, sonnant ainsi l'Élévation, mais on ne l'entend plus, ni le râle des blessés... Il n'y a plus rien, dans cette église, que deux bras de soldat élevant le ciboire vers la Vierge aux bonnes mains.

La cloche tinte... Qu'implorons-nous de vous, sinon l'espoir, Notre-Dame des Biffins !

Nous acceptons tout : les relèves sous la pluie, les nuits dans la boue, les jours sans pain, la fatigue surhumaine qui nous fait plus brutes que les bêtes ; nous acceptons toutes les souffrances, mais laissez-nous vivre, rien que cela : vivre... Ou seulement le croire jusqu'au bout, espérer toujours, espérer quand même. Maintenant et à l'heure de notre mort, ainsi soit-il...

*

Rangés sur deux rangs, les soldats regardaient sortir les filles, de fortes dondons aux corsages voyants, les joues astiquées comme pour une revue de détail, qui riaient et parlaient fort, pour se donner le genre de Paris. Des yeux goulus les convoitaient et des compliments crus saluaient les plus belles.

La fille du maire, chatouine et chlorotique, était partie, les yeux baissés, avec la demoiselle des postes, une jeune fille légère, en robe noire comme une vendeuse de magasin, qui marchait d'un pas dansant et devait mettre un brin de poudre sur ses joues mates. Bourland, en la voyant, était devenu tout rouge et elle lui avait souri.

— On la filoche ? proposa Sulphart qui, tondu de frais, se croyait invincible.

Mais Vieublé n'y tenait pas. Avec un long épi, il était occupé à chatouiller de loin le creux de la main de la bistrote, qui faisait la belle avec ses compagnes.

— T'occupe pas, répondit-il tout bas au rouquin, j'te dis qu'on boira à l'œil.

A la porte du cimetière, sa bicyclette posée contre le mur, l'aumônier faisait une distribution de scapulaires et de papier à cigarettes.

De l'autre côté de la rue, c'étaient des couteaux qu'on distribuait.

Cela se passait dans la cour du maréchal-ferrant. Devant la maison, les hommes du train de combat déchargeaient un caisson de munitions, de lourdes caisses de cartouches qu'ils prenaient à quatre, comme les croque-morts descendent leurs cercueils. Passé le porche, c'était un étalage de marché aux puces. On avait fait sur le pavé un tas de gros couteaux — de forts "surins" au manche de bois, et Lambert, le fourrier, accroupi devant son étalage forain, les distribuait par escouade. C'était une cohue bruyante ; tout le monde braillait en jouant des coudes.

— Ça m'est égal, criait Lambert, les joues empourprées, c'est pas moi que ça regarde... On m'a dit de donner des couteaux à toute la deuxième section, je donne des couteaux... On m'aurait dit de vous distribuer des parapluies, je vous donnerais des parapluies... Le reste, c'est pas mon rayon... allez expliquer ça au major...

Peu à peu, le tas de lames diminuait.

— Pressons-nous ! blaguait le fourrier. Il n'y en aura pas pour tout le monde. Allons, qui n'a pas son couteau ?

Et se retournant vers un vieux sergent que je n'avais pas remarqué et qui se tenait debout derrière lui, il ajoutait, le front plissé :

— J'en connais qui n'en auront pas besoin, de

couteau... Ce sont des malins qui savent faire la guerre, ceux-là...

Le vieux ne répondait pas. Il avait une barbe blanche, et les copains qui le dévisageaient se demandaient tout haut ce qu'il venait faire là.

— Ce qu'il vient faire, nous expliqua Lambert, il vient prendre ma place, tout bonnement. Oui, mes gars, je suis relevé, et versé à la troisième comme chef de section : c'est le vieux pèlerin qui me remplace...

— Mais qui c'est ?...

— C'est une vieille noix qui a eu ses deux fils tués, s'emportait le fourrier. Alors, il s'est engagé.. Bien entendu, quand le colon a vu débarquer ce vieux zèbre-là, il n'a pas voulu le foutre dans la tranchée et il l'a nommé à ma place, sans s'en faire... Est-ce que c'est pas honteux, hein ?... Moi, je m'en fous de ses deux fils ! C'est pas à moi de les venger. J'en ai assez bavé, pendant un an que j'ai pris les tranchées. S'il s'en ressentait pour se battre, il n'avait qu'à y aller lui-même, au lieu de me prendre mon filon et de m'envoyer me faire casser la gueule pour lui... Seulement ça fait bien, pas vrai, engagé à son âge. Vieille bille !

Le vieux, à l'écart, ne disait rien, l'air absent, avec un regard triste et lointain qui, malgré tout, me serrait le cœur.

— Allons, la septième, appelait Lambert, dépêchez-vous... Dix belles lames toutes neuves. Ce n'est pas un lot, c'est une affaire.

Les caporaux s'en allaient, des couteaux plein les poches. Dans la rue, pour épater les filles, certains ouvraient le leur, d'un déclic sec, et en essayaient la pointe sur le dos de leur main.

— Tu parles d'un business, me dit un petit de la compagnie, le visage consterné. Qu'est-ce que tu veux que je foute d'un couteau ? je suis jardinier, moi, dans le civil. Et j'ai un de mes poilus qu'est même libraire. Ce que c'est des métiers à se servir d'un couteau ?

Berthier se promenait seul, toujours songeur, les mains nouées derrière le dos et la tête baissée. Je le rejoignis. Il me répéta tout ce qu'il avait appris sur l'attaque, au rapport du matin. Un seul mot d'ordre pour l'instant : passer. On ne relèverait aucune unité pendant le combat ; de nouvelles vagues renforceraient sans cesse les vagues décimées, et on avancerait quand même. A nos côtés la division marocaine, la légion, du vingtième corps ; derrière, toute l'armée...

— J'ai confiance, me dit-il d'un ton résolu.

Arrêté, il me regardait bien droit.

— Je crois qu'on va passer.

— Moi aussi... je le crois.

Cette confiance insensée, on la sentait chez tous les hommes, dans toutes les voix ; elle était dans l'air, dans les choses même. Était-ce le canon qui sonnait sans relâche, pilant la terre à conquérir, qui enfonçait en nous cette certitude de vaincre ? Sans raison, d'instinct, on avait confiance... Pour la première fois, on avait la sensation de se préparer à une bataille et non pas à l'une de ces bousculades tragiques, à l'un de ces déménagements burlesques qu'avaient été les attaques précédentes.

Au bout du village, derrière un petit bois, la lourde tirait par salves précipitées, sans rien voir de la guerre, qu'un rideau vert de noisetiers. Comme il faisait chaud, les servants avaient retiré leur veste pour être à l'aise et, luisants de sueur, ils enfournaient leurs obus comme du pain.

— Jamais on n'a autant tiré, nous dit un brigadier de l'échelon. Chaque pièce n'a pas vingt mètres à battre ; il ne peut rien rester, rien...

Dans un seau d'eau, près d'une pyramide de douilles dorées — des bouteilles étaient au frais. Entre deux tirs, les artilleurs en corps de chemise venaient boire un coup, puis, s'étant épongé le front d'un revers de main, ils reprenaient leur infernale partie de boules.

Sur la route, ou couchés le long du talus, des

cavaliers flânochaient, laissant leurs chevaux arracher par lambeaux l'écorce des arbres. On les regardait d'abord de travers, jaloux de leur poste meilleur, de leurs vestes trop propres, et surtout des bonjours que, de loin, leur adressaient les filles, mais on ne leur lançait pas les blagues ordinaires : personne ne leur demandait, avec un air de se payer leur tête : "Tu sais où que ça se trouve, les tranchées ?" Bientôt, au contraire, on parlait en copains. Ils nous disaient :

— C'est nous, l'armée de poursuite... Une fois que vous aurez fait la brèche, on charge et on va attaquer leurs réserves.

Derrière nous, toute une armée attendait : des autos blindés, des pontonniers, des escadrons, des batteries de 75, et cette masse, on croyait déjà la sentir, qui nous poussait. On parlait, on discutait, gagné par une fièvre. Un grand artilleur, un peu saoul, répétait :

— J'vous dis qu'après ce coup-là, la guerre est finie... C'est la dernière attaque, les gars...

Jamais nous n'avions vu tant d'uniformes différents, jusqu'à de grands manteaux rouges de spahis derrière la grille rouillée du château. C'était peut-être l'ardeur montée de tous ces êtres, comme une haleine, qui nous faisait vivre pour un jour dans cette chaude atmosphère d'espoir. Cela saoulait les moins braves, d'avoir tant de témoins, d'être devant tous ceux-là "les biffins qui allaient attaquer".

Pour séduire les filles, pour épater les bleus, on parlait fort, on crânait, et lorsqu'on croisait les hommes d'un régiment relevé qui descendait au repos, on les regardait de haut, un peu gouailleurs.

— C'est bon qu'à se faire paumer les tranchées que les autres prennent.

— Aie pas peur, tu ne la gagneras pas, la croix de bois !

Par les fenêtres ouvertes d'un cabaret, dans une fraîche ruelle bordée de sureau blanc qui sucrait les lèvres, on entendait crier. On renversait les chaises, on se bousculait, on chantait dans un cliquetis de verres entrechoqués et l'on sentait, rien qu'au bruit, croître leur humeur belliqueuse. Vrai, je ne les reconnaissais plus...

Debout, le verre en main, Fouillard essayait de hurler, d'une voix qui se cassait :

— Baïonnette au canon... En avant !

Vieublé qui passait, faisant le beau avec sa croix de guerre et sa médaille, haussa les épaules.

— C'est toujours ceux-là qui ont le plus de gueule, nargua-t-il.

— Où vas-tu par là, à la soupe ?

— Non, je mange avec vous, chez le bistrot qui vous fait la croûte... C'est Gilbert qui m'a invité, parce que je lui ai juré d'aider Sulphart à le ramener, si des fois il était blessé.

Tout en marchant, un mégot jauni collé à sa lèvre pendante, il méditait.

— Et encore... Sulphart, hein, c'est un copain. Eh bien, j'aurais pas confiance. C'est encore un mec qui se dégonfle.

Machinalement, comme des chevaux qui rentrent nous nous dirigeâmes vers l'enclos où Bouffioux avait installé sa roulante. Entassés autour d'une table rustique, une vingtaine d'hommes s'agitaient.

Au milieu du groupe, écartant les autres d'un geste circulaire, comme un hercule forain qui va faire des poids, Hamel, les manches retroussées, donnait une exhibition. Il avait sorti son coutelas de matelot, qu'il tenait bien en poigne, dans sa grosse main velue, il s'arc-boutait et d'un coup rude, avec un "han !" de bûcheron, il enfonçait sa lame entière dans un énorme quartier de bœuf, déjà crevé de vingt plaies. Ceux qui avaient touché des couteaux de tranchée se bousculaient derrière lui, le couteau à la main, criant comme s'ils allaient se battre. Ils se jetaient sur la viande, et l'un après l'autre, à coups féroces, ils l'éventraient.

Après leur lame, ils emportaient des lambeaux de graisse, des copeaux de tendon, et la viande poignardée perdait sa forme, s'aplatissait en loque sur la table entaillée. Prévenu par Lemoine qui, seul, "ne trouvait pas marle qu'on esquinte la barbacque", Bouffioux survint en courant, son gros ventre dansant au-dessus de sa culotte qui tombait.

— Bande de c...! hurlait-il. Et après ça vous irez encore vous plaindre que le rata ne vaut rien... Je m'en fous, ce coup-ci, je le dis au lieutenant.

Hamel, en essuyant son couteau, regardait le cuisinier avec un air de gros chien qu'on dérange.

— Ça te gêne qu'on leur montre ? Et les copains qui vont peut-être avoir à se battre demain, tu t'en fous, toi... Tu resteras là à éplucher tes patates. Embusqué !

— Pourquoi que tu l'engueules ? intervint Lemoine de sa voix molle. T'es bien content de bouffer sa soupe.

— Et toi, de quoi que tu te mêles, betterave ? répliqua aussitôt Vieublé.

Le grand Lemoine ne broncha pas ; il garda même ses mains dans les poches, dominant de la tête le Parigot hargneux qui venait le provoquer sous le nez.

— Péquenot ! Ç'a été élevé dans un bas de buffet et ça la ramène.

— Je la ramènerai tant que je voudrai et c'est pas toi qui m'empêcheras, riposta posément l'autre, plissant son front buté. On ne chahute pas avec la viande.

— Parce qu'on n'en bouffait pas chez toi, groin de porc.

— Je me suis peut-être mieux nourri que toi... T'as beau crâner, t'as pas dû toujours bouffer à ta faim, pour avoir c'te gueule-là.

— Taisez-vous, gonzesse, je vais vous corriger.

D'un coup, le cercle attentif se resserra : gare ! il lui avait dit "vous", les choses allaient se gâter...

Cramoisi, bégayant, la sueur aux tempes, Bouffioux bredouillait des choses confuses.

— C'est toujours pas toi qui me corrigeras, dit encore Lemoine, mais sans trop d'assurance.

— Et puis, après, quand la soupe... s'égosillait Bouffioux.

D'autres s'en mêlaient, sans savoir, pour le plaisir de brailler.

— Il ne casse pas les pattes aux escargots, non, avec sa grande gueule.

— Faut pas en avoir pour se laisser dire ça.

— Moi, je pense qu'il a raison. Il nous court, le cuistot. La viande n'est pas plus à lui qu'à nous.

— Ceux qui ne sont pas de la compagnie n'ont qu'à la boucler et d'une...

Attiré par ce vacarme, le sergent Ricordeau, qui se rasait, parut à la baie du grenier, la figure barbouillée de savon.

— Vous n'avez pas bientôt fini de crier ? Je vous jure que si vous me faites descendre, ça ne sera pas pour rien... Tenez, v'là le lieutenant Morache qui arrive ; vous êtes contents ?

C'était le seul mot qu'il fallait dire : tout le monde se tut, la bande s'émietta.

Dans le quartier de viande, un grand couteau était resté planté férocement, jusqu'à la garde, avec une main sanglante marquée sur son manche de bois.

*

Dans l'arrière-boutique où nous déjeunions serrés à huit autour d'une table ronde, les buveurs de la grande salle trop pleine refluaient, le verre à la main. Le roulement continu du canon faisait trembler nos bouteilles et danser les assiettes peintes de la crédence ; parfois un coup plus violent entrait brutalement et couvrait les voix.

— Ce que ça cogne !

— Quoi, c'est-y demain qu'on attaque, oui ou non ?

La guerre, l'attaque, l'ambulance, on n'entendait que cela, et quand on l'oubliait un instant pour songer au bonheur passé, à Paris, au chez-soi perdu, le canon revenait, qui cognait à la porte.

Au comptoir, dans un tumulte, les camarades parlaient interminablement de la tranchée : il n'y a que le soldat qui écoute sans lassitude les histoires de soldats. La bouche déjà gonflée de la réplique traditionnelle : "C'est comme moi, figure-toi...", ils s'entendaient l'un l'autre, sans chercher à comprendre, et pensant seulement à placer leur récit.

Jusqu'à la soupe du soir, on a traîné, on a bu, on a parlé, on s'est fatigué. Les trois rues du village regorgeaient de troupe et, sur la grand-route, les camions poudreux ronflaient, emportant des fantassins qui, au passage, nous criaient dans la poussière leur numéro de régiment.

Le ciel, d'un bleu cru de lessive, se tachait de shrapnells dont le troupeau blanc s'amassait, pareils à ces moutons floconneux d'été qui présagent le beau temps. Au milieu d'eux scintillant et léger, tournoyait un avion. Sur des coins de table, assis sur une brouette ou sur un timon de voiture, accroupis sous leur tente ou le dos au mur, des soldats écrivaient. Dans un pré, on jouait au football avec de grands cris, et des camarades suivaient la partie, à cheval sur des selles lustrées, tout en se faisant tondre les cheveux par les muletiers du train de combat.

De l'autre côté du village, les venelles étaient désertes. Pourtant, il y avait des sureaux fleuris dont le parfum candide s'aspirait comme un apaisement.

— Vrai, ce n'est pas un temps pour aller se battre, soupira Gilbert, mordillant une tige d'anis.

Lambert, qui nous suivait le nez baissé, parut se réveiller :

— Un temps pour se battre ! s'emporta-t-il. C'est

dans le *Pêle-Mêle* que tu as lu ça !... Ah ! ils connaissent de bonnes blagues tous les petits coquins qui
écrivent sur la guerre... Mourir au soleil, tu parles
d'une affaire !... Tiens, je voudrais bien en voir un
crever la gueule ouverte dans le barbelé, pour lui
demander d'apprécier le paysage...

Et passant sa colère sur des ombelles, qu'il fauchait d'un coup de badine, il bougonna rageuse-
ment :

— Qu'on y envoie le vieux pèlerin, puisqu'il veut
venger ses fils !

Glissant de feuille en feuille, le soleil tombait en
larges gouttes sur le chemin. Un ruisseau coulait
entre les mauves, entraînant de longues algues
dénouées : les cheveux d'Ophélie. Sous bois, des
camarades cueillaient des fleurs, avant de cacheter
leur lettre.

— Allons, ne pensons pas trop, dit Gilbert en se
secouant... Entrons ici, tiens, ils ont l'air de s'amuser.

Nous poussâmes la porte du café et, dès l'entrée,
j'aperçus Bouffioux et Fouillard attablés devant des
litres vides. Une cuite les avait réconciliés : le
cuisinier apoplectique, les yeux brillants, l'autre
blafard, le regard vitreux. Ils avaient joué tournée
sur tournée, puis — une idée d'ivrogne — Fouillard
avait proposé en toussotant de rire :

— Je te joue ma croix, en cinq sec... J'en ai vu de
baths chez le menuisier, avec une plaque, comme
pour un officier...

Bouffioux avait accepté ; il avait perdu. Il avait
demandé sa revanche : la croix pour un copain de
l'escouade. Il avait encore perdu.

— Il faut être saoul, tout de même... avaient
grogné des camarades. On ne blague pas avec ça..
Allez faire vos co... dehors...

Eux, fanfarons, s'étaient remis à boire : la tournée du gagnant, puis "le dernier", puis "le der des
der" et maintenant, gavés à en rester bouche bée,
les jambes molles, ils restaient avachis, le menton

sur la table, n'ayant même plus la force de boire ni de gueuler.

— J't'ai gagné, répétait stupidement Fouillard.

Et l'autre faisait "oui", d'une tête alourdie.

— Ne restons pas ici, venez, nous dit brusquement Lambert.

Et nous sortîmes.

.

Toute la journeé j'ai pensé malgré moi à leur enjeu d'ivrogne. Maintenant, couché sous la tente, j'y songe encore... Le bombardement s'est apaisé, mais le vent qui s'élève apporte de la tranchée des bruits de fusillade. Un côté de la tente resté ouvert donne sur les lignes et, par-delà les bois noirs, on aperçoit l'aube parfois fugitive des fusées.

Étendus sur la paille neuve qui craque, nous écoutons, le cœur grand ouvert, un murmure confus de voix sourdes et de chansons. Dans l'ombre, on entrevoit des taches blanches que la brise ondule : du linge de soldat qui sèche. Mais avec cette nuit claire, ces romances, cette tendresse éparse, on peut croire à des robes blanches qui s'attardent, on peut rêver que des femmes sont là, tout près, qui nous écoutent. On ne leur parlerait pas, non : rien que pour leur présence, les sentir là...

On est si bien sous la caresse de ce vent doux ! Des voix alanguies reprennent le refrain, en sourdine, et traînent sur les mots d'amour, pour les goûter mieux.

> *Ferme tes jolis yeux,*
> *Car les heures sont brèves*
> *Au pays merveilleux,*
> *Au doux pays du rê...ê...ve.*

Les voix s'attendrissent, la chanson meurt... On ne veut plus rien voir : les soldats, la guerre... Elles ne sont pas si tristes, dans la nuit, nos capotes pâles. Tu n'aimerais pas une robe de cette couleur-là ?

Couché tout au fond de la tente, Gilbert dit des vers, précieuses tendresses de Samain que les autres écoutent, sans oser remuer, les yeux criblés d'étoiles.

Les esprits sont loin, si loin : Paris, le village, le mail tranquille, le lit aux draps brodés ou bien le grand lit de province, avec son ventre rouge qu'on enfonce d'un coup de poing. Chez soi !... Le souvenir des joies passées fond dans la bouche, comme une pâte exquise, et les cœurs sont si tendres qu'on en fait couler des romances, en les pressant.

Ferme tes jolis yeux...

Soudain, sur la route, on entend un pas égal de troupe en marche. Qu'est-ce ?... On les reconnaît tout de suite, à leur brassard blanc. Les premiers portent sur l'épaule des brancards roulés, ceux qui suivent poussent de légères voitures à deux roues. L'un d'eux tient une lanterne dont la clarté jaune danse autour de lui, comme un chien fou. Le régiment du silence qui s'en va.

— Allons, quoi, rompt une voix gênée, tu nous en chantes encore une.

— Non, sans blague, je ne sais plus rien...

Le silence tombe... Nos voix, cependant, ne faisaient qu'un murmure, mais il suffisait d'un murmure pour étouffer les bruits de cette nuit inquiète. Maintenant, ils nous parviennent tous : un souffle oppressé de dormeur, la paille qui craque sous les corps tourmentés, et, là-bas, l'angoissante rumeur de la tranchée qui lutte. Silencieuse, la nuit a brusquement changé, — à présent vaste et grave comme un rêve de trente ans.

La lune monte sans hâte, derrière une mantille de sapins. Elle couche lentement sur l'herbe rase l'ombre précise des piquets et des faisceaux, et cela peint d'étranges signes noirs, sur ce beau champ poudré. Un mousqueton, suspendu au quillon d'un fusil, trace comme deux bras baroques que je regarde distraitement...

Mais, brusquement, mon cœur a un sursaut, et dans ce dessin noir je distingue une croix, une prophétique croix d'ombre, que la lune a posée sur le grand corps de Lambert endormi.

XI

VICTOIRE

DE l'arrière aux tranchées, par vingt cheminements gonflés, les régiments d'attaque montaient en ligne.

— Faites passer, en avant.

— En avant, bande de c..., répétaient des voix furieuses.

Et la colonne démembrée repartait d'un trot lourd, dans un tintement de gamelles et d'outil. Le petit jour nous avait découverts dans les boyaux où la compagnie, partie une des dernières, piétinait depuis deux heures du matin, sans cesse coupée par des brancardiers, retardée par des relèves, et aussitôt l'artillerie allemande s'était mise à tirer. Les shrapnells semblaient nous poursuivre, avançant avec nous, et le bataillon harcelé courait vers les lignes sous une voûte zigzaguante de fumée verte.

Guidés par Morache affolé qui ne trouvait plus le chemin, nous allions comme voulait le boyau, traqués par les fusants. Entre deux fracas, nous entendions la voix de Cruchet, froide et méticuleuse comme à l'exercice.

— Eh bien, Morache... Vous vous y reconnaissez ?

Les obus nous pourchassaient, comme s'ils avaient eu des yeux. Nous allions, bifurquions, rebroussions chemin, mais la meute ne nous lâchait pas, hurlant à nous assourdir et nous saoulant d'âcre fumée.

A chaque flamme, on se jetait les uns dans les autres, têtes et jambes mêlées, aplatis contre la paroi, incrustés dans les trous. Les coups éclataient bas, fouettant parfois le boyau d'éclats, et des cris montaient de tous ces corps blottis.

— Holà ! je suis touché.

Hébétés, nous enjambions des corps ; on avançait de vingt pas en se poussant, puis on se rejetait à quatre pattes, la bouche et les yeux étirés par un tic, bombant le dos sous le fracas.

— Eh bien, Morache, reprenait le capitaine, c'est bien par là ? Ttt ! Ttt !... Vous êtes sûr ?

On repartait, la gorge sèche, sans savoir où. Pas d'affolement pourtant, une sorte de discipline dans le vertige ; l'esprit vacillait, un peu étourdi, comme au sortir d'une forge infernale, mais malgré tout lucide, et, entre deux salves, les commandements passaient quand même, méthodiquement, ainsi qu'un ordre de contremaître transmis dans un fracas d'usine.

Enfin, d'un seul coup, le barrage nous perdit. Ce fut soudain comme un grand calme, et l'on s'aperçut que le soleil était levé. Nous venions de déboucher sur un chemin creux dont les épais buissons verts habillaient les talus. Tout de suite, Sulphart s'élança fouillant les branches.

— Hé, les gars... Y a des mûres !...

*

— Ne me touchez pas, ne me touchez pas... répétait le blessé livide, tout en avançant dans le boyau.

Ses bras broyés pendaient comme deux nattes rouges. Arrivé près de nous, il dit de la même voix blanche où ne frémissait même plus la souffrance :

— Je veux m'asseoir, prenez-moi par ma capote.

En le soutenant par le col, on le posa sur la banquette de tir, le buste raide, ses deux bras de bouillie sanglante ne tenant plus que par les manches lacérées. Son nez était mince, pincé, comme si déjà la mort avait cherché à l'étouffer.

— Tu devrais te dépêcher d'aller au poste de secours, lui dit Lemoine, voyant couler les deux rigoles de sang.

— Oui, j'y vais... Allumez-moi une cigarette... Mettez-la-moi dans la bouche.

On le releva, il fit merci de la tête, et il repartit d'un pas mécanique, un camarade le précédant pour faire écarter les soldats massés.

— Laissez passer, un blessé...

La compagnie entière était entassée là, grand bouclier vivant de casques rapprochés, devant quatre échelles grossières. La couverture roulée, pas de sac, l'outil au côté : "Tenue de gala", avait blagué Gilbert.

A notre droite, empilée dans la même parallèle, une compagnie d'un régiment de jeunes classes venait de mettre baïonnette au canon ; ils devaient sortir avec nous, en première vague. Toutes les sapes, toutes les tranchées étaient pleines, et de se sentir ainsi pressés, reins à reins, par centaines, par milliers, on éprouvait une confiance brutale. Hardi ou résigné, on n'était plus qu'un grain dans cette masse humaine. L'armée, ce matin-là, avait une âme de victoire.

Des camarades, l'œil luisant, les joues rouges, parlaient vite, gagnés par une sorte de fièvre. D'autres restaient muets, tout pâles, et le menton tremblant un peu.

Par-dessus les sacs à terre on regardait les lignes

allemandes, ensevelis sous un panache de fumée où craquaient des éclairs ; plus loin encore, dans la plaine, trois villages semblaient brûler, et notre artillerie tirait toujours, dans un tonnerre rejaillissant où se confondaient les arrivées et les départs. Les champs tanguaient sous cette fureur, et je sentais, contre mon coude, la tranchée frémir et s'effriter.

A tout moment, Gilbert regardait sa montre. Cette attente angoissante lui crispait le cœur ; il eût voulu entendre le signal, partir tout de suite, en finir. Il pensa tout haut :

— Ils font durer le plaisir.

Sur le parapet, entre deux touffes d'herbe, deux bêtes se battaient : un gros scarabée mordoré à la cuirasse épaisse et un insecte bleu aux fines antennes. Gilbert les regardait, et, quand le scarabée allait écraser l'autre, il le renversait sur le dos, du bout du doigt. De son front une goutte de sueur tomba sur la petite bête bleue, qui secoua ses ailes bigarrées.

— Attention, il va être l'heure, prévint un officier sur notre droite.

Plus près, Cruchet commanda :

— Baïonnette au canon... Les grenadiers en tête.

Un frisson d'acier courut tout le long de la tranchée. Penché, Gilbert observait toujours ses insectes, n'écoutant pas battre son cœur. Le scarabée secouait sa lourde carapace, mais l'autre l'avait saisi entre ses longues antennes, et il le maintenait, ne le lâchait plus.

Posément, Cruchet serrait sa jugulaire. Debout sur la première marche d'un escalier de sacs à terre, il nous dominait tous. Il nous regarda.

— Mes amis... Ttt... Ttt... C'est pour la France, hein !... Une belle attaque... Nous allons enlever ça...

Était-ce l'émotion, il me sembla que sa voix était moins sèche, moins coupante qu'à l'ordinaire.

Comme une brusque révélation, on comprenait ce mot : un chef. On serrait le ceinturon, on repoussait l'outil qui battait la cuisse. Au pied d'une échelle, Berthier était prêt à sortir. En tournant la tête, il vit Morache, le visage décomposé.

— Après vous, mon lieutenant, fit-il militairement, en s'écartant d'un pas.

L'autre, défait, vit un prétexte.

— Quoi, bredouilla-t-il... Vous avez peur de sortir le premier ?...

Sans rien dire, le sous-lieutenant se retourna et remit le pied sur l'échelon. De dos, on vit simplement son haussement d'épaules.

— Morache qui se dégonfle ! cria Vieublé dans le bruit.

Le lieutenant avait peut-être entendu, mais il ne broncha pas. Montant de ce tas d'hommes hérissés de baïonnettes, la voix gouapeuse continuait :

— Ça ne suffit plus maintenant d'avoir de la gueule... Il faut y aller... C'est plus dur que de foutre les types en taule... On est tous égal, ce coup-ci.

On n'entendait plus que cette voix railleuse sous le canon, et les copains riaient, sans colère, comme si ces mots les avaient soulagés.

Les corps prêts à surgir se balançaient, battant déjà le parapet, comme un jusant.

En jets aigus, des 75 sifflèrent et, au même instant, le grondement de la lourde parut se taire ou s'éloigner.

— Nous y sommes ?... demanda Cruchet, d'une voix plus forte.

Les cœurs sautèrent un grand coup, ou un seul cœur pour cette foule armée.

— T'as bien l'adresse de chez moi ? dit encore Sulphart à Gilbert, d'une voix saccadée dont l'émotion entrechoquait les mots.

Tiens, le scarabée doré ne bougeait plus, l'insecte l'emportait... Oh ! cette poudre, quelle âcre puanteur !... Une rumeur monta vers la droite, des cris ou une chanson. ««Les zouaves sont sortis !" Une rafale de 105 éclata, cinq coups de cymbales...

— En avant la troisième ! cria le capitaine.

— En avant !...

Des cris, une bousculade, un homme qui retombe en jurant, des fusils qui s'accrochent... Les tempes bourdonnantes on s'agrippe au parapet, puis on se redresse, les jambes un peu molles. On regarde la plaine immense, la plaine nue... "En avant !" On est sorti, on court...

Une mitrailleuse, une seule, s'était mise à tousser. Réveillée folle, l'artillerie allemande cognait partout.

Déjà, la chaîne d'hommes se formait, minces silhouettes, fusils obliques, et progressait, d'un trot égal, face aux tranchées muettes. Sur la gauche, clairons en tête, un bataillon chargeait en criant.

Resté seul, un sabre à la main, un commandant poussait les dernières escouades de bleus qui hésitaient devant le barrage.

— Allons... Dépêchons-nous, dehors, dehors !

Un paquet de gosses monta. Devant eux, comme un grisou, un fusant jaillit ; éruption rouge, volée d'éclats... Un corps haché éclaboussa la sape. Dans la fumée, des voix geignirent.

— Allons-y ! Il n'y a plus de danger... Dehors !

Une autre section, en flageolant, escalada les sacs qui s'éboulaient, mais une rafale hersa le champ. Ils refluèrent...

Ils s'acharnèrent encore, escouade sur escouade, ne sachant plus, hagards. Mais, à chaque effort, le feu les rejetait d'un coup, culbutés dans leur trou. Chaque fois, une salve plongeait sur eux.

— Dehors, nom de Dieu !

Leur pauvre vague battit plus mollement le talus qu'elle ne pouvait pas franchir... Mais non, ils n'osaient plus...

Le commandant grimpa d'un bond.

— En avant, tas de flanchards !

Un petit aspirant les bourrait dans le dos, les forçant à sortir, en criant d'une voix de fille. Trébuchant, leur vivant holocauste parut, chassé du poing, et eut devant la mort comme un sursaut suprême, un dernier recul.

— Ça y est !... En avant !... cria la voix de fille...

Ils se ruèrent par la chicane, s'éparpillèrent, foncèrent droit sur le mur de fumée... C'était fini, le barrage était passé...

Émiettés dans les champs, les bataillons couraient et quelqu'un, au-delà des premières lignes, agitait un fanion : le village était pris.

*

Des murs écroulés, des façades béantes, des tas de tuiles et de moellons, des toits tombés tout d'une pièce, des jambes raides surgissant des décombres... La rue, on la devinait à des rails tordus, parfois visibles sous les gravats. On courait de ruine en ruine, s'accotant aux pans de mur, tiraillant devant soi, criblant de grenades des caves vides. On criait...

Le canon tonnait moins fort, mais, par les soupiraux, des mitrailleuses fauchaient le village. Des hommes s'effondraient, pliés en deux, comme emportés par le poids de leur tête. D'autres tournoyaient, les bras en croix, et tombaient face au ciel, les jambes repliées. On les remarquait à peine : on courait.

Quelqu'un, blanc de plâtre, cria à Gilbert :

— Lambert est tué !

Autour d'un puits, des hommes se battaient à coups de crosse, à coups de poing, ou au couteau : une rixe dans la bataille. Vieublé, d'un coup de tête, culbuta un Allemand par-dessus la margelle, et l'on vit sauter le calot, un calot gris à bande rouge. Tout cela s'inscrivait dans la pensée en traits précis, brutalement, sans émouvoir : cris d'hommes qu'on tue, détonations, aboiements de grenades, camarades qui s'écroulent. Sans connaître de direction, l'un suivant l'autre, on chargeait, droit devant soi...

Aplatis derrière un mur, des traînards se cachaient : "Avec nous, salauds !" leur cria Gilbert.

Quelques Boches passèrent en courant, déséquipés, les mains hautes, filant vers nos lignes. Assis à l'entrée d'une cave, un autre épongeait, avec un mouchoir sale, le sang qui lui coulait du front ; de la main gauche, il nous fit bonjour.

Malgré le crépitement, on entendait le long halètement des marmites qui s'abattaient au milieu du village, arrachant un nuage épais de poussière et de fumée, et, le dos bossu, on se jetait contre les murs.

Dans la poussière et les plâtras, nous avions pris la teinte neutre de ces choses anéanties. Rien de vivant, de façonné ; des débris pilonnés, un chantier de catastrophe où tout se confondait : les cadavres émergeant des décombres, les pierres broyées, les lambeaux d'étoffes, les débris de meubles, les sacs de soldats, tout cela semblable, anéanti, les morts pas plus tragiques que les cailloux.

Épuisés, haletants, nous ne courions plus. Une route coupait les ruines et une mitrailleuse invisible la criblait, soulevant un petit nuage à ras de terre. "Tous dans le boyau !" cria un adjudant.

Sans regarder, on y sauta. En touchant du pied ce fond mou, un dégoût surhumain me rejeta en arrière, épouvanté. C'était un entassement infâme, une exhumation monstrueuse de Bavarois cireux sur d'autres déjà noirs, dont les bouches tordues exhalaient une haleine pourrie ; tout un amas de chairs déchiquetées, avec des cadavres qu'on eût dit dévissés, les pieds et les genoux complètement retournés, et, pour les veiller tous, un seul mort resté debout, adossé à la paroi, étayé par un monstre sans tête. Le premier de notre file n'osait pas avancer sur ce charnier : on éprouvait comme une crainte religieuse à marcher sur ces cadavres, à écraser du pied ces figures d'hommes. Pourtant, chassés par la mitrailleuse, les derniers sautaient quand même, et la fosse commune parut déborder.

— Avancez, nom de Dieu !...

On hésitait encore à fouler ce dallage qui s'enfonçait, puis, poussés par les autres, on avança sans regarder, pataugeant dans la Mort... Par un caprice démoniaque, elle n'avait épargné que les choses : sur dix mètres de boyau, intacts dans leurs petites niches, des casques à pointe étaient rangés, habillés d'un manchon de toile. Des camarades s'en emparèrent. D'autres décrochaient des musettes, des bidons.

— Vise la belle paire de pompes ! beugla Sulphart, agitant deux bottes jaunes.

A la sortie du boyau, un sergent accroupi criait :

"A gauche, en tirailleurs, à gauche !" et la file repartait en courant sur une petite route que bordait un fossé. Plus loin, dans les champs, on ne voyait qu'un réseau de fils de fer, à demi caché par l'herbe folle... Et pas une tranchée, pas un Allemand, pas un coup de feu.

Bientôt, comme on ne tirait pas, le trot se ralentit, on se groupa ; mais une salve de shrapnells tonna, plantant tout le long du chemin sa rangée d'arbres vaporeux, et, quand on regarda, la route était vide. Tous s'étaient terrés dans le fossé, ou derrière des pans de mur. En paquet, nous nous étions entassés dans une rigole étroite, creusée au pied d'une muraille en torchis. Nerveusement, on ramenait sur sa nuque le bourrelet de la couverture roulée, on attendait... Les obus s'acharnèrent un instant, des 88 qui passaient si bas, si près qu'on s'étonnait de ne pas voir l'herbe fauchée devant soi et qu'on s'enfonçait la tête à deux mains.

Puis le tir égaré s'allongea, continuant son cache-cache dans le village. Tout le long du chemin la file d'hommes se redressa, sans quitter ses abris.

— On reste là ? demanda un soldat qui paraissait enfoui dans un large terrier.

— Non, on avance toujours, nous cria Ricordeau qui passait en courant.

— C'est pas la peine, l'autre village là-bas est pris.

— Comment qu'il s'appelle, ce village ?

Personne ne le savait.

— Le coup est loupé, soufflait Fouillard écrasé contre moi. Il va falloir reculer.

Les uns criaient : "On voit la légion qui avance", et d'autres : "Gare ! v'là les Boches qui attaquent."

— On va être pris de flanc.

— T'es saoul, c'est nos tranchées.

Le bombardement, un instant, les fit taire. Recroquevillés, on vidait les bidons, entre deux rafales.

— Mon capitaine ! On est là, mon capitaine...

Cruchet venait de se laisser glisser du haut du talus, entraînant des plâtras. Berthier courait derrière lui, et ils allaient de trou en trou, se jetant à plat ventre quand soufflait un obus. Le capitaine criait :

— Vous êtes de braves cochons... On va enlever leur troisième ligne... Attention au signal sur la droite...

Il avait un nouveau visage, rouge, suant, sa bouche fendue d'un grand rire muet. Tout courant, il répétait :

— Au signal sur la droite... La droite...

Un fracas et je n'entendis plus rien... Ce fut comme un coup de masse qui nous culbuta tous, un choc qui vous assomme, un souffle qui vous renverse... Et l'épais nuage, la nuit...

Dix idées : nous sommes tués, je suis aveugle, nous sommes ensevelis. Puis des cris :

— A moi ! vite...

Dans la fumée, des blessés se sauvaient. Fouillard était couché devant moi, la tête dans une flaque rouge, et son dos s'agitait convulsivement comme s'il avait sangloté. C'était son sang qu'il pleurait.

Un souffle encore piqua sur nous... Je m'étais ramassé, la tête dans les genoux, le corps en boule, les dents serrées. Le visage contracté, les yeux plissés à être mi-clos, j'attendais... Les obus se suivaient, précipités, mais on ne les entendait pas : c'était trop près, c'était trop fort. A chaque coup, le cœur décroché fait un bond ; la tête, les entrailles tout saute. On se voudrait petit, plus petit encore, chaque partie de soi-même effraie, les membres se rétractent, la tête bourdonnante et vide veut s'enfoncer, on a peur, enfin, atrocement peur... Sous cette mort tonnante, on n'est plus qu'un tas qui tremble, une oreille qui guette, un cœur qui craint...

Entre chaque salve, dix secondes s'écoulaient, dix secondes à vivre, dix secondes immenses où tient tout le bonheur, et je regardais Fouillard, qui maintenant ne bougeait plus. Couché sur le côté, le visage violacé, il avait le cou béant égorgé comme on égorge les bêtes.

La puante fumée masquait le chemin, mais on ne voulait rien voir : on écoutait, effaré. Piochant autour de nous, les obus nous giflaient de pierraille et nous restions tassés dans notre ornière, deux vivants et un mort.

Brusquement, sans raison, le feu cessa. Des gros obus tombaient encore sur les ruines, soulevant des geysers noirs, mais c'était plus loin, c'était pour d'autres. Dans nos têtes ébranlées, cet instant de paix fut auguste. Je me retournai et, au pied du talus, je vis Berthier penché sur un corps étendu. Qui ?

Tout le long du chemin, les camarades se redressaient : "Les grenadiers !" appelait une voix.

Puis, venant de la droite, un ordre parvint, crié de trou en trou :

— Le colonel demande qui commande à gauche... Faites passer...

— Faites passer... Le colonel demande qui commande à gauche.

Je vis Berthier reposer doucement sur l'herbe la tête du mort. Il se releva, livide, et il cria :

— Sous-lieutenant Berthier, de la troisième... Faites passer...

*

Le tirant par sa capote, Gilbert traîna le cadavre jusqu'au bord du large entonnoir où nous nous étions jetés. Depuis longtemps, les morts ne lui faisaient plus peur. Pourtant, il n'osa pas le prendre par la main, sa pauvre main crispée, jaune et boueuse, et il évita le regard éteint de ses yeux blancs.

— Il en faudrait encore trois, quatre comme ça, fit Lemoine. Ça nous ferait un bon parapet, avec un peu de terre dessus.

Il y a un instant, le pauvre gars courait avec nous, les yeux rivés, fixes d'angoisse, sur la tranchée allemande d'où jaillissaient les flammes courtes et droites des mausers. Puis, des rafales d'obus avaient troué la compagnie, les mitrailleuses avaient fauché des rangées d'hommes, et, de la masse frémissante qui chargeait, tragique, silencieuse, il ne restait que ces vingt hommes blottis, ces blessés qui se traînaient, geignant, et tous ces morts...

Gilbert, entre deux explosions, avait entendu le camarade s'écrier : "Ah ! c'est fini !" Le blessé s'était encore traîné quelques mètres, comme une bête écrasée, et il était mort, là, dans un sanglot. Était-ce triste ? A peine... Dans ce champ pauvre aux airs de terrain vague, cela faisait un cadavre de plus, un autre dormeur bleu qu'on enterrerait après l'attaque, si l'on pouvait. A quelques pas, sous un tertre crayeux, des Allemands étaient enfouis : leur croix servirait pour les nôtres, un calot gris sur une branche, un calot bleu sur l'autre.

— Alors, qu'est-ce qu'on va foutre ? demanda

Hamel, dont la manche déchirée laissait couler un peu de sang. Tu ne vois pas qu'ils nous laissent en rade ?

— Mais non, dit Gilbert. Le deuxième bâton va certainement sortir, mais on doit attendre que l'artillerie prépare.

— Et s'ils tirent trop court, ça sera encore pour nos gueules.

Cachée dans les hautes herbes, la tranchée ennemie se devinait à peine, derrière la toile barbelée des araignées de fer. Les Allemands ne tiraient plus, et leurs canons même se taisaient. Seuls quelques 210 essoufflés passaient très haut, avec un glouglou de bouteille qui se vide, et allaient tomber sur le village, empanachant les ruines d'un lourd nuage d'usine.

Couchés au bord de l'entonnoir, quelques soldats guettaient, l'œil au ras de l'herbe ; les autres discutaient, entassés dans le trou.

— Tu crois qu'on va remettre ça pour enlever leur troisième ligne ?

— Peut-être bien. A moins qu'on creuse une tranchée ici.

— Sans charre, c'est pas avec ce qu'il reste de poilus qu'ils espèrent attaquer.

— Je la crève. Il ne te reste rien dans ton bidon ?

— Non... Vise, ce qu'il est descendu de copains depuis le village.

Des morts, il y en avait partout : accrochés dans les ronces de fer, abattus dans l'herbe, entassés dans les trous d'obus. Ici des capotes bleues, là des dos gris. On en voyait d'horribles, dont le visage gonflé était comme recouvert d'un masque épais de feutre moisi. D'autres étaient charbonneux, les yeux déjà vides : ceux des premières attaques. On les regardait sans émotion, sans dégoût, et quand on lisait un numéro inconnu, au col de la capote, on se disait simplement : "Tiens, je ne savais pas que leur régiment avait donné..."

A quelques pas de l'entonnoir, un officier était couché sur le côté, sa capote ouverte, et, dans ses doigts osseux, il tenait son paquet de pansement, qu'il n'avait pas pu dérouler.

— On devrait essayer de le traîner jusqu'ici, dit Lemoine qui ne lâchait pas son idée, ça ferait un de plus pour le parapet. Et avec le Boche qui est là, plus loin...

— T'es pas louf ? grogna Hamel. Tu veux nous faire repérer en les empilant tous devant.

— Ceux des autres trous s'en sont bien fait, des parapets.

En effet, de loin en loin, tout le long de la crête, des hommes se dissimulaient, qu'on pouvait prendre pour des grappes de morts. Allongés derrière la moindre butte, blottis dans les plus petits trous, ils travaillaient presque sans bouger, grattant la terre avec leur pelle-bêche, et, patiemment, ils élevaient devant eux de petits monticules, des taupinières qu'un souffle eût emportées.

— Notre trou est plus profond, on risque moins, observa Gilbert.

— Oui, mais quand ils auront repéré la crête, qu'est-ce qu'on va déguster !

A ce moment l'artillerie allemande s'éveilla. On entendit arriver quelques obus, des fusants, qui éclatèrent beaucoup trop haut, dans un flocon noir, mais le tir réglé, le bombardement commença. Les premiers tombèrent assez loin, sur la gauche, puis la rafale se rapprocha, suivant la crête, et tout à coup... Quatre coups pressés, quatre jets de vapeur, quatre explosions... La salve s'était abattue devant notre entonnoir, et un nuage épais, puant la poudre, remplit le trou. Le corps en boule, nous nous étions jetés les uns contre les autres, chacun cherchant à s'enfoncer sous les jambes emmêlées. Gilbert cachait instinctivement sa tête sous son bras replié, comme un gosse qui a peur. Une pluie de terre retomba... Déjà l'autre salve arrivait, piochant autour de nous, à grands coups furieux, à droite, à gauche. Puis, brusquement, ce fut quelque chose de brutal, on ne sait quoi de terrible, qu'on croirait jailli de soi-même...

L'obus avait dû éclater sur le bord de l'entonnoir. Deux hommes ne bougeaient plus, glissés au fond du trou. Des blessés affolés se sauvaient, le visage sanglant, les mains rouges. Ceux qui restaient les regardaient à peine, incrustés dans la terre, la tête dans les épaules, attendant le coup suprême. Mais, soudain, le tir s'allongea : ils balayaient à droite. Toutes les têtes se relevèrent. Oh ! l'unique minute de bonheur, quand la mort est allée plus loin !

Gilbert jeta un regard dans la plaine. Les Boches ne sortaient pas ? Non... On ne voyait rien. Après, seulement, il regarda les deux camarades, dont la bouche entrouverte semblait parler au ciel.

— On ne peut pas les laisser là, à marcher dessus, proposa Lemoine, mettons-les plutôt devant.

Deux camarades saisirent le premier, s'engluant les mains de sang coagulé, et le hissèrent au bord de l'entonnoir. Gilbert lui tourna le visage vers l'ennemi, pour ne pas le voir. L'autre cadavre étant plus lourd, il dut les aider, maintenant la tête du mort qui ne tenait plus.

— Comme ça, fit Lemoine satisfait, on a déjà un bon parapet... Les pauvres gars, s'ils avaient pensé ça, tout à l'heure... Juste un copain que j'avais l'adresse de chez lui... Gare !

Cela recommençait : des 88 à présent, sous lesquels nous nous aplatissions, la figure écrasée contre la terre sèche. Ils arrivaient par cinq, si rapides que le départ et l'explosion claquaient ensemble.

Dans le champ, les blessés couraient, et les éclats en fauchaient qui n'allaient pas plus loin. Mais, de l'autre côté du réseau de fil de fer, on ne voyait rien, toujours rien. C'était la bataille sans ennemis, la mort sans combat. Depuis le matin, que nous nous battions, nous n'avions pas vu vingt Allemands. Des morts, rien que des morts.

Le visage contracté, les poings crispés, les mâchoires serrées, nous comptions les coups. Peu à peu la terre se vide, tout en semblant plus lourde. Mais pourquoi reste-t-on si calme, malgré tout ? On guette, on se gare, mais le cœur ne bat pas plus vite, et l'on regarde autour de soi, sans fièvre, sans surprise. On n'entend plus rien que ces explosions infernales qui vous déchirent la poitrine. Ils tirent, ils tirent... On se sent les jambes molles, les mains froides, le front brûlant. Est-ce cela, la peur ?

Un autre corps gisait au fond du trou. Celui-là n'était pas mort sur le coup. Il s'était tordu un long moment, râlant livide. Maintenant il ne bougeait plus.

— Est-ce qu'on le met aussi en haut ? demanda Lemoine, la tête cachée sous son bras replié.

— En attendant que ça soit notre tour, répondit Hamel.

Nous nous regardions avec une angoisse confuse. Lequel hisserait-on là-haut, dans un moment, pour élargir la muraille des morts ?

Péniblement, nous sortîmes le dernier de la fosse commune, et son corps mutilé marqua d'un sillon brun le flanc de l'entonnoir.

Comme un orage s'apaise, la canonnade s'était ralentie, et des têtes inquiètes surgissaient de tous les trous. Les Allemands allaient-ils attaquer ? Un officier se dressa derrière un tertre.

— Tenez bon, les gars, prévint-il.

Au même instant, à quelques pas, une voix lança :

— Attention, les v'là !

Ils venaient de sortir, une centaine à peine, d'un petit boqueteau, à deux cents mètres de la crête. Aussitôt un autre groupe se montra, venu d'on ne sait où, puis un autre encore, qui s'élança en braillant, et les lignes de tirailleurs se déployèrent.

— Les Boches ! Tirez, tirez... Visez bas...

Tout le monde criait, des commandements montaient de chaque terrier, et le crépitement de la fusillade gagna toute la ligne. Brusquement, on ne vit plus rien. S'étaient-ils couchés ? Les avait-on couchés ?

Une minute après, le bombardement reprenait, plus brutal, plus précis. Entre deux rafales, on voyait s'échapper les blessés. Courant ou se traînant, ils cherchaient à gagner un petit talus feuillu qui bornait la plaine.

— Ils se planquent dans le boyau boche, cria un petit de la classe 15. On ne peut plus passer, tant il y en a. Et les obus qui tombent en plein dedans : tu parles d'un gâchis !

Notre artillerie répondait — soixante-quinze miaulant, cent vingt brutal et le canon-revolver, qui jure comme un chat. Les salves ripostaient aux salves. Et, dans notre trou, blottis contre les morts que les plus apeurés ramenaient sur eux, comme de sanglants boucliers, les survivants attendaient. On ne voyait plus qu'un soldat de loin en loin, chose bleue tassée dans un silo. On eût dit que la chaîne d'hommes tendue devant le village conquis, se brisait, maille à maille. Tous les dix pas, des soldats étaient étendus, le front au ciel, les cuisses écartées et les genoux hauts, ou bien à plat ventre, la tête sur le bras. L'un d'eux était si bien couché qu'on eût dit qu'il dormait et, l'ayant regardé, Gilbert l'envia.

Brusquement, nous nouvelle salve tonna. Quand nous relevâmes la tête, nous aperçûmes dans la fumée qui se dissipait, le petit bleu renversé sur le côté. Sur sa capote neuve s'arrondissait une tache rouge. Gilbert se traîna vers lui, le souleva, puis l'ayant laissé retomber lourdement, revint d'un bond.

— Pas la peine, il est bien mouché... Il râle déjà...

Les explosions s'entrechoquaient, la fumée n'avait plus le temps de se dénouer, et les éclats passaient, par volées furieuses. Soudain, une flamme jaune et rouge nous aveugla. D'un seul mouvement, nous nous étions jetés l'un contre l'autre, abasourdis, le cœur décroché. Et Gilbert dut tomber, sans avoir rien entendu, rien senti, qu'un grand coup de poing sur la tête, un souffle d'enfer en plein visage...

Quand il revint à lui, la tête pesante, il remua craintivement les jambes. Elles obéirent, elles bougèrent... Non, il n'avait rien là. Il se passa ensuite la main sur la figure... Tiens, elle était rouge ! C'était au front, près de la tempe. Penché sur lui, je lui dis :

— Ce n'est rien... Juste une coupure.

Il ne me répondit pas, encore étourdi, et un bon moment demeura immobile. Tout contre lui, Hamel était resté à genoux, la face en terre. Il ne remuait pas, ne soufflait pas, mais Gilbert n'osa pas lui parler, pas même le toucher, pour conserver, une minute encore, l'illusion qu'il n'était pas mort. Puis il demanda à Lemoine, évitant le mot :

— Il y est, hein ?

Simplement, l'autre lui montra un mince filet de sang qui ruisselait du casque et glissait dans le cou. Un de plus... Au fond de l'entonnoir, dix corps au moins étaient entassés. Entre deux capotes sanglantes, sous les cadavres une tête blême apparaissait, les yeux hagards. Mort ou vivant ?

Gilbert ouvrit son paquet de pansement et se banda le front. Avec son mouchoir, il essuya le sang qui coulait le long de sa joue en caresse chaude, puis, pour calmer sa tête brûlante, il la posa sur le canon bien froid de son fusil. Durant une courte accalmie, il entendit sur la droite claquer la fusillade et les grenades. Il pensa confusément : "Ils vont encore attaquer." Mais il n'eut pas le courage de regarder dans la plaine.

Une nouvelle salve s'abattit, fouillant la terre morte, puis un cent cinq shrapnell éclata juste au-dessus de nous. Gilbert resta un instant ébloui, le cœur arrêté. Puis, d'un coup de reins, il fut debout, sauta sur le bord de l'entonnoir et se sauva. Il allait se cacher dans un autre trou n'importe où, mais il ne voulait plus rester dans cette fosse, dans ce tombeau béant. Une autre salve souffla : il s'aplatit. Puis il se releva, affolé, courut à droite, à gauche trébuchant sur les corps. Tous les entonnoirs étaient pris : partout des morts broyés, des blessés exsangues, des soldats aux aguets.

— Y a pas une place avec toi ?

— Non... J'ai un copain blessé.

Il tourna encore un moment puis se jeta à plat ventre derrière une petite butte. Son cœur battait à grands coups, ainsi qu'une bête qu'il aurait écrasée sous lui. Haletant, il écoutait le canon, sans une idée dans sa tête fiévreuse. Brusquement il pensa :

— Mais je me suis sauvé !...

Il se le répéta plusieurs fois, ne comprenant pas bien, tout d'abord. Puis, ayant relevé la tête, il vit Lemoine qui lui faisait signe. Alors, en courant, d'une seule haleine, il rejoignit l'entonnoir. Son poste...

Il était tout pareil à un pressoir, ce trou tragique aux parois violacées, et, pour ne pas fouler les corps des camarades qui remplissaient la cuve, il fallait se maintenir sur le flanc de la fosse, les doigts enfoncés dans la terre cassante. Gilbert crut défaillir. Pas de souffrance, pas d'émotion : de lassitude plutôt. L'officier, toujours agenouillé derrière son tertre, l'aperçut et le héla.

— Hé ! là-bas, ça va ?

Gilbert le regarda, il regarda les morts. D'un revers de main, il essuya sa joue que le sang chatouillait, puis il répondit :

— Ça va...

Le jour s'éloigne, traînant sa brume sur la plaine. A gauche, la fusillade brasille encore, mais comme un feu qui va s'éteindre.

Que s'est-il passé depuis midi ? Nous avons tiré, brûlés par le soleil, la tête lourde, la gorge sèche.

Enfin, il a plu, et cette pluie d'orage a lavé la fièvre dont nous brûlions tous. Par rafales, l'artillerie balayait la crête, rageant d'y trouver des hommes encore vivants. Puis on croyait voir des Boches s'élancer. Et l'on tirait, on tirait...

Tout près, tombés dans leurs propres fils de fer, des Allemands sont étendus, le corps en boule, et l'on dirait les grains d'un funèbre rosaire. J'en remarque un, sa musette de grenades sur le ventre, qui parfois lève le bras, d'un effort expirant, et bat l'air un instant.

Dans l'ombre qui s'alourdit, le petit bleu râle toujours. C'est effrayant, ce gamin qui ne veut pas mourir.

Est-ce la relève ? Des hommes arrivent, en courant, et vont de trou en trou, le dos courbé.

— Hé ! les gars, ça y est ? On s'en va ? Quel régiment ?

Erreur : ce sont nos agents de liaison.

— Eh bien ? On s'en va ?

— Non... Il faut passer encore la nuit. Les compagnies de renfort vont arriver avec des outils. Il faut s'organiser sur la crête.

Surgis de tous côtés, des hommes se rapprochent, à quatre pattes.

— Quoi ? rester ici ? Sans blague... On n'est plus trente de la compagnie.

— Toujours les mêmes, alors... Je m'en fous, je suis blessé, je les mets...

— Ce sont les ordres, répètent les agents... Il faut tenir. On nous relèvera demain.

Tiens, on n'entend plus le petit blessé... Gilbert se sent faible, la tête vide. Il voudrait ne plus bouger et dormir, dormir. Son linge est collé sur son dos. La pluie ? La sueur ?

L'artillerie s'est tue, à bout de force, la voix cassée. On entend mieux les plaintes à présent... Attendez, mes petits, attendez, ne criez plus, les brancardiers vont venir.

La nuit avance.

Et, doucement, le soir silencieux tisse sa brume, seul grand linceul de toile grise, pour tant de morts qui n'en ont pas.

*

C'est un grand troupeau hâve, un régiment de boue séchée qui sort des boyaux et s'en va par les champs, à la débandade. Nous avons des visages blafards et sales que la pluie seule a lavés. On marche d'un pas traînant, le dos voûté, le cou tendu.

Arrivé sur la hauteur, je m'arrête et me retourne pour voir une dernière fois, emporter dans mon âme l'image de cette grande plaine couturée de tranchées, hersée par les obus, avec les trois villages que nous avons pris : trois monceaux de ruines grises.

Comme c'est triste, un panorama de victoire ! La brume en cache encore des coins sous son suaire et je ne reconnais plus rien, sur cette vaste carte de terre retournée. Les Trois-Chemins, la Ferme, le Boyau blanc, tout cela se confond ; c'est la même plaine, usée jusqu'à sa trame de marne blanche, une lande anéantie, sans un arbre, sans un toit, sans rien qui vive, et partout mouchetée de taches minuscules : des morts, des morts...

— Il y a vingt mille cadavres boches ici, s'est écrié le colonel, fier de nous.

Combien de Français ?

Il a fallu tenir dix jours sur ce morne chantier, se faire hacher par bataillons pour ajouter un bout de champ à notre victoire, un boyau éboulé, une ruine de bicoque. Mais je puis chercher, je ne reconnais plus rien. Les lieux où l'on a tant souffert sont tout pareils aux autres, perdus dans la grisaille comme s'il ne pouvait y avoir qu'un même aspect pour un même martyre. C'est là, quelque part... L'odeur fade des cadavres s'efface, on ne sent plus que le chlore, répandu autour des tonnes à eau. Mais, moi, c'est dans ma tête, dans ma peau que j'emporte l'horrible haleine des morts. Elle est en moi, pour toujours : je connais maintenant l'odeur de la pitié.

A mesure qu'on s'éloignait des lignes, les débris de section se renouaient, les compagnies reprenaient une forme. On se regardait l'un l'autre, et nous nous faisions peur.

Des soldats étendus sur l'herbe dartreuse se levèrent et vinrent vers nous. Le soir même, ils devaient monter en ligne.

— C'est dur, les copains ?

— Le secteur de la mort.

Et montrant notre bande harassée d'un mouvement du menton, Bréval dit simplement :

— Une compagnie.

On traversa, le front bas, un minable pays, aux fenêtres sans carreaux et aux toits percés, puis on nous arrêta dans un champ, en bordure de la grand-route, où attendaient les camions. Là, on mangea : du riz chaud qui vous remplissait le ventre et qu'on ne se lassait pas de bâfrer, goulûment, avec de pleins quarts de café brûlant, moins par faim réelle que pour rattraper ces jours de misère, pour se gaver, se sentir plein.

Le vieux fourrier à barbe blanche distribuait de l'eau-de-vie comme on verse du vin, à pleins quarts.

— Il faut la finir, nous criait-il cordialement.

Pour le vin, on n'avait qu'à puiser. Tout en buvant, les copains vautrés suivaient l'ancien d'un œil hostile.

— C'est de sa faute si le grand Lambert est tué.

— Pauvre gars !... Il n'avait pas pris les tranchées depuis Berry.

Taciturne, je pensais à sa croix, sa fatidique croix d'ombre.

— Il paraît qu'il s'est relevé trois fois, racontait

Gilbert à haute voix pour que le fourrier l'entendît, les trois fois touché par la mitrailleuse. Après, il s'est encore traîné en criant... Je lui avais promis d'écrire à sa mère.

Les plus fourbus s'étaient endormis. Par petits groupes, mêlés aux conducteurs, les autres discutaient : ils parlaient tous ensemble, fiévreusement, jetant pêle-mêle leurs impressions encore pantelantes, semblant vouloir se décharger de ces souvenirs trop lourds. Plus émus que nous-mêmes, les automobilistes écoutaient, et comme eux seuls avaient lu les journaux, ils nous expliquèrent la bataille, dont nous ne savions rien.

Les camarades arboraient tous des dépouilles ennemies, des casques à leur ceinture, comme des scalps.

— Je te l'achète, proposa un des chauffeurs à un copain.

Tenté par le prix, un autre offrit son butin, et, sur le bord de la route, le marché s'organisa. On vendait toutes sortes de souvenirs, tout ce qu'une attaque peut rejeter d'épaves : des pattes d'épaule, des calots gris, des fusées d'obus — "ça fait de baths encriers, gars..." — des chargeurs de Mauser qu'on estimait vingt sous, des sacs au ventre de poil roux, des petits quarts en aluminium, pas encombrants, mais qui vous brûlent les doigts, des bidons recouverts de drap kaki, des cartes postales remplies de tendresses inconnues. Sur certains casques aux aigles éployées, on se penchait curieusement pour regarder le trou meurtrier par où la vie s'était envolée. Sulphart agitait sa paire de bottes jaunes comme une pièce rare.

— Des souliers de Boche, les mecs ! criait-il... Des baths godasses d'officier, qui c'est qui en veut ? Un joli cadeau à faire à une poule... Qui c'est qui veut se propager dans Paname avec des grolles de Boche ?

Il se tut brusquement et ramassa son étalage, comme un camelot surpris.

— Acré, v'là Morache...

Nous ne l'avions pas vu depuis dix jours, depuis le matin de l'attaque. Il n'avait pas quitté une seule minute la cave fétide — la première venue — qu'il avait prise comme poste de commandement, et il en était sorti avec un teint moisi, des lèvres décolorées, des yeux tout clignotants. Criaillant, il rassemblait la compagnie — sa compagnie, maintenant que Cruchet était tué — et réveillait brutalement les dormeurs en les piquant du bout de sa canne.

— Allons, j'ai commandé sac au dos, paresseux, criait-il sous le nez du petit Broucke, qui se relevait, tout vacillant, les yeux encore vagues de sommeil.

En maugréant, on s'équipait.

— C'est tout de même pas lui qu'on va nous coller comme piston, après ce qu'il a foutu... C'est Berthier qui a tout fait...

— Oui, mais il n'a qu'une ficelle.

— Heureusement pour Vieublé qu'il s'est fait évacuer ; ce qu'il en aurait roté !

— C'est celui-là qui a eu le vrai filon, tiens... Si tu l'avais vu se barrer avec sa patte amochée, je te jure qu'il était marrant.

On embarqua. En un instant, tout le monde fut casé, les sacs empilés au fond des camions, et l'on pouvait encore s'asseoir, s'étendre, prendre ses aises.

— Ils auraient dû prévoir, dit en haussant les épaules le conducteur qui nous observait, à genoux sur son siège. Ils ont commandé juste autant de voitures que pour vous amener, et vous n'êtes plus aussi nombreux, pas vrai...

Alors, seulement, on remarqua les places vides. Ce qu'il en manquait !... Je croyais encore voir le grand Lambert, qui se forçait pour rire, le père Hamel, fumant sa pipe dans le coin, et Fouillard, qui s'était assis à l'arrière, les jambes pendantes. A chaque cahot, il disait :

— Si seulement je pouvais tomber et me casser la gueule !

Le convoi s'ébranla, s'enfonçant dans un nuage épais de poussière qui frangeait les yeux des chauffeurs et leur faisait des barbes de vieux. Étourdis et bercés, écœurés de chaleur, de fatigue et de mauvais vin, on sommeillait à moitié, trop secoués cependant pour dormir. Seul Broucke se remit tout de suite à ronfler, couché sur le dos, sa tête de paille jaune tressautant sur le sac.

Maroux penché rigolait aux filles, agitant triomphalement un casque à pointe, comme s'il l'avait gagné en combat singulier. Des villages aux camions s'échangeaient des signaux, des cris, des baisers même, que nous rendaient des filles en sueur, la chemise échancrée sur la poitrine.

On s'éloignait de la guerre ; les fenêtres avaient des vitres, les toits des tuiles. Soudain, les camions dansèrent sur les pavés et, aussitôt, on entendit hurler dans les premières voitures. Toutes les têtes se glissèrent sous les bâches, tous les corps se penchèrent à l'arrière ; et alors, tout le long du convoi, ce fut une acclamation folle : apparition fabuleuse, double miracle, on voyait un chemin de fer, un vrai chemin de fer civil, avec de vrais wagons, et, sur la place de la gare, une femme en chapeau.

Le passage à niveau franchi, c'était toute une petite ville, avec des boutiques, des trottoirs, des femmes, des cafés, que nous regardions avec une hébétude éblouie de sauvages, sans nous lasser de crier notre joie. Ceux qui étaient pansés au front retiraient leur casque pour se faire mieux voir, et Belin, fièrement, envoyait des baisers avec sa main blessée, comme un paquet de linge neuf.

A une fenêtre fleurie, une jolie tête blonde se montra — les têtes sont toujours jolies, qu'on n'entrevoit qu'un instant — saluée au passage par une longue clameur, et le tourbillon était déjà passé qu'elle écoutait encore, penchée sur ce village de poussière et de cris.

Le convoi roulait toujours et nul ne se plaignait de la route trop longue. On eût voulu mettre encore des villages, encore des champs, encore des lieues, entre la guerre et nous. Tant mieux, on n'entendrait plus le canon. Dans les éteules, les batteuses, en ronflant, mangeaient des gerbes blondes ; les boqueteaux d'un vert frais baignaient nos yeux brûlés ; on enviait le bonheur des villages entrevus sous les arbres, de ces fermes aux toits rouges qui n'étaient plus pour nous que des cantonnements.

Il faisait trop chaud sous les bâches où le soleil tapait droit. Engourdis, nous ne criions plus, on eût voulu dormir... Enfin, les camions ralentirent, puis s'arrêtèrent.

Les jambes faisaient mal, les têtes étaient lourdes, les corps endoloris. En grognant, on bouclait le sac, qui n'avait jamais paru si lourd.

— Pourquoi qu'ils ne nous ont pas débarqués juste dans le village ?... On voit bien qu'ils ne sont pas fatigués, à l'état major...

A peine descendus, certains s'étaient affalés sur l'herbe. D'autres avançaient en boitillant, les pieds gonflés dans les chaussures racornies que nous n'avions pas quittées depuis deux semaines. Ils s'étayaient sur leurs fusils, s'accotaient aux arbres, bande boueuse d'éclopés qu'aucune volonté ne raidissait plus. Bourland arriva sur sa bicyclette basse et m'appela :

— Jacques !... On va défiler dans le village, musique en tête. Le général est sur la place.

Sur le talus, des têtes de gars couchés se redressèrent indignées ; les éclopés se rapprochèrent.

— Quoi ? La parade maintenant ? Ils ne se foutent pas de nous ? On n'est pas assez crevés comme ça ?

— Non, le général veut compter ceux qu'il n'a pas fait tuer...

— Eh bien, moi, je marche pas ; Morache peut toujours gueuler...

Sulphart criait plus fort que les autres, agitant ses bottes invendues.

— Ils ne sont bons qu'à faire des cavalcades... Il n'y a qu'aux tranchecailles qu'on ne les voit pas. Ils ne faisaient pas de mi-carême, aux Trois-Chemins.

— Faire une revue après ce qu'on vient de se tasser, il faut avoir du crime, approuvait posément Lemoine. On ne devrait pas marcher.

Comme ils discutaient, une automobile s'arrêta et Berthier en descendit. Sa capote fangeuse tombait raide, comme un cylindre de boue durcie ; les yeux creux derrière ses verres, il avançait d'un pas traînant. Visiblement, il ne tenait plus.

— On en a marre, mon lieutenant, lui déclara Sulphart, avec une ferme dignité d'homme libre. On ne s'en ressent pas pour défiler devant les péquenots.

— Peut-être bien, mais il y a le général, répliqua doucement Berthier. Allons, mes vieux, sac au dos... Il y a un bataillon de jeunes recrues qui est cantonné là, il faut leur montrer que nous ne sommes pas un régiment de petites filles.

Ils s'équipèrent tout de même, en bougonnant. On s'aligna.

— A droite par quatre !

Sur la route, on voyait se grouper la musique, et le drapeau, sorti de sa gaine, prendre son rang.

— En avant !... marche !

Le régiment s'ébranla. En tête, la musique jouait la marche du régiment, et, à la reprise victorieuse des clairons, il me sembla que les dos las se redressaient. Le départ avait été pesant, mais, déjà, la cadence se faisait plus nette, et les pieds talonnaient la route d'un rythme régulier. C'étaient des mannequins de boue qui défilaient, godillots de boue, cuissards de boue, capotes de boue, et les bidons pareils à de gros blocs d'argile.

Pas un des blessés légers n'avait quitté les rangs

mais ils n'étaient pas plus blêmes, pas plus épuisés que les autres. Tous avaient sous le casque les mêmes traits d'épouvante : un défilé de revenants.

Les paysans du front ont le cœur endurci et ne s'émeuvent plus guère, après tant d'horreurs ; pourtant, quand ils virent déboucher la première compagnie de ce régiment d'outre-tombe, leur visage changea.

— Oh ! les pauvres gars...

Une femme pleura, puis d'autres, puis toutes... C'était un hommage de larmes, tout le long des maisons, et c'est seulement en les voyant pleurer que nous comprîmes combien nous avions souffert. Un triste orgueil vint aux plus frustes. Toutes les têtes se redressèrent, une étrange fierté aux yeux. La musique nous entraînait, à pleins cuivres, tambour roulant ; les plus fourbus semblaient revivre et on les sentait tout prêts à crier : "C'est nous qui avons fait l'attaque!... C'est nous qui revenons de là-haut..."

Sur la place, le bataillon de jeunes était rangé, capotes neuves, baïonnette au canon. Quelques pas en avant, le général à cheval, avec sa suite chamarrée. Pas une voix dans nos rangs, pas un murmure en face. On n'entendait, sous la musique fiévreuse, que la cadence mécanique du régiment en marche. Le regard volontaire de ceux qui défilaient semblait vouloir dominer tous ces gosses muets qui présentaient les armes.

Le général s'était levé sur ses étriers et, d'un grand geste de théâtre, d'un beau geste de son épée nue, il salua notre drapeau troué, il *Nous* salua... Le régiment, soudain, ne fut plus qu'un être unique. Une seule fierté : être ceux qu'on salue ! Fiers de notre boue, fiers de notre peine, fiers de nos morts !...

Les clairons éclatants reprirent et nous entrâmes dans la grand-rue, glorieux, raidis, entre une haie mouvante de gosses qui marchaient au pas.

La jeune fille des Postes, les yeux rouges, la tête renversée, nous fit bonjour de son mouchoir mouillé, en criant quelque chose qu'un sanglot étrangla.

Alors, Sulphart tout pâle ne put se retenir :

— C'est nous autres qui avons pris le village ! lui cria-t-il d'une voix forte. C'est nous !

Et de toutes les têtes tournées, de tous les yeux brillants, de toutes les lèvres, le même cri d'orgueil semblait jaillir : "C'est nous ! C'est nous !"

La musique sonore nous saoulait, semblant nous emporter dans un dimanche en fête ; on avançait, l'ardeur aux reins, opposant à ces larmes notre orgueil de mâles vainqueurs.

Allons, il y aura toujours des guerres, toujours, toujours...

XII

DANS LE JARDIN DES MORTS

La compagnie avançait par à-coups, arrêtée ici par les fusées, plus loin par les blessés qu'on emportait.

Le boyau évasé sortait parfois de terre, comblé par un obus, et, devant soi, on voyait émerger de l'ombre les camarades au dos rond qui galopaient à travers champs, l'arme à la main, puis ressautaient bien vite dans le fossé bouleversé. On ne parlait pas, on grognait à peine : nous filions, vite, comme si le bonheur nous avait attendu au bout.

— Attention ! fit passer à voix basse l'agent de liaison qui nous guidait vers les premières lignes, il y a deux hommes de corvée qui sont restés en travers du boyau. On n'a pas encore eu le temps de les enlever.

Gilbert, qui marchait devant moi, m'avertit :

— Enjambe.

Je butai dans quelque chose : deux boursouflures, deux tertres mous. Foulés par toute une relève, les corps aplatis se recouvraient déjà d'un mince linceul de boue.

— D'ici demain, on ne les verra plus, fit une voix.

Le marmitage ennemi continuait, régulier, féroce. Mais, dans ce grondement continu, nous n'écoutions que les obus qui se fracassaient près de nous : les autres ne comptaient pas. A chaque salve, on se terrait, tapi sous le sac, guettant la torche rouge de l'explosion. Puis on repartait d'un trot cahotant.

Dans le dos de l'agent de liaison, qui parfois hésitait entre deux boyaux, les hommes grognaient, par habitude.

— C'est malheureux... Toujours les plus c... qu'on choisit pour conduire les autres... Tu vas voir qu'il va nous perdre.

Nous traversâmes en courant une route jonchée de pierraille et, abandonnant le boyau, nous contournâmes les ruines du village, en nous défilant derrière des bouts de murs qui nous venaient aux reins. Où allions-nous ? Relever qui ? On ne savait pas.

— Plus vite, plus vite, criaillait Morache.

Les fusées maintenant se voyaient très proches, derrière un talus, et leur courbe capricieuse semblait plonger sur nous. On n'entendait plus autour de soi la rumeur étouffée des relèves, le bourdonnement chamailleur des corvées ; tous les bruits s'étaient tus et, sous la rage tonnante du canon, on sentait tout près le grand silence inquiet des tranchées.

— Faites passer : silence, murmura notre guide.

— Aie pas peur, répondit Sulphart, personne ne veut chanter.

Un grand mur barrait la plaine, crevé, démantelé, avec de grands pans presque intacts. Il se dessinait tragiquement noir sur ce ciel de guerre d'un blanc cru. De loin en loin, un moignon d'arbre. Était-ce la sucrerie, depuis qu'on en parlait ? Ou bien le parc du château ?

— C'est là, fit tout bas l'agent de liaison.

Il y avait dans le mur une brèche plus large : on y passa. Des baïonnettes s'accrochèrent, un bidon tinta et, chacun suivant la silhouette d'un autre, on avança, butant dans les pierres. Avec un sifflement deux fusées montèrent, d'un jet pareil.

— Ne bougez pas !

La lumière aveuglante éclaira brutalement l'endroit. Immobiles, sans même remuer la tête, les hommes regardèrent. D'un seul coup d'œil, ils virent les croix, les dalles, les cyprès : nous étions dans le cimetière. C'était un grand chantier de pierres broyées, d'arbres déchiquetés, et, dominant ces ruines, un grand saint sévère tenait sur ses bras joints un livre de marbre où, chaque nuit, les éclats sifflants gravaient des choses.

— Par ici, première section, commanda le sergent Ricordeau.

Notre file le suivit. Une torpille éclata à vingt pas dans une gerbe rouge. Tout le monde s'abattit. Dans le noir, un blessé cria.

— Allons, vite, pressa le sergent... L'escouade à Bréval ici.

Devant moi, aplati contre un parapet de sacs, un guetteur grogna :

— Bande de c... Si vous gueulez comme ça vous n'en reviendrez pas un. Les Boches ne sont pas à vingt mètres.

Ricordeau, qui tendait le cou pour reconnaître son monde, plaçait les hommes.

— Lemoine, au créneau ; tu prends le premier. On va te passer les consignes. Bréval, tu as ces trois gourbis-là pour ton escouade, grouille...

Bréval et d'autres entrèrent dans une étroite chapelle sans toit et je les vis s'enfoncer sous terre, à plat ventre. Demachy, qui me précédait, jeta ses musettes dans un trou noir, au pied d'une dalle, et sauta. Je le suivis. Au même instant un éclatement terrible fit trembler la terre et cela grêla sur notre toit de pierre.

— Il était temps, dit Gilbert.

A tâtons, on cherchait à découvrir les choses autour de soi et nos mains glissaient sur les murs froids. Au-dessus de nos têtes, l'entrée s'ouvrait, comme une lucarne bleue.

— Bouchons ça et allumons.

On accrocha avec des cartouches une toile de tente pliée en deux et Gilbert fit craquer son briquet. La bougie à la mèche écrasée hésita, vacillante, puis la lumière éclaira notre abri. Les quatre murs luisaient, humides. Sur le dallage du caveau, il n'y avait qu'un matelas sale de vieux journaux, où l'on lisait des titres allemands.

— Les anciens locataires nous ont laissé de quoi lire, tu vois... Tiens, il y en a un qui a inscrit son nom.

Sur la chaux nue, en effet, une main patiente avait commencé à graver : "Siegf..." Pourquoi vouloir laisser sa trace dans ce tombeau ?... Et l'autre, le premier qu'on avait couché là, celui dont le nom devait être gravé sur la croix, qu'en avaient-ils fait ?

— Cela ne te fait rien d'être là-dedans ?... Au fond, tu sais, avec une couverture dessous et une dessus, on ne sera pas mal.

— Et puis, ces dalles-là, c'est épais, il faudrait que ça tombe en plein dessus. Je prends la veille le deuxième, de trois à cinq ; et toi ?

On s'étendit. La place n'était pas plus large que dans un lit d'enfant ; malgré la capote, la couverture et la mince litière de journaux, on sentait, sous ses reins, le froid de la pierre. J'avais posé la tête sur l'épaule de Gilbert, et, les mains glissées sous les aisselles, le col relevé, j'essayais de dormir. On ne voyait rien, rien...

Là-haut, dans un grondement épouvanté, le bombardement continuait, préparant leur contre-attaque, et, parfois le coup de bélier d'une torpille ébranlait le cimetière. Une sorte de cauchemar lucide hantait mon esprit. Contre mon dos je sentais l'haleine humide du tombeau qui me faisait frissonner.

— Tu as froid ?

— Non.

Les os ?... Où a-t-on jeté leurs os ? Une idée bête me poursuit. Je voudrais sortir pour lire le nom, savoir dans le lit de qui je suis couché. Alors, si une torpille cognait là, ce serait fini ? Pas la peine de nous enterrer, pas même besoin d'une croix : on l'a plantée pour l'autre. N'est-ce pas tenter la mort, n'est-ce pas la narguer, que de coucher dans un tombeau ? Pourtant, ce n'est pas notre faute à nous... Oui, je voudrais connaître le nom de l'autre. Malgré moi, je pense à lui. Je l'imagine couché, bien droit. Et, superstitieux, ayant peur, rigide comme lui, d'être pris pour un mort, je me recroqueville, je ramène mes genoux.

— Ce que tu remues !

Une ombre lourde nous écrase. Les deux murs rapprochés nous serrent l'un contre l'autre, comme deux gosses dans un giron. Gilbert non plus ne dort pas : je sens contre ma joue son souffle rapide.

Siegfried... Pourquoi n'est-il pas resté ici puisqu'il avait gravé son nom ? C'est l'autre mort qui l'aura chassé, qui n'aura pas voulu, et il est allé mourir dehors, n'importe où, dans ces gravats hachés par la ferraille. Ce sont peut-être ses pieds raides qui, tout à l'heure, m'ont fait trébucher.

J'ai vu un mousqueton pendu à la branche d'une croix ; des musettes sont accrochées, où étaient des couronnes ; les obus ont tordu les grilles... En ai-je traversé, naguère, de ces cimetières de campagne où les chèvrefeuilles nouaient leurs branches sur les tombes oubliées ! Une fille en corsage rouge sarclait l'allée. C'était l'été. Non, ils ne pouvaient pas avoir aussi froid que nous, sous leur tertre d'herbe grasse ; nous sommes plus morts qu'eux, sous ces dalles où l'on tremble. Un frisson de froid et d'angoisse, glissant par mes manches, vient me glacer jusqu'au ventre. Ce n'est donc pas un mensonge, ce froid de la tombe dont parlent les poètes ? Oh ! ce que j'ai froid...

Là-haut, les obus, à tâtons, cherchent toujours

des hommes dans le noir. On va dormir, pourtant. Nous sommes, sous les croix, cinquante, cent morts qui dormons. Ressuscités, les veilleurs guettent, l'œil dur, par-dessus le parapet qui s'éboule. Combien de songes, combien de rêves, cette nuit, dans ces alcôves éternelles ?

Certes, ils doivent trouver les vivants bien ingrats
De dormir, comme ils font, chaudement, dans leurs
[draps...

*

Trois jours, cela fait trois jours que nous tenons le cimetière pilé par les obus. Rien à faire, qu'à attendre. Quand tout sera bouleversé, qu'il ne devra plus rester qu'un mélange broyé de pierres et d'hommes, ils attaqueront. Alors, il faudra qu'il surgisse des vivants.

Entre ces quatre murs qui se crénellent et s'effondrent, la compagnie est prisonnière, isolée du régiment par les marmites qui piochent les ruines, par les mitrailleuses qui balaient les pistes.

Le soir, quelques hommes de corvée partent, quelques brancardiers se hasardent. Et vite, en se cachant, ils exhument un homme d'un grand caveau de famille, où des blessés geignent, sans soins possibles, depuis des jours. Ils volent un mort au cimetière.

Ils sont encore six, dans ce tombeau dont les Allemands ont fait un poste de secours. Quand on se penche sur cette bauge, on respire l'odeur terrible de leur fièvre, et la plainte suppliante de leurs râles confondus. L'un d'eux est là depuis une semaine, abandonné par son régiment. Il ne parle plus. C'est une chose tragiquement maigre, avec des yeux immenses, des joues creuses salies de barbe, et des mains décharnées, dont les ongles griffent la pierre. Il ne bouge pas, pour ne plus sentir la blessure assoupie de ses cuisses broyées, mais une soif horrible le fait geindre.

La nuit, on lui porte de l'eau, du café quand il en arrive. Mais, dès midi, tous les bidons sont vides. Alors, brûlé de fièvre, il tend son cou maigre et lèche avidement la pierre du tombeau où l'eau suinte.

Un petit, dans un coin, racle sa langue blanche avec un couteau. Un autre ne vit plus que par l'imperceptible halètement de sa poitrine, les yeux fermés, les dents serrées, toute sa forme ramassée pour se défendre contre la mort, sauver son peu de vie qui tremblote et va fuir.

Il espère, pourtant, ils espèrent tous, même le moribond. Tous veulent vivre, et le petit répète obstinément :

— Ce soir, les brancardiers vont sûrement venir, ils nous l'ont promis hier...

La vie, mais cela se défend jusqu'au dernier frisson, jusqu'au dernier râle. Mais s'ils n'espéraient pas les brancardiers, si le lit d'hôpital ne luisait pas comme un bonheur dans leur rêve de fièvre, ils sortiraient de leur tombe, malgré leurs membres cassés ou leur ventre béant, ils se traîneraient dans les pierres avec leurs griffes, avec leurs dents. Il en faut de la force pour tuer un homme ; il en faut de la souffrance pour abattre un homme...

Cela arrive, pourtant. L'espoir s'envole, la résignation, toute noire, s'abat lourdement sur l'âme. Alors l'homme résigné ramène sur lui sa couverture, ne dit plus rien, et, comme celui-là qui meurt dans un coin de tombeau, il tourne seulement sa tête fiévreuse, et lèche la pierre qui pleure.

*

On dirait que rien ne vit, dans ce chantier de gravats brûlé par le soleil. Cette nuit, on tremblait de froid dans les trous, maintenant on suffoque. Rien ne bouge. Écrasé contre le parapet de sacs à terre, dont sa capote a pris la teinte, le guetteur attend, sans un mouvement, pareil à celui qu'on voit couché devant la chapelle, les bras en croix et la nuque béante, le crâne gobé par la blessure.

Les obus tombent toujours, mais on ne les entend plus. Hébétés, fiévreux, nous sommes allés en visite dans la tombe à Sulphart. On la reconnaît à son enseigne :

"Mathieu, ancien maire."

Du matin à la nuit, il joue aux cartes avec Lemoine, et, comme il perd, il crie, il injurie l'autre et l'accuse de le voler. Lemoine reste tranquille.

— Gueule pas tant, lui dit-il seulement, tu vas réveiller le maire.

Tassés tous les quatre dans le tombeau étroit, nous haletons. Il n'est que trois heures, tous les bidons sont à sec depuis longtemps, et les hommes de corvée qui partent à la brune ne rentreront pas avant minuit. Je ne parle plus, pour avoir moins soif. Cette poussière de pierre pilée et de poudre nous brûle la gorge, et, les lèvres sèches, les tempes bourdonnantes, on pense à boire, à boire comme des bêtes, la tête dans un baquet.

— Tu paieras un seau de vin, hein, Gilbert ? répète Sulphart... On se mettra à genoux autour et on boira à en crever.

Depuis qu'il nous a dit cela, l'idée nous poursuit. Cette jouissance impossible nous fascine jusqu'à l'égarement : boire, boire avec tout son visage, son menton, ses joues, boire à pleine auge.

Par instants, Demachy rage. "A boire, éclate-t-il, je veux boire !"

Personne n'a plus rien, pas une goutte. Hier, j'ai payé un quart de café quarante sous, mais aujourd'hui le copain a préféré tout garder. Il y a un puits, pourtant, dans le village : une quinzaine d'hommes sont couchés autour. Les tireurs enne- mis guettent, grimpés sur un mur ; ils attendent que le camarade qui s'est dévoué arrive, tous ses bidons en bandoulière, et le descendent, en visant bien, comme un gibier. Maintenant, on a posté un sous-lieutenant à l'entrée du boyau, et il empêche de passer. On ne va plus à l'eau que la nuit.

— Je te dis que j'irai moi, gueule Sulphart...
J'aime mieux risquer de me faire descendre que de
la péter comme ça, je sens que je deviens din-
gue...

— Y va pas, tu vas te faire tuer, dit Lemoine.

Alors, c'est sur lui que Sulphart passe sa rage :

— Nature, toi, tu t'en fous, bouseux, t'as pas soif.
C'est pas l'usage de boire quand on est aux
champs ; tu t'es habitué à sécher, au cul de la
charrue, Parisien en sabots, gaveux de cochons...

— Si t'avais si soif, réplique raisonnablement
Lemoine, tu ne gueulerais pas tant...

Alors, on se rassied, le dos au mur, et on attend.
Faire la guerre n'est plus que cela : attendre. Attendre la relève, attendre les lettres, attendre la soupe,
attendre le jour, attendre la mort... Et tout cela
arrive, à son heure : il suffit d'attendre...

*

Quelqu'un a brusquement soulevé notre toile de
tente, et cela a jeté dans le caveau une pelletée de
jour.

— Venez vite, Bréval est blessé.

Demachy s'est redressé. Il dormait, une voilette
nouée sur la figure, à cause des mouches.

— Hein ! Bréval ?

Et sans retirer sa voilette à ramages, qui sent
encore la poudre de riz, il a couru vers la chapelle
aux fusées, où l'on a traîné le caporal.

Il est blessé à la poitrine : une balle de shrapnell.
Couché, la tête sur la marche de l'autel, il regarde
les copains avec des yeux inquiets, de grands yeux
apeurés. En apercevant Gilbert il a fait un signe de
tête, comme un bonjour.

— Je suis content de te voir, tu sais.

Demachy, les mains tremblantes, dénouait sa
voilette.

— C'est commode ton truc, lui dit Bréval. Avec

ces garces de mouches, on ne peut pas dormir. On avait tort de se foutre de toi.

Tout de suite fatigué, il a fermé les yeux. Malgré le paquet de pansement, une tache brune s'élargit sur sa capote. Il est bien touché. Brusquement, sa lèvre s'est détendue, et, comme un gosse, il s'est mis à pleurer, à sangloter, avec une plainte douloureuse sous les larmes convulsives.

Gilbert lui a soulevé la tête, pour la prendre sur son bras, et, penché sur lui, il lui a parlé, la voix bourrue :

— Qu'est-ce que tu as ?... Tu n'es pas fou. Il ne faut pas pleurer, ne te fais pas d'idées, voyons. Tu es blessé, ce n'est rien. C'est un filon, au contraire ; on va t'emmener ce soir à l'ambulance et demain tu coucheras dans un lit.

Sans répondre, sans ouvrir les yeux, Bréval sanglotait toujours. Puis cela s'est apaisé, et il a dit :

— C'est pour ma pauvre petite fille que je pleure.

Il a regardé Gilbert encore un long moment sans parler, puis, semblant se décider, il lui a dit à mi-voix :

— Écoute, je vais te dire une chose, à toi tout seul, c'est une commission.

Gilbert a voulu l'arrêter, lui parler de la belle fiche d'évacuation à la capote, le tromper... Mais il a hoché la tête.

— Non, je suis foutu. Je veux que tu me fasses une commission. Tu vas me jurer, hein ? Tu iras à Rouen, tu verras ma femme... Tu lui diras que ce n'est pas bien, ce qu'elle a fait. Que j'ai eu trop de peine. Je ne peux pas tout te dire, mais avec un aide qu'elle a pris, elle a fait des bêtises... Tu lui diras qu'il ne faut pas, hein, pour notre petite fille... Et que je l'ai pardonnée avant de mourir. Hein, tu lui diras...

Et il s'est remis à pleurer, silencieusement. Personne ne disait rien. Nous le regardions tous, penchés sur lui comme sur une tombe qui s'ouvre.

Il s'est enfin arrêté de pleurer, n'ayant plus qu'une plainte aux lèvres, et il s'est tu un moment. Puis ses dents se sont serrées, et se redressant sur ses coudes, l'œil farouche, il a grincé :

— Et puis, non ! Je ne veux pas... Écoute, Gilbert, au nom du bon Dieu, je te demande d'aller à Rouen. Il faut que tu y ailles !... Tu me le jures. Et tu lui diras que c'est à cause d'elle que je suis crevé... Il faut que tu lui dises... Et tu le diras à tout le monde, que c'est une salope, qu'elle faisait la vie pendant que j'étais au front... Je la maudis, t'entends, et je voudrais qu'elle crève comme moi avec son type... Tu lui diras que je lui ai craché à la figure avant de mourir, tu lui diras...

Il tendait son maigre visage, terrible, un peu de bave rouge au coin des lèvres. Blême, Gilbert cherchait à l'apaiser. Il l'avait pris par le cou, très doucement, et voulait le coucher... L'autre, n'en pouvant plus, s'est laissé faire. Il est resté un long moment inerte, les yeux fermés, puis de grosses larmes ont coulé de ses paupières closes.

Penché sur lui, Gilbert lui frôlait le front de son haleine, jusqu'à sentir contre ses lèvres la sueur suprême qui déjà perlait à ses tempes.

— Allons, vieux, ne pleure pas, répétait-il d'une voix que des larmes contenues éraillaient... Ne pleure pas, tu n'es que blessé.

Et il caressait pieusement la maigre tête qui pleurait. Bréval a murmuré plus bas.

— Non... Pour la petite fille... vaut mieux ne pas lui dire tout ça... Tu lui diras qu'il faut être sérieuse hein, pour la petite... qu'il faut lui donner du bonheur, et pas le mauvais exemple. Tu lui diras qu'il faut se sacrifier à la gosse. Tu lui diras que je le lui ai demandé avant de mourir, et que c'est dur de mourir comme ça...

Les mots coulaient de sa bouche, tout doucement, comme coulaient ses larmes. Dans le coin, la tête dans son bras replié, Sulphart sanglotait. Le lieutenant Morache, qu'on avait prévenu, était livide. Il voulait se maîtriser, mais on voyait ses lèvres et son menton trembler.

Bréval ne bougeait plus ; il n'entendait que sa respiration courte qui sifflait. Mais il a brusquement sursauté dans les bras de Gilbert, comme s'il cherchait à se redresser, et, lui serrant durement la main, il a gémi, en suffoquant :

— Non... Non... je veux qu'elle sache... J'ai eu trop de chagrin... Tu lui diras que c'est une garce, tu lui diras...

Il parlait avec peine à présent, et il dut s'arrêter épuisé. Sa tête retomba lourdement sur le bras de Gilbert, dont la capote se tachait de sang. Plus pâle que le mourant, il le berçait et, doucement, lui essuyait la bouche, où l'écume venait crever en bulles rosâtres. Bréval chercha encore à ouvrir ses yeux aux paupières trop lourdes, et voulut parler :

— Petite fille heureuse... faut pas... Tu lui diras, hein... tu...

Sa prière inconnue s'éteignit, comme vacillait le dernier regard dans ses yeux de pauvre homme. Et, comme s'il avait cru lui garder encore un instant de vie en le cachant à Celle qui emporte les morts, Gilbert le serrait contre sa poitrine, sa joue contre sa joue, les mains sous ses épaules, et pleurant sur son front.

*

— Ils attaquent !

Gilbert et moi avons bondi ensemble, assourdis. Nos mains aveugles cherchent le fusil et arrachent la toile de tente qui bouche l'entrée.

— Ils sont dans le chemin creux !

Le cimetière hurle de grenades, flambe, crépite. C'est comme une folie de flammes et de fracas qui brusquement éclate dans la nuit. Tout tire. On ne sait rien, on n'a pas d'ordres : ils attaquent, ils sont dans le chemin, c'est tout...

Un homme passe en courant devant notre trou et s'abat, comme s'il avait buté. D'autres ombres passent, courent, avancent, se replient. D'une chapelle ruinée, les fusées rouges jaillissent, appelant le barrage. Puis le jour semble naître d'un coup ; de grandes étoiles blafardes crèvent au-dessus de nous, et, comme à la lueur d'un phare, on voit naître des fantômes, qui galopent entre les croix. Des grenades éclatent, lancées de partout. Une mitrailleuse glisse sous une dalle, comme un serpent et se met à tirer, au tir rapide, fauchant les ruines.

— Ils sont dans le chemin, répètent les voix.

Et, aplatis contre le talus, des hommes lancent toujours des grenades, sans s'arrêter, de l'autre côté du mur. Par-dessus le parapet, sans viser, les hommes tirent. Toutes les tombes se sont ouvertes, tous les morts se sont dressés, et, encore aveuglés, ils tuent dans le noir, sans rien voir, ils tuent de la nuit ou des hommes.

Cela pue la poudre. Les fusées qui s'épanouissent font courir des ombres fantastiques sur le cimetière ensorcelé. Près de moi, Maroux, en se cachant la tête, tire entre deux sacs dont la terre s'écoule. Un homme se tord dans les gravats, comme un ver qu'on a coupé d'un coup de bêche. Et d'autres fusées rouges montent encore, semblant crier : "Barrage ! barrage !"

Les torpilles tombent, par volées, défonçant les marbres. Elles arrivent par salves, et c'est comme un tonnerre qui rebondirait cinq fois.

— Tirez ! tirez ! hurle Ricordeau qu'on ne voit pas.

Abasourdis, hébétés, on recharge le lebel qui brûle. Demachy, sa musette déjà vide, a ramassé les grenades d'un copain tombé et les lance, avec un grand geste de frondeur. Dans le fracas, on entend des cris, des plaintes, sans y prendre garde. Il y en a certainement qui sont ensevelis. Un instant, les fusées découvrent un grand mort, couché sur une dalle, tout en long, comme un homme de pierre.

En rafale, notre barrage arrive enfin, et une haie rouge de fusants crève la nuit, en tonnant. Les obus se suivent, mêlant leurs aiguillées, et cela forge une haie de fer au-dessus de nous. Percutants et fusants se plantent furieusement devant nos lignes, barrant la route, et, empanaché de fusées, claquant d'obus, le cimetière semble vomir des flammes. D'un parapet à l'autre, les hommes courent sans savoir, trébuchant, se poussant. Beaucoup culbutent, la tête lourde, les reins pliés, et les tombes en vomissent toujours d'autres, dont les shrapnells et les fusées découvrent les silhouettes traquées.

Au centre, devant le saint impossible, les torpilles piochent, hachant les soldats sous les dalles, écrasant les blessés au pied des croix. Dans les tombes, sur les gravats, cela geint, cela se traîne. Quelqu'un s'abat près de moi et me saisit furieusement la jambe, en râlant.

Les coups précipités nous cognent sur la nuque. Cela tombe si près qu'on chavire, aveuglé d'éclatements. Nos obus et les leurs se joignent en hurlant. On ne voit plus, on ne sait plus. Du rouge, de la fumée, des fracas...

Quoi, est-ce leur 88, ou notre 75 qui tire trop court ?... Cette meute de feu nous cerne. Les croix broyées nous criblent d'éclats sifflants... Les torpilles, les grenades, les obus, les tombes même éclatent. Tout saute, c'est un volcan qui crève. La nuit en éruption va nous écraser tous...

Au secours ! Au secours ! On assassine des hommes !

XIII

LA MAISON DU BOUQUET BLANC

C'EST la fin du dîner. Qu'on serait bien s'ils se
taisaient. La lumière jaune de la bougie danse dans
une bouteille vide. Il reste un peu de vin au fond
des quarts, un vin blond, un peu trouble, qui poisse
les doigts et caresse la gorge. Dans l'âtre, de grosses
solives se consument en pétillant.

Penché sur une bassine fumante, rouge et luisant
de sueur, Sulphart attentif prépare notre vin chaud.
Il a retroussé ses manches jusqu'aux coudes et
largement ouvert sa chemise sur sa poitrine velue.
A son côté gauche pendillent six épingles de nour-
rice mises en brochette : le seul insigne qu'on n'ait
pas volé aux soldats. Lemoine est assis devant le
feu, sur un billot, ses larges mains inutiles tombées
placidement jointes entre ses genoux, et il regarde
faire son copain avec un petit sifflement qui n'a
l'air de rien mais où Sulphart, susceptible, devine
une critique.

— T'espère pas m'apprendre à faire du vin
chaud, non, peau d'hareng, raille-t-il avec aigreur.
J'dis et j'prétends que, pour adoucir, il faut ajouter
deux quarts de flotte par litre de pivre et mettre
cinq bons morceaux de sucre par quart.

— C'est de trop, répond tranquillement Lemoine.
Tu ne sens plus l'vin.

— On ne sent plus l'vin, qu'il dit !

Mais, au lieu de se mettre en colère, Sulphart
hausse simplement les épaules, comme s'il acceptait bénévolement d'être outragé.

— J'aime mieux pas discuter, tiens, t'y mets tout
de suite d'la mauvaise foi.

Lemoine ne réplique pas. Il crache dans le feu et
songe à des choses... Le vin chante dans la bassine.

Les murs de la ferme sont très vieux, trapus et
noircis. La fenêtre a des petits carreaux poussiéreux que le clair de lune traverse en hésitant. De
précieuses toiles d'araignées, qu'on dirait de
velours gris, pendent du plafond où se tord une
énorme poutre de châtaignier. Toute la guerre et
tous les champs, tout cela tient dans cette pièce
sombre, raconté par quelques objets disparates qui
traînent : des terrines sur un bahut bancal, des
cartouches dans une jarre, des sacs d'on ne sait
quoi, des fusils alignés, des casques, un grand van.

Accroupi sur un petit escabeau de trayeuse,
Broucke fait rôtir ses jambes nues, regardant fumer
son pantalon bleu qu'il a mis à sécher au-dessus de
l'âtre, avec le linge de Maroux.

— J'pourrai cor mieux dormir, explique-t-il à
notre nouveau caporal. Ché poux n'me maqueront
plus le ventre.

A la grande table — un antique établi au bois
entaillé, avec une planche sur deux paniers en
guise de chaise — l'escouade achevait son repas,
dans un brouhaha. Un camarade mangeait debout,
lapant dans son assiette de fer-blanc. A genoux, un
autre cassait du bois mouillé, des branches pluvieu-
ses d'automne qui brûlaient en fumant.

Brutalement poussée, la porte s'ouvrit, laissant
entrer la nuit froide, comme un intrus.

— Aux distributions, les gars ! cria le gros Bouffioux, qui c'est qui vient avec moi ?

— J'y vas, répondit Maroux.

— J'te suis, dit le petit Belin en se levant.

— Oublie pas de revenir, hein, cria Sulphart au cuisinier, sans ça, gare tes os. T'as promis de payer le coup.

La porte se referma et notre intimité sembla soudain meilleure, la chaleur plus douce :

— On se dirait chez soi, murmura un copain heureux.

Rares minutes où le bonheur vient nous visiter, comme un ami qu'on n'espérait plus revoir. Rares instants où l'on se souvient d'avoir été un homme, d'avoir été un maître, le plus puissant de tous : son maître. Un feu qui flambe, une table, une lampe, voici le passé qui revient...

Un des nouveaux s'étant essuyé les mains après son pantalon de velours, sortit délicatement une photo de son livret militaire écorné.

— Elle est jeunette, hein ? C'est ma femme... Elle avait pas dix-huit ans quand je l'ai eue.

— T'as plus de goût qu'elle, lui dit Sulphart.

— Qui c'est qui t'remplace depuis qu'elle est veuve ?

Broucke se mit à rire. Pourtant, un tic avait tiré la bouche du camarade, et, presque bégayant, il répliqua :

— Déc... pas. J'trouve pas mariole qu'on blague là-dessus. Si t'étais marié, tu comprendrais.

— J'suis marié, crâna Sulphart. Seulement, j'suis pas jaloux : la mienne s'explique pour m'envoyer des colis.

Les autres avaient tous sorti une photo, d'un portefeuille usé ou d'un livret gras de sueur. On se les passait de main en main, portraits gauches de jolies filles endimanchées et de ménagères en robe noire, serrant contre elles un gosse à la cravate bien nouée.

A la grande table, on se disputait le dessert : des biscuits fades et poussiéreux que Gilbert avait offerts. On buvait beaucoup. Devant le feu, le petit Belin racontait une histoire.

215

— C'étaient des gars morts à l'ambulance. T'as pas vu le cercueil du quatrième ? Le sang avait coulé à travers, ça avait taché le drapeau. C'était le sergent, celui-là...

Ils vidaient quart sur quart, la face allumée.

— Tu te souviens du jour qu'on a cassé la gueule au père Cent... Trente litre pour huit ! C'qu'on était pleins...

— Et le nouveau juteux, un Corse...

Sulphart et Lemoine, qui avaient fait le partage du vin chaud, échangeaient leurs souvenirs à tue-tête, comme s'ils s'étaient confessés à toute la ferme.

— Y gueulaient tous : "Tirez pas ! Camarades anglais !" Et tout d'un coup, pif, ping ! ping !... C'étaient les Boches... Ah ! les fumiers !

— Moi, j'avançais en tenant ma musette devant moi, comme si ça pouvait arrêter une balle... Ce qu'on est bille, dans ces moments-là.

Demachy les écoutait en respirant la chaude haleine de son vin chaud. A ce moment, on entendit galoper dans la cour, et Bouffioux entra en soufflant.

— Hé ! les gars, dit-il en jetant sur l'établi son sac plein de lentilles, on va se marrer. J'paie le coup dans une boîte où il y a des poules.

Tous s'étaient retournés, alléchés et méfiants.

— Quoi ? Tu cherres... Non, sans blague, tu veux nous l'mettre.

Mais la face épanouie du gros Normand, sa peau radieusement tendue, ses yeux luisants, tout prouvait qu'il ne mentait pas.

— Des poules qui marchent, parfaitement, affirma-t-il. Des poules qu'en demandent.

— Elles en auront ! hurla Sulphart.

Tous se levèrent en se bousculant, et entourèrent Bouffioux.

— C'est le grand Chambosse, de chez le vague-mestre, qui m'a raconté... C'est une crèche au bout du patelin, une grande maison qu'a les volets fermés, comme de bien entendu. Et, pour qu'on se goure pas, les gonzesses ont accroché un bouquet blanc à la porte.

Un tumulte éclata, de rires et de cris. La chair allumée, ils s'apprêtaient hâtivement et se bourraient les côtes en rigolant. Fébrile, Broucke se reculottait, enroulant sa ceinture de flanelle sans la tendre, comme une corde, autour de son pantalon mouillé.

— Partez point sans mi, suppliait-il.

— En patrouille, les gars ! beuglait Sulphart, déjà sûr de les séduire toutes.

Seul, Gilbert restait calme. Il semblait se méfier.

— Je le connais, Chambosse, me dit-il, un voyou, un bourreur de crâne... Il aura voulu faire marcher ce gros idiot.

Mais les autres étaient déjà prêts.

— On n'attend pas Maroux ?

Tous protestèrent, pressés d'y être.

— Ah, non ! allons-y vite, des fois qu'ils auraient trop de monde. Il nous rejoindra.

Nous partîmes. La terre gercée de cette nuit de novembre sonnait sous les pas comme une boîte creuse. Le ciel lui-même semblait glacé, un grand ciel d'étain sombre, tout piqué d'or. Dans les granges voisines, on chantait en chœur. Par une fenêtre aux carreaux cassés, j'aperçus quelques visages brutalement éclairés par une lanterne, et, dans le fond noir de la salle, des ombres qui dansaient au son de l'accordéon. Devant la mairie, accroupis autour d'une flambée, des mitrailleurs préparaient un brûlot dans une gamelle.

— Où que vous allez ?

— En reconnaissance, leur répondit Sulphart qui courait devant.

On s'était mis en file indienne, comme une relève dans les boyaux. Ne connaissant que cela, on jouait à la guerre.

— Pas si vite en tête, criait Belin.

— Faites passer, la troisième ne suit pas...

— Attention au fil !

Sulphart imitait la voix croassante du commandant.

— Mais on s'y perd, dans ce secteur, on s'y perd. La liaison à moi...

Le clair de lune poudrait les champs et couchait sur la route blanche l'ombre des arbres. La nuit avait détaché les bois ancrés au sol et on les voyait prendre la mer, sur la brume infinie. Là-bas, le canon fatigué n'aboyait plus. On se mit à chanter. Broucke nous conduisait, sans savoir où c'était. Gilbert et moi venions derrière, en nous donnant le bras.

> *En revenant de Montmartre,*
> *De Montmartre à Paris,*
> *J'rencontre un grand prunier qu'était couvert*
> *Voilà l'beau temps...*   *[de prunes,*

Nous chantions à tue-tête comme si nous avions voulu dépenser notre joie brutale à coups de gueule.

> *Voilà l'beau temps,*
> *Ture-lure-lure,*
> *Voilà l'beau temps,*
> *Pourvu que ça dure,*
> *Voilà l'beau temps pour les amants.*

— Ne criez pas comme ça, nous dit Maroux qui nous rejoignait au galop. On va se faire poirer.

— Sûrement, approuva Lemoine, qui suivait en traînant ses grands pieds paresseux. Et si les poules entendent gueuler, ça sera midi pour entrer.

Obéissants, nous étouffâmes notre joie en gros rires assourdis.

— J'm'en ressens, confessait Sulphart.

— Y paraît que la patronne, c'est une bath brune, expliquait Bouffioux, une belle femme tout à fait.

218

— Mi, j'l'o vue, s'écria Broucke. Ele o une paire ed'z'yeux grands comme m'n'assiette... Ah ben, si c'est cheulle-lo on auro du plaisir...

Nous arrivions au bout du pays, où les fermes s'espaçaient. Quelque chose de sombre se dessina, tassé sur le bord de la route.

— Une sentinelle ! s'exclama Maroux.

Le soldat, un vieux territorial, nous regardait venir sans émotion, accoudé sur son fusil. Un cachez-nez qui l'entortillait jusqu'aux yeux étouffait sa voix.

— Vous n'avez pas le mot ? nous demanda-t-il. C'est Clermont.

On passa vite, heureux de l'aubaine, et bientôt, dans la nuit légère, nous aperçûmes une grande bâtisse peinte de lune, avec ses volets clos.

— C'est là !

A pas muets, nous approchâmes. Oui, c'était bien là : un bouquet blanc était fixé au-dessus de la porte. Tous le virent en même temps et un murmure de joie remercia Bouffioux.

— J'cogne, dit Sulphart agité.

Il frappa. Nous écoutions, respirant à peine, serrés coude contre coude. Broucke avait un petit rire de poule qui glousse. Sulphart, l'oreille collée au panneau de la porte, nous fit signe de nous taire. On entendit marcher, puis une clef tourna dans la serrure et la porte s'ouvrit à demi, comme une bande de lumière. Une seconde, nous entrevîmes un beau visage de femme, très pâle, avec des bandeaux noirs. Puis aussitôt, brutalement, la porte se referma.

— C'est cheulle-lo, s'était écrié Broucke, n'ayant vu que les yeux, les beaux grands yeux.

— Quoi qu'y s'passe ? s'étonna Bouffioux.

Et nous restions interloqués, déçus, devant la porte refermée. Personne ne comprenait.

— Elle est louf la môme, grogna Sulphart prêt à se fâcher. Hé ! là-dedans...

Et il cogna à la porte.

— Ils vont pas nous laisser à la cour, non ?

Lemoine, qui se tenait en arrière, les mains dans les poches, hocha sentencieusement la tête.

— Elle a trouvé qu'on était d'trop, jugea-t-il. Y en a qu'auraient dû s'planquer.

— C'est pas une raison pour ne pas ouvrir, ragea Sulphart.

Et brutalement, le poing ferme, il cogna plus fort. Rien ne répondit.

— Non, comment que j'dresserais ça à coups de latte, si j'étais civil, mâchonnait-il, les dents serrées.

Lemoine espérait encore. Il ne pouvait pas croire que ce chaud bonheur qu'il avait convoité s'était si vite enfui.

— Sans charre, murmura-t-il, elle va revenir...

— On a de quoi payer, cria Bouffioux, qui connaissait le cœur des femmes.

Lemoine, à tout hasard, cria le mot d'ordre : "Clermont ! Clermont !" pensant qu'on n'admettait peut-être dans la maison que les militaires en règle.

Chacun à son idée se mit à brailler quelque chose, croyant décider les femmes.

— Hé ! les poules. On vient pour vous pousser la romance. Ouvrez-nous, quoi. On a des sous... On paie le champagne.

Pinçant une imaginaire mandoline, Sulphart se mit à chanter une sérénade sous les fenêtres éclairées :

Si je chante sous ta fenêtre ,
Ainsi qu'un galant troubadour...

Un autre tambourinait plus fort contre la porte, sur la cadence des lampions, en criant : "La patronne ! La patronne !" tandis que Broucke s'égratignait à vouloir escalader les murs jusqu'aux persiennes closes. On n'ouvrait toujours pas. Alors, tous en chœur, on attaqua un refrain :

Si tu veux faire mon bonheur
Marguerite! Marguerite!
Si tu veux faire...

Les femmes devaient aimer la musique : la porte se rouvrit, toute grande cette fois.

— Ah! cria notre bande.

Ce fut comme une longue clameur de feu d'artifice, à la première fusée. Et l'on s'élança...

La belle brune se tenait en arrière, levant sa lampe pour nous éclairer. Ils voulaient tous entrer ensemble, et s'écrasaient en riant. Ayant foncé le premier, Sulphart tendait déjà goulûment les mains. La femme le repoussa.

— Vous venez pour vous amuser, dit-elle, d'une voix dure qui me surprit, vous voulez voir ?... Tenez, c'est joli, ça vaut la peine...

Et, brutalement, elle poussa une porte...

Dans la grande pièce froide et nue, une bougie veillait, près d'un petit lit de fer. Un enfant y était couché, tout blanc, ses mains frêles serrant sur sa petite poitrine un gros crucifix noir. Une branche de buis baignait dans une soucoupe. Sans un cri, effarée, l'escouade reflua.

C'est la coutume, dans ce pays, de placer un bouquet à la porte des maisons où est mort un enfant.

XIV

MOTS D'AMOUR

La pluie fouettait la boue et les hommes. On ne la voyait pas, mais on entendait grêler ses rafales sur la terre molle et les capotes trempées.

La nuit cachait tout, une nuit épaisse, sans ciel, sans horizon, et les dernières corvées de soupe qui sortaient du boyau n'avaient pour se guider que le bourdonnement étouffé des voix. Les hommes avançaient, les paupières plissées, les joues froides. Le vent leur sifflait dans les oreilles, un vent perdu qui ne trouvait rien à secouer, ni branches, ni choses.

Autour des cuisines roulantes, les escouades se tassaient. Les soldats étaient blottis sous les voitures, comme des mendiants sous un porche. Les premiers à servir se bousculaient, tendant leur plat ou leur bouteillon. La pluie entrait par paquets dans la chaudière ouverte, et l'homme de la dernière escouade, qui piétinait dans une mare, grommelait en pressant les autres.

— C'est plus du ragoût qu'on va toucher, ce sera de la soupe.

Debout sur sa voiture, comme un forain misérable obstiné à faire la parade, un cuistot brandissait une croix de bois blanc, toute neuve.

222

— La septième n'est pas là ? braillait-il. Qui c'est qu'a commandé une croix ?

Il s'agitait, semblant l'offrir comme une plaque de loterie. Les hommes s'interrogeaient.

— Ils ont un tué à la septième ?

— Oui, Audibert. Une torpille. Ils l'ont enterré au chemin creux.

Ruisselants, le pantalon collé aux cuisses, ils pataugeaient en bavardant. Plusieurs, penchés sur le tonneau qui glougloutait, regardaient distribuer le vin. Sulphart surveilla un long moment le partage, ses boules de pain toutes visqueuses en brochette sur son gourdin, puis il sortit du groupe.

— Prends les babilles, Demachy. J'vas toucher le cric.

Les lettres, Gilbert n'était venu que pour cela. Il avait demandé à aller à la soupe — quatre heures aller et retour dans la boue gluante des boyaux — pour être sûr d'avoir la lettre de Suzy, la chercher lui-même dans le tas du fourrier : cela faisait cinq jours qu'il n'avait rien reçu d'elle, cinq nuits qu'il rageait au créneau contre le vaguemestre, le fourrier, les cuistots, tous ceux qui devaient lui voler son courrier. Ce soir, n'y tenant plus, il s'était offert pour la corvée.

Plusieurs fois, il arrêta le vieil engagé qui courait du tonneau aux voitures pour surveiller les cuisiniers.

— Est-ce que j'ai des lettres ?

Mais le fourrier n'avait pas le temps.

Enfin, le vin distribué, l'ancien vint s'abriter sous une roulante et sortit ses lettres d'un sac, ficelées par escouades. Aussitôt toutes les ombres éparses se détachèrent de la nuit et se groupèrent.

— Aux lettres ! Aux lettres !...

Le cercle bourdonnant se serra autour de la voiture, ceux des premiers rangs accroupis, d'autres faufilés entre les roues. On voulait être tout près, pour mieux entendre. C'était la meilleure ration qu'on allait partager : ce qu'on touche de bonheur pour vingt-quatre heures. Éclairé par une lampe électrique de poche, dont on assourdissait la lueur sous un bonnet de police, le fourrier lisait mal. On écoutait, les mains et le cœur tendus.

— Présent... Présent...

Chaque homme, dès qu'il tenait son paquet, cherchait vite sa lettre avec des doigts mouillés, et, malgré l'ombre épaisse, malgré la pluie qui aveuglait, on la reconnaissait aussitôt, rien qu'à la forme, rien qu'au toucher. Le sac fut bientôt vide. Un murmure de déception s'éleva :

— Eh bien et nous alors ? Y en a pas pour moi ? Tu es sûr, t'as bien regardé ?... Ah ! on est fadé comme vaguemestre... Il doit les foutre en l'air au burlingue.

Ceux qui n'avaient rien reçu s'écartaient découragés, et pour se soulager de leur rage impuissante, ils regardaient le fourrier d'un air mauvais, comme s'ils l'avaient vraiment soupçonné de jeter leur courrier aux feuillées.

— T'en fais pas, il reçoit les siennes, lui.

Gilbert était heureux. En prenant son paquet, il avait tout de suite reconnu la large enveloppe de Suzy qui dépassait. Une bouffée de bonheur lui était montée à la tête.

Maintenant qu'il avait sa lettre dans sa poche il n'était plus pressé de la lire, il ne voulait pas dépenser toute sa joie d'un seul coup. Il la goûterait à petits mots, lentement, couché dans son trou, et s'endormirait avec leur douceur dans l'esprit.

Dans le champ de ténèbres, entre les voitures embourbées que les cuisiniers poussaient à la roue en jurant, les hommes se hélaient. Pesantes silhouettes encapuchonnées sous des toiles de tente, peaux de mouton grossièrement ficelées, ombres étranges chargées de sacs, de plats, et de bidons. Pour préserver le rata, ils couvraient les bouteillons comme ils pouvaient, avec un pan de capote, un bout de capuchon, un journal mis en couvercle. Emportée par des coups de vent, la pluie tombait plus serrée, plus rageuse. Elle crépitait sur les casques et glissait dans le cou, malgré le mouchoir noué en foulard. On frissonnait.

— En route, la troisième.

Les corvées repartaient, compagnie par compagnie, en longues files titubantes. Dans un bourdonnement, la plaine noire se vidait de ses ombres.

La boue venait à mi-jambes, dans le boyau. L'eau coulait de partout, de la paroi gluante et de la nuit. Ils pataugeaient dans ce ruisseau de glu noire, et, pour ne pas s'embourber, il fallait poser le pied dans l'empreinte des autres, marcher de trou en trou. On n'entendait que le clapotis des pieds arrachés à la vase et les grognements des hommes qui devaient marcher de biais, à cause de leur charge. La paroi molle collait aux coudes et des paquets de boue tombaient dans les seaux de vin ou de rata en faisant "floc!"

Plus on avançait, plus le ruisseau de fange était profond. Les pieds hésitants cherchaient un coin solide où se poser ; puis un faux pas, et l'homme glissait jusqu'aux genoux dans un puisard d'écoulement. Alors, ne pouvant pas se mouiller plus, il lançait un "m...!" résolu, et repartait tout droit, s'enfonçant délibérément dans la vase. Des blagues à présent se mêlaient aux jurons.

— Moi, je vais demander au colonel de faire venir ma femme.

— Eh! t'as lu, à Paris, ils ne trouvent pas de voitures en sortant du théâtre.

— T'en fais pas, le baromètre est au beau.

Chaque pas était un effort, la boue aspirant les lourds godillot, et, malgré la pluie, il fallait s'arrêter pour faire la pause. Le dos bossu, les mains au chaud dans les poches, les hommes soufflaient. Les prévoyants n'oubliaient jamais leur quart ; il passait de main en main et chacun puisait un coup de vin dans le seau de toile, ou bien, à la régalade, ils buvaient au bidon un peu de café chaud.

Les tranchées ne tiraillaient pas, engourdies sous

la pluie. Pas un obus. On n'entendait rien, que le sourd effort de la corvée. De loin en loin, la troupe fatiguée se jetait dans une autre, venant en sens inverse, ou dans une relève. Les deux files luttaient front à front, têtues, ne voulant pas céder le pas. Un officier au capuchon baissé lançait des ordres que personne n'écoutait. De bande à bande, des injures se croisaient :

— Allez-vous reculer !... Tu parles de c... Nous sommes chargés.

— On ne peut pas. Y a des brancardiers derrière.

Une fusée blafarde, dont la lumière se diluait dans la pluie, démasquait un instant une corvée chargée d'outils. Puis tout cela se mêlait. Incrustés dans la paroi, les jambes et le dos dans la boue, les hommes se croisaient, dans un brouhaha de jurons. On repartait, des grognements à l'arrière.

— Pas si vite, en tête !... Faites passer, ça ne suit pas...

Au prochain tournant, la colonne aveugle s'arrêtait brusquement devant un nouvel obstacle. Seuls les premiers savaient, les autres ne voyaient rien que la file des dos voûtés qui se perdait dans le noir. Les mains glacées posaient leur charge.

— Eh bien quoi ? On repart ?

De l'avant, l'ordre revenait :

— Laissez passer, un blessé.

Le fossé de fange étant à peine assez large pour un brancard, il allait donner le passage aux porteurs. La queue de la corvée refluait dans un gras clapotis de boue agitée, jusqu'à la dernière parallèle. Des hommes, à quatre pattes, s'enfonçaient dans des niches et ceux qui n'avaient pas de trous où se tapir, ayant posé leur pain ou leurs bouteillons sur le bord du boyau, se hissaient dehors en s'agrippant au parapet gluant dont la terre cédait sous les paumes.

Des exclamations s'entendaient :

— Mon vin qu'est foutu par terre !

Agenouillés sur le bord du talus, les hommes regardaient passer le blessé, quelque chose de rigide sous la couverture brune, les lourds godillots dépassant. La face blême, les yeux immenses, les lèvres serrées, il ne parlait pas ; rien qu'un gémissement rauque, quand les porteurs heurtaient son brancard. Il ne semblait voir personne, comme s'il regardait en lui-même la vie s'enfuir. Sa main pendant, comme une chose morte.

Écrasés sous la charge, les brancardiers ahanaient patinant dans la boue, et comme se rapprochait le sourd bourdonnement d'une autre corvée, celui de tête prévenait d'une voix épuisée :

— Laissez passer... Un blessé.

Il fallait attendre que la file fût reformée pour repartir. Les escouades se cherchaient : voix perdues dans le noir et la pluie. L'eau avait crevé tous les couvercles de papier et ce qui ruisselait des parois s'égouttait dans les plats. De la queue, les voix appelaient toujours :

— Pas si vite... Ça ne suit pas.

Mais la pluie les chassait devant elle, cinglant les joues gelées, et ils pataugeaient, sans rien entendre, sans rien voir, chaînons fourbus de la longue file transie.

A la parallèle de Nancy, où notre section était en réserve, la corvée bifurqua. Sulphart ayant posé sa brochette de boules et son plat de rata, alla de trou en trou.

— A la soupe, les gars, criait-il.

En même temps que sa voix, ils entendaient la pluie rageuse. Des grognements endormis répondaient.

— Tu peux te la carrer dans le train, ta soupe... Bon Dieu que ça tombe, faudrait avoir faim.

Pourtant quelques-uns sortirent. Dans une étroite cagna, à ras de terre, une bougie s'alluma. Accroupis, ils remplissaient leur gamelle et on les entendit manger.

— Je prends min quar ed'fin, dit Broucke.

Mais, de son trou, Maroux réveillé cria :

— Passez-moi le seau de vin et l'eau-de-vie. Je veux pas qu'on y touche. Je distribuerai au jour.

Gilbert les lui porta avec la paquet de lettres et courut jusqu'à son trou. Il se courba pour passer sous les sacs à terre et sauta. Cela éclaboussa, comme s'il avait mis le pied dans un ruisseau. La pluie, malgré la planche qu'il avait posée pour former barrage, avait pénétré dans sa cagna et, comme celle-ci était creusée en pente, cela formait vers l'entrée une petite mare. Encore s'agenouiller dans la boue pour creuser un puisard à coups de pelle-bêche, encore écoper avec sa boîte à singe, lutter contre cette eau qui s'infiltre malgré tout... Il n'en eut pas le courage. Tant pis, il resterait acagnardé au lieu de s'étendre.

Il retira son caoutchouc et fut tout heureux de trouver sa capote sèche. Dans la nuit crépitait la pluie et il sourit en l'écoutant. Il était à l'abri, il était chez lui ; rien à faire qu'à lire sa lettre, la relire, puis dormir avec elle.

Ayant déroulé ses molletières de boue et raclé ses godillots, il glissa ses pieds mouillés dans deux petits sacs à terre, qui lui tiendraient chaud. Puis il s'enroula dans sa couverture, jeta son caoutchouc luisant sur ses genoux et moucha sa bougie humide. Plus rien à désirer à présent...

Il lisait :

"Je me plais beaucoup ici, l'hôtel est très gai. De loin, on ne voit que son toit rouge : les mimosas cachent le reste.

"A propos, j'ai retrouvé à l'hôtel un ami dont je t'ai déjà parlé, Marcel Bizot. C'est un charmant garçon que je serai heureuse de te faire connaître, après la guerre.

"Nous sortons souvent ensemble. Cela ne t'ennuie pas, mon grand ? J'aime mieux te le dire parce qu'il y a des imbéciles qui nous ont rencontrés et je les crois capables de t'écrire des méchancetés. J'ai fait le Mal Infernet, avec lui. Le Mal Infernet, tu te souviens."

Dehors, une relève passait, lente rumeur de bruits sourds. L'eau ruisselait toujours à l'entrée du gourbi, et, goutte à goutte, pleurait dans la mare.

Un frais parfum montait de la lettre : de la verveine. Autrefois, elle le poursuivait avec son vaporisateur sous le nez, pour lui faire peur. Si loin, le temps des parfums. Et toujours si près de son cœur, pourtant... Le regard et la pensée vagues, il écoutait la pluie chanter.

Sulphart souleva la toile et, pissant d'eau, sauta dans le trou.

— Ouf ! Ça y est... T'avais une lettre ?

— Oui, répondit Gilbert, la voix distraite.

Pensait-il ? Immobile, son sourire d'enfant déçu au coin des lèvres, il regardait très loin, l'air absent.

— Les nouvelles sont bonnes ?

La pluie... On eût dit une goutte de pluie, aussi, sur son regard.

— Oui, bonnes...

XV

EN REVENANT DE MONTMARTRE

NOUS regardions distraitement la campagne : d'Artois ou de Champagne, de Lorraine ou des Flandres, qu'elles soient bordées d'ormes ou de champs blonds, de tourbières ou de vignes, les routes sont toutes les mêmes, pour le biffin : de la poussière ou de la boue qui mène, à rudes étapes, du repos aux tranchées.

Penchés à l'arrière des camions, des soldats aux cils blancs s'amusaient à crier : "Bée! bée!..." et le convoi ferraillant emportait dans le bruit leur plainte de moutons. D'autres chantaient.

Cette route charriant des hommes, toujours des hommes, me semblait vivre d'une vie infernale, et je croyais voir, au loin, tous ces affluents de poussière qui alimentent intarissablement le lit desséché du grand fleuve sans nom, le large Styx de pierre et de fumée où semblent reposer tous les noyés du monde, sur un limon d'épaves et de lianes rouillées.

Derrière nous se dressaient les baraquements noirs d'une ambulance et, comme dépendances, un verger de croix de bois. Elles se tenaient rigides sur leurs tertres crayeux, bien alignées, éternellement

230

prêtes pour la grande Revue, et l'on avait, plus loin, couché les "tiraillous", la tête vers La Mecque, veillés par l'étroite planchette taillée en ogive.

A l'autre bout du cimetière, des territoriaux travaillaient. On s'approcha, sans penser à rien, simplement pour voir : c'étaient des fosses qu'ils creusaient. Toute une allée de fosses. En nous apercevant, les pépères avaient cessé de piocher, comme honteux. L'un d'eux, appuyé sur sa pelle, nous expliqua d'un air gêné :

— C'est des ordres, hein... Avant un coup dur, il vaut mieux prendre ses précautions... La dernière fois, il y en a qui ont dû attendre trois jours, heureusement que c'était l'hiver.

Nous ne répondions rien. Nous regardions nos trous... Le premier, Sulphart se révolta :

— Ah ! non, s'exclama-t-il, ce coup-là, il y a de l'abus... Nous donner ça comme cinéma avant de remonter au casse-pipes, c'est bluffer l'homme.

Et, d'une traite, il courut aviser le commandant qui passait à cheval. On eut juste le temps de le voir se mettre au garde-à-vous et dire deux mots : d'un bond, le cheval était sur le talus. Cramoisi, étranglé de colère, le commandant criait aux anciens effarés :

— Allez-vous me foutre le camp !... Allez-vous filer, ou je vous fais chasser par mes poilus à coups de pied dans le cul... Qui est-ce qui vous a donné cet ordre-là ?... Je vous ordonne de me le dire !...

Tous les territoriaux avaient filé, abandonnant leurs outils ; il ne restait plus qu'un grand vieux, qui écoutait le nez baissé, considérant ses pieds changés en mottes de terre.

— Êtes-vous sourd ?... Je veux savoir qui vous a commandé ce travail-là.

— Y a pas de mal, mon commandant, bredouilla l'homme d'une voix de vieille chèvre. Moi ça ne me gêne pas, c'est ma partie : je suis bedeau-fossoyeur dans le civil, à Prieuré-sur-Claise, par Mézières (Indre).

Tout en parlant, il tirait sa veste bleue, avec ses doigts terreux, comme s'il avait prétendu la faire descendre plus bas que son ventre. Désarmé, le commandant le regarda avec une sorte de commisération bourrue :

— Tiens, va-t'en, lui dit-il en haussant les épaules... Je vais régler ça moi-même.

Et laissant là son cheval, il pénétra dans l'ambulance, d'où les infirmiers suivaient la scène en roulant de la bande à pansement.

Sans blaguer, le cœur mal à l'aise, nous rejoignîmes les camarades dans le champ où ils cassaient la croûte. On mangeait par petits groupes, toujours les mêmes ensemble : ceux qui recevaient de gros colis partageaient avec les copains qui en recevaient d'aussi gros, les petits colis mangeaient avec les petits colis, et ceux qui ne recevaient rien mangeaient de leur côté, unissant leurs indigences pour se payer un litre. Les plus malins flattaient Gilbert, sachant qu'il n'était pas "regardant" et faisait volontiers goûter ses conserves aux camarades gavés de macaroni.

Debout derrière lui, un petit maigrichon aux joues criblées de son disait d'un air madré :

— Ah ! c'est bien ce que t'as fait l'autre jour, de ne pas te laisser embusquer, de ne pas vouloir quitter les copains...

Demachy, couché sur le côté, mordillait un brin de paille. Rudement, sans même se retourner, il répondit :

— Non, passe la main, vieux... Ce n'est pas bien du tout : c'est idiot. Mais cela me plaît parfois, à moi, de faire des choses idiotes.

Huit jours auparavant, comme nous étions au grand repos, un de ses cousins était venu le voir, un officier à brassard brodé, qui lui avait proposé de le faire passer dans l'automobile.

— Merci, lui avait répondu Gilbert. Comme auto, je ne conduis que la mienne.

Personne n'avait compris et Sulphart lui-même,

qui pourtant eût perdu gros si Demachy était parti, l'avait injurié toute une soirée, criant comme un sourd que l'eau allait toujours à la rivière, et les filons "aux gars trop billes pour savoir en profiter".

A moi, Gilbert avait avoué :

— La joie de crâner, tu comprends, de cingler quelqu'un d'une réplique... C'est pour cela surtout... Je n'ai même pas pris le temps de réfléchir, cela m'a échappé, comme une injure. Après, je ne pouvais plus me reprendre, il était trop tard... Est-ce bête, hein, de jouer sa peau pour un mot... Mais vraiment, il me dégoûtait trop, avec ses bottes lacées et ses gants paille.

Jamais je ne l'avais vu boire autant que ce soir-là, et il avait saoulé le gros Bouffioux, qu'on venait le même jour de reverser dans le rang, remplacé à la roulante par un maçon qui avait trois enfants.

La promenade dans le cimetière et la découverte des fosses vides avaient définitivement accablé l'ancien cuisinier, dont le moral était déjà bien bas. Rien que sa façon de hocher la tête en répétant : "Je crois qu'ils nous ont..." aurait découragé un régiment à fourragère. Il raconta l'incident à Gilbert, exagérant le nombre des trous, et Sulphart ne trouva à ajouter que cette assurance réconfortante :

— Je te jure qu'il n'y aura pas de bousculade, tout le monde trouvera à se placer... Ah ! les tantes.

En mangeant, Bouffioux, taciturne, posait de loin en loin des questions inquiètes, qui révélaient le fond de sa méditation.

— D'après toi, est-ce que c'est vraiment si mauvais que ça comme secteur ? Est-ce que les brancardiers font bien leur boulot dans les coups durs ?... Est-ce sûr, seulement, qu'on doit attaquer ?... A ton idée, combien qu'il peut se faire descendre de types dans un truc comme ça ?...

Pour le rassurer, Maroux lui répondit :

— Peut-être plus de la moitié, on ne sait pas.

Bouffioux, ainsi renseigné, ne demanda plus rien. Il but son café — le café du maçon, clair comme de la petite bière — et couché sur le dos, il se mit à réfléchir. Je l'entendis soupirer :

— Si seulement on était sûr que les prisonniers soient bien traités...

*

A tâtons, sans bruit, le bataillon quittait les baraques Adrian où nous avions dormi une moitié de nuit et les compagnies d'ombres s'alignaient sur le chemin.

— "Manque personne... Manque personne..." répondaient les caporaux à l'appel de leur escouade.

Quand vint son tour, Maroux répondit :

— Manque Bouffioux... Il est allé réveiller l'adjudant à la ferme en face. Je vais le chercher.

Il entra dans la grande cour obscure, s'embourba dans le fumier, buta en jurant contre une herse oubliée, et, à l'aveuglette, il appela :

— Hé, Bouffioux !... Où que t'es ?...

Il entendit comme un craquement derrière lui, à la hauteur du toit, et une masse qui tombait lui ayant frôlé l'épaule vint s'écraser sur le fumier, avec un bruit mou, entraînant l'échelle du grenier, qui s'abattit sur le pavé.

Maroux, saisi, avait fait un saut de côté, puis il s'élança, pour aider l'homme qui se relevait étourdi.

— T'as rien de cassé ?

— Non, rien, grelotta une voix blanche.

— Comment !... C'est toi, Bouffioux ?

— Oui, bafouilla l'autre, encore tout tremblant. J'ai fait un faux pas, j'ai manqué l'échelon...

— Mais qu'est-ce que tu foutais là-haut ?

— Eh bien... je pensais que des fois l'adjudant...

Le caporal haussa les épaules. Il avait compris.

— Ça va... Ramasse ton flingue et ton sac... Viens.

234

Mais ne rebiffe jamais à ce truc-là, hein, je ne veux pas d'histoire à l'escouade...

Ils rejoignirent la colonne qui se formait et Maroux cria : "Manque personne."

On s'engagea sur un chemin humide dont l'argile engluait les pieds. Dans l'ombre, à des cliquetis d'armes, on devinait d'autres troupes, montant ou descendant. Le canon grondait, infatigablement, sans éclat, d'un roulement continu, et, des versants invisibles, les éclairs rouges se répondaient. La route cahotait, plus bossuée à chaque pas, puis sa trace même s'effaçait, elle se perdait dans un désert de gravats. Pas même un boyau, dans ce bouleversement : des pistes sinueuses que les morts jalonnaient.

La relève serpentait, silencieusement. Des compagnies, en file obscure, nous croisaient, si clairsemées qu'elles faisaient peur. Une odeur de poudre, d'acide et de cadavres s'exhalait de cette terre rongée. De loin en loin on distinguait, coupant la plaine, les silhouettes penchées de brancardiers au joug.

On marcha une heure, on traversa les ruines sous lesquelles on entendait parler, on grimpa un chemin rocailleux où nos souliers cloutés patinaient, puis, harassés, on fit la pause. Tout près de nous, à peine protégés par un talus hâtif, des 75 étaient en batterie. Le voisinage déplut à Sulphart.

— Nous faire arrêter juste près des artiflots, c'est bien une idée de Morache. Comme ça, si Fritz se met à tirer, ça sera pour nos gueules.

Comme nous repartions, un ronflement d'obus à bout de souffle nous courba tous : il éclata devant les pièces, avec un bruit foireux.

— Les gaz !

Les mains fouillèrent fiévreusement la boîte à masques. Les lèvres pincées, toute la poitrine murée, on passait vite la cagoule. Bruyamment, des casques roulèrent. D'autres obus éclataient et leur torche rouge éclairait une seconde cette troupe effrayante de scaphandriers égarés qui cherchaient une nuit plus épaisse pour y plonger.

On marchait vite. A la lueur des éclatements, je devinais, sur la pente, un morne éboulement de corps, de pierres, de loques, d'armes brisées. Puis, le masque brouillé me cacha tout ; je suffoquais sous mon bâillon, les poumons brûlants, et sentant à mes tempes l'agaçant chatouillement de la sueur. La relève filait quand même, aveuglée, et à tâtons, elle s'engagea dans un large boyau. Des hommes accroupis mangeaient. Nous retirâmes nos masques.

— Ayez pas peur, gouaillèrent les camarades qui ramenaient leurs jambes pour nous laisser passer, c'est des boules puantes !... Si vous mettez vos groins à chaque coup, vous n'aurez même plus le temps de becqueter, ils nous en sonnent toute la journée.

Des corvées passaient, chargées de pieux, de tôles, d'outils, d'araignées barbelées qui agrippaient nos sacs et ne les lâchaient plus.

Écrasés sous leur charge, bousculés, haletants, les hommes nous grognaient des injures, pour se soulager, comme ils auraient insulté leurs caisses de fusées, leurs sacs de grenades, ou les cerceaux de réseau brun, qui les faisaient pareils à des écuyers de cirque. Le cheminement parfois s'élargissait, s'étalant presque au ras des champs, puis il se renfonçait peureusement entre deux murs de sacs éventrés. Plus loin, il s'évasait de nouveau, formant comme un large carrefour, et l'on devinait, dans ces ténèbres, un étrange mouvement d'ombres silencieuses. Des soldats débouchaient des boyaux ; d'autres arrivaient par les pistes, tous penchés en avant comme sont les haleurs, et l'on ne comprenait pas, tout d'abord, quels étaient ces longs paquets noirs qu'ils traînaient au bout de leurs cordes raidies. C'étaient des morts.

Des brancards ? — à peine en avait-on assez pour les blessés, et puis les postes de secours ne voulaient pas prêter les leurs. Alors, on traînait par les pieds, tous les morts glanés dans les champs, on les tirait avec une corde, comme les chevaux étripés des corridas, et on les empilait dans une longue sape, l'un sur l'autre, face aux étoiles, sentant ruisseler sur leurs visages douloureux la terre éternelle, qui s'écoulait des sacs crevés comme d'autant de sabliers.

La fosse était déjà pleine et deux hommes, à genoux, appuyaient sur les cadavres, les tassaient pour faire de la place aux autres.

Le capitaine Morache avait arrêté la colonne et l'ordre nous parvint, à peine murmuré :

— Baïonnette au canon.

Face à l'immense tombe, la compagnie se rangea. Une fusée lointaine fit briller d'un fugace éclair la haie des baïonnettes.

— Aux soldats morts au champ d'honneur... Présentez, armes !

Toutes les crosses claquèrent, d'une unique détente, puis plus rien. Corps raidis, têtes hautes, nous regardions muets, les dents serrées : les soldats n'ont rien à offrir que leur silence.

— Reposez, armes...

La compagnie repartit et quitta le cheminement qui sortait de terre, semblant se prolonger par une piste. Un homme sautillait lourdement sur place, encapuchonné dans sa couverture.

— Faut pas passer par là, nous prévint-il d'une voix endormie, c'est défendu. Il faut prendre l'autre piste, celle-là est repérée.

Le nouveau sous-lieutenant, à qui il s'adressait, regarda la vaste forge d'ombre où des éclairs, çà et là, éclataient sous les coups de marteau.

— Mais ça n'a pas l'air de tomber là plus qu'ailleurs, observa-t-il.

L'homme battait toujours la terre de sa danse pesante, ses mains blotties sous les aisselles et la figure enfouie.

— J'dis pas non, répondit-il la voix perdue sous

sa couverture. Moi, j'suis là seulement pour dire que c'est défendu... Maintenant, ceusses qui veulent y passer y passent ; moi, comme de bien entendu, j'm'en fous...

*

Cette tranchée toute neuve était ourlée de terre fraîche, comme une fosse commune. C'était peut-être pour gagner du temps qu'on nous y avait mis vivants.

Ceux que nous relevions l'avaient creusée en deux nuits, exhumant à coups de pioche des cadavres entassés, et, par endroits, des morceaux d'hommes émergeaient du mur. A un pied clouté qui dépassait, Sulphart avait accroché ses musettes et les mitrailleurs avaient posé leur pièce sur le ventre gonflé d'un Allemand dont un bras pendait et que cachait à peine une gangue friable. Il pesait dans ce trou une odeur âcre et douceâtre de mauvais marais. On avait mis à jour l'entrée de deux gourbis ennemis. L'escalier de l'un était éboulé, ses étais broyés par une torpille. Sur une planche, à l'entrée, quelqu'un avait écrit comme épitaphe :

Ici des soldats allemands.

Dans l'autre abri, une moitié de la section pouvait dormir, pendant que les camarades prenaient la veille.

Il s'était remis à pleuvoir, une pluie pressée qui cinglait par rafales, vous plaquant sur le dos la capote trempée. Son mouchoir noué autour du cou pour arrêter l'eau, Gilbert toussotait. Le général ayant interdit, sous peine de prison, le port des caoutchoucs, il avait dû se défaire du sien et avait pris froid. Pour se préserver de la pluie, les uns s'étaient taillé dans des sacs de couchage en toile huilée des chasubles jaune serin qu'ils attachaient avec des ficelles. D'autres se faisaient des capuchons de leur toile de tente, tout de suite transpercée. Lemoine, qui ne craignait que pour ses souliers troués, avait mis en guise de snow-boots deux sacs à terre tout neufs qui lui venaient à mi-jambe, et, dressé sur ces pieds évasés d'éléphant, il se tenait sur une planche, avec une échine résignée de vieux héron, les deux mains dans les poches. Quant au petit Broucke, insensible à tout, sa capote mal boutonnée laissant ruisseler l'eau sur sa poitrine maigre, il dormait tout debout, accoté à la paroi visqueuse, le coude maintenu par le soulier du Prussien qui dépassait.

Les explosions étaient plus sourdes, étouffées par la pluie, la lueur des fusées se diluait dans ce mouvant bassin et les éclatements d'obus se voyaient comme au travers d'un voile. Pas un coup de feu ; les deux lignes, face à face, se guettaient, haineuses et résignées.

Comme nous venions de prendre la veille, Ricordeau, qui, depuis qu'on l'avait nommé adjudant, n'osait plus dormir, par peur de Morache, vint choisir des hommes pour le poste d'écoute. C'était un trou en avant du nôtre, pas moins d'eau et un peu plus de grenades, des "tourterelles" à fusil dont on reconnaissait le départ un peu sourd et qui arrivaient en sifflant.

Au hasard des premiers aperçus, renonçant à s'y retrouver dans des "tours" compliqués où veilles et corvées se confondaient sans s'annuler, le premier à marcher pour la soupe étant le dernier à marcher pour une patrouille, si bien qu'on ne pouvait désigner personne sans faire crier tout le monde, Ricordeau recruta les guetteurs. On les vit s'enfoncer dans une ébauche de sape, puis s'éloigner en rampant, traînant leur fusil dans la boue.

— Hé ! vieux, dit Gilbert au dernier qui sortit, essayez de ramener le blessé qu'ils ont laissé devant... On l'entend encore crier, le pauvre bougre.

— On tâchera.

Ce blessé était couché on ne savait où, perdu

dans ce grand champ funèbre. A intervalles réguliers, comme s'il avait dû chaque fois s'endurcir
pour un nouvel effort, il appelait :

— Sergent Brunet, de la septième... A moi les
copains... Ne me laissez pas...

Puis sa voix épuisée se taisait. L'oreille tendue on
n'entendait plus rien, que l'ondoyante rumeur de la
pluie et du vent.

Sous mes bras posés à plat sur le parapet, la
terre frémissait, pilonnée sans répit. Mais devant
nous, ils ne marmitaient plus. Sur notre gauche, on
percevait un tintamarre étouffé de relève : une
compagnie de chez nous venait d'arriver et
les autres, qui avaient le sac au dos depuis longtemps, déboîtaient hâtivement. Les nouveaux grognaient.

— Juste un gourbi et c'est la troisième qui l'a
pris... Toujours les mêmes qui se dém... Les copains
peuvent toujours crever.

Sans abri, sans un trou pour se blottir, ceux qui
n'étaient pas de veille s'accroupirent, le dos voûté
sous la toile de tente, et, le menton sur les genoux,
ils essayèrent de dormir.

Une petite flamme de briquet jaillit, la pluie
l'éteignit aussitôt. Elle éclata encore, tout de suite
soufflée.

— Lumière ! gronda une voix irritée.

Pas intimidé, l'homme s'entêta, voulant sans
doute allumer sa pipe. Trois fois, quatre fois, le
mince feu follet surgit. Je vis alors une silhouette se
dresser et bousculer les autres, pour s'approcher
du fumeur.

— Vous n'êtes pas fou ?... Vous ne savez pas que
c'est défendu de faire de la lumière...

— T'as les grolles de te faire repérer ? répondit
l'homme, d'une voix qui me surprit.

— Taisez-vous !... Je vous dis que...

— Ah ! passe la main, gars, passe la main, répondit l'autre posément, de la même voix gouapeuse
que je croyais reconnaître.

— Savez-vous à qui vous parlez ?... Levez-vous d'abord pour me répondre.

— Poisse-z-en un autre, dis, tu me fais mal.

— Je suis adjudant.

— Y a pas de honte...

— L'adjudant Rouget...

— Et moi, Vieublé, soldat de deuxième par protection, médaillé militaire et croix de guerre. Si les Boches n'aiment pas la lumière, je les em...

— Ah ! Vieublé qui est revenu, s'écria joyeusement Lemoine.

Nous nous faufilâmes vite jusqu'à son coin, où, toujours accroupi, il écoutait sans bouger l'adjudant bon garçon lui adresser en guise de punition quelques observations dépareillées sur la prudence à observer en première ligne et le respect dû aux supérieurs, sans lequel "tout le monde commanderait, chacun ferait comme il voudrait et on serait autant fichu de faire la guerre qu'un troupeau de cochons."

— Hé ! Vieublé, on ne dit pas bonjour aux copains ?

Le Parisien leva le nez et nous reconnut tout de suite.

— Ah ! les vieilles rosses... Ah ! si je suis content de vous retrouver... Je vous croyais tous morts ou évacués, les gars de la compagnie n'avaient pas été foutus de rien me dire... On est arrivé en renfort ce matin, on nous fout aux tranchecailles ce soir, tu parles s'ils ne perdent pas de temps... Ah ! je suis heureux. Et Sulphart ?

Des voisins grommelèrent.

— Pas si fort, eh c...

Vieublé se glissa derrière nous, jusqu'à notre coin de sape. Dans l'obscurité, dévisageant toutes les têtes, il cherchait les anciens.

— Bonjour, ch'timi, hein, comme on se retrouve. Ah ! Bouffioux, grosse coquine, qu'est-ce que tu fous là... Et Belin ?

— Évacué... Il a eu les gaz... T'as su que Bréval

avait été tué ; c'est Maroux notre cabot maintenant... Berthier a été porté disparu, en Argonne.

— Un bon fieu c'est dommage. Et c'est Morache qui est passé piston ? Non, ce qu'il faut voir... C'est égal, vous ne restez plus lerche d'anciens.

On s'entassa à l'entrée du gourbi, assis sur les marches boueuses. Sulphart, au fond, préparait un brûlot, n'ayant pris dans son sac ni cartouches, ni linge, ni biscuits, pour pouvoir emporter deux bouteilles de rhum, qu'il avait empaquetées dans des chaussettes tricotées.

— Eh bien, et à l'arrière on se la coule douce ?

— Tu parles. Trois mois d'hôpital, dans un hôtel tout ce qu'il y a de palace. Rien à foutre, qu'à se laisser laver les pieds ; des confitures tant que tu en veux ; la bonne vie, quoi... Et nous, encore, c'est rien, c'est les Anglais qui sont riders. Si tu voyais ça, des officiers qui font canne, des soldats tout neufs qui se paient tout ce qui leur plaît, des gonzes en jupe qui vont à l'exercice en jouant du fifre. Les femmes les ont à la bonne, je ne te dis que ça ; tu peux être sûr que les gars ne demandent pas à changer de secteur. Et leurs blessés, si tu les voyais ! Un bath habit bleu, coquet, une chemise blanche avec une cravate rouge. Gandins, tu sais, et propres, on ne peut pas croire qu'ils ont pâti.

— Et les nôtres ! Il y en a beaucoup ?

— Une tinée. A l'hostau où que j'étais, ça ne désemplissait pas... Seulement, nous autres, on est habillé avec des fringues en rab', des vestes trop grandes, des frocs trop courts, des vieilles capotes, pour faire le poil aux tommies, j'te jure qu'il faut être beau môme... Seulement, on a pour nous qu'on sait causer... On se balade réunis comme on est blessé, c'est crevant. Ceux à qui il manque un bras ou bien qui ont la tête amochée, ils s'en vont en bandes, parce que leur blessure, ça ne les empêche pas de marcher, ils peuvent faire vinaigre. Nous autres, les pattes folles, on faisait équipe à part. Moi, j'avais juste deux cannes, mais les autres il leur manquait un pied, un bout de jambe et ça fait triste, ce bruit de béquilles sur le trottoir, tu ne peux pas savoir... Les civils n'y font plus attention ; ils disent comme ça que maintenant ils ont pris l'habitude. Les gars l'ont pas, eux, l'habitude, tu peux en être sûr... J'avais un social qui avait le bas de la tête enlevé, il n'osait pas se montrer, il avait honte... Tiens, c'était un gars du six neuf, ceux qu'ont donné avec nous à Carency.

Ayant bu une gorgée de rhum brûlant, il remercia :

— Ça réchauffe. Ce vieux Demachy se soigne toujours l'estomac, je vois ça.

Sulphart penché cherchait à lire l'avenir dans son fond de quart.

— Et la guerre, demanda-t-il, quand est-ce que ça va finir ?

Vieublé, avant de répondre, eut un ricanement.

— Ah ! ce retard... Tu crois pas qu'ils en parlent non !... Mais à Paname, ils ne savent plus que c'est la guerre. Personne y pense, sauf les vieilles qui ont leurs mômes au front... Les ménesses ont jamais été si girondes. J'ai retrouvé des poteaux qui gagnent vingt francs par jour. Tiens, un gars qui avait une petite taule où il fait la réparation de bicyclettes, il est millionnaire, maintenant, il fume des cigares à bague, que t'oserais pas y toucher. Et ce peuple au cinéma, dans les bars, partout... Tu peux aller te propager aux Champs-Élysées pour voir les riches, ils sont encore tous là t'en fais pas. Pour eux autres, c'est comme si la guerre était à Madagascar ou chez les Chinois ; j'te jure qu'ils ne se frappent pas pour la campagne d'hiver. C'est le fricot, je te dis, le grand fricot...

— Oui, j'ai vu ça en perme, approuva un des nouveaux.

Le narrateur, du coin de l'œil, regarda l'intrigant.

— T'as rien vu du tout, lui dit-il. On n'a pas le temps de se rendre compte, en une semaine. Moi, j'y ai resté vingt jours en convalo, plus deux permes de quarante-huit heures, et un dimanche que j'ai pris en douce... Parce qu'au dépôt, vous parlez si on se fait ch... Des sous-offs qui nagent pour ne pas repartir et qui t'en font baver ; des marches de jour, des marches de nuit, du service, de l'exercice. Une fois, ils ont voulu me mettre de semaine aux prisonniers de guerre. J'ai dit au doublard : "Si vous me foutez avec les Fritz, j'en crève un... Je ne veux plus voir leurs sales gueules..." Du coup, il ne m'en a plus reparlé. Moi, à cause de ma médaille, ils me collaient toujours de planton parce que ça fait riche... Un samedi, j'étais noir, je les ai engueulés tous, en rentrant ; j'ai dit que j'en avais marre des embusqués de l'arrière et j'ai demandé à repartir... On est resté trois semaines au dépôt divisionnaire, et me v'là...

— Dommage qu'on ne t'ait pas reversé avec nous, regretta Maroux.

— Avec mon copain Morache ?... Tu connais de bonnes blagues, toi. Je t'emmènerai à Saint-Cloud le dimanche, tu porteras le panier.

La pluie avait cessé. Assis sur la première marche, les yeux dans la nuit épaisse, aux nuages si bas que les fusées, en éclatant, éclairaient leur masse boueuse, Gilbert écoutait la plainte atroce du blessé. Le cœur serré, il ne pensait plus qu'à cela, devinant l'instant où le moribond allait appeler, comptant les secondes...

— Venez me chercher, les copains... Sergent Brunet, de la septième...

Puis la voix épuisée retombait dans le noir.

— S'ils ne vont pas le chercher, j'y vais, songeait Gilbert bouleversé. Tant pis si je me fais descendre.

Vidant le fond de la gamelle — Y a du rabiot, les gars ! — Vieublé parlait toujours.

— Dans le fond, ici, on a la bonne place... A l'arrière on les tracasse, on ne parle que de les relever, les toubibs les font foutre à poil tous les quinze jours, les femmes les charrient. Tandis qu'au front, on n'a pas ça à craindre... T'as jamais vu une commission venir faire une inspection en première ligne pour relever les sagouins qui ne seraient pas à leur place. Y a pas à dire, t'es paré, on te fout la paix... On a le bon filon, il n'y a qu'à ne pas jouer au c... pour le conserver.

Une grenade à fusil vint éclater devant le parapet. Après la détonation, dans le silence plus profond, on entendit un sanglot accablé.

— Les copains... Louis !... Petit Louis !... Venez vite, les copains, criait la voix à bout de forces. Vite...

Une autre grenade éclata, dont la flamme rouge éclaira brutalement les guetteurs au dos courbé, puis une troisième... Dans la tranchée allemande une petite fusillade crépitait, cherchant à cacher les départs des grenades dans sa pétarade.

— Alerte ! Ils attaquent..., cria une voix.

Une houle remua les hommes, du bout de la sape au fond noir du gourbi. Dans la tranchée, les échines voûtées se redressèrent. Une fusée siffla, impérieuse. On entendit le bruit sec de fusils qu'on armait, et sans attendre, au jugé, d'un geste violent de leurs corps débandés, les grenadiers lancèrent leurs citrons. Ce fracas d'explosions couvrit tout le vacarme.

— Alerte ! Debout... criait-on dans le gourbi.

Les mains, à tâtons, cherchaient fiévreusement le fusil, reconnaissant du doigt son maillot de flanelle ou de toile cirée. Les pieds s'écrasaient. C'était un sourd tumulte de jurons, de gamelles décrochées, d'armes s'abattant lourdement, avec leur chapelet d'équipements suspendu au quillon.

— Dehors ! nom de Dieu...

En sortant, la lueur brutale des fusées aveuglait. On commençait à tirailler. Chacun se jetait au parapet, n'importe où, et épaulait. Coude à coude, nous étions soudainement comme autant de machines au travail, poussée brutale du recul, quand le coup part, geste automatique de la culasse qu'on ouvre et bloque, main qui se brûle au canon trop chaud. Par goulées, on respirait la poudre. Une seule idée : tirer. L'éclatement des obus qui cherchaient la tranchée nous faisait tanguer sans qu'on y pensât : on recharge, on épaule, on tire...

— Cessez le feu ! cria une voix derrière nous. Ricordeau, monté sur des sacs à terre, regardait la plaine déchirée de lueurs. La fusillade arrêtée, les tonnantes explosions du barrage s'entendirent mieux. Les têtes se cachèrent.

— C'était pour nous attirer dehors, dit l'adjudant. Maintenant ils vont marmiter dur... Allons, tout le monde dans l'abri.

En cohue, on s'entassa dans l'escalier de la cagna. Les 210, qui venaient en soufflant, semblaient pousser les derniers, d'une poigne brutale. On s'empilait, aveugles...

— Allumez, bon Dieu !... Qui c'est qui a un briquet ?

Une bougie éclaira le gourbi, vaste, bas, paraissant s'arc-bouter pour soutenir ce faix sur ses étais trapus. Là-haut, cela tonnait plus fort, et, à chaque coup de bélier, on sentait trembler les rondins.

— Est-il resté un veilleur là-haut ? demanda Ricordeau dont la face poupine reluisait à la bougie.

Personne ne répondit.

— Il y a ceux du poste d'écoute.

— Ça ne suffit pas, il faut désigner un homme. C'est à ton escouade, Maroux.

Le caporal, par principe, rognonna "naturellement..." et il nous demanda : "A qui c'est de marcher ?"

Un nouveau dit tout de suite :

— C'est pas mon tour... Il y a Bouffioux qui n'a pas encore pris.

L'ancien cuisinier était enfoncé dans un coin, entre deux piles de sacs.

— Et pourquoi que ça serait à moi, protesta-t-il

d'une voix larmoyante en tournant vers nous sa grosse tête pitoyable. On ne va pourtant pas me mettre en sentinelle tout seul ?... Je n'y vois presque pas, surtout la nuit, j'ai un œil comme perdu...

— Assez, Bouffioux, interrompit Ricordeau, le bureau des pleurs est fermé.

— Tout de même, bredouilla l'autre, je trouve que je serais plus utile tout à l'heure à piocher.

Le petit Broucke regarda le gros tas d'un air dégoûté.

— Tiens, j'y vo, déclata-t-il, j'y vo à t'place... J'sais mi ce que t'o din l'ventre, mais c'est point grand-chose.

Il grimpa l'escalier. Comme il sortait, un coup plus violent ébranla le gourbi, où il jeta une lueur d'éclair.

— Broucke ! appela Maroux inquiet.

De là-haut, une voix tranquille répondit :

— T'in faïs point...

C'était un pilonnage régulier, inexorable, où les obus se suivaient sans répit, broyant mètre par mètre la terre ravagée. Debout au pied de l'escalier, Ricordeau écoutait les arrivées.

— Il n'est pas tombé loin... C'est du 150... Qu'est-ce qu'ils nous sonnent !

Le nez au plafond bas, fait de rondins serrés, les camarades discutaient.

— Je me demande si un 210 passerait.

— Penses-tu, il y a plus de quatre mètres de terre.

— Ça ne prouve rien. Leurs gros à percussion retardée...

— T'as du trèfle ? ma blague est vide.

— T'auras pas le temps d'en rouler une.

— Avec ça, ils bombardent pour une heure.

— Il faudrait que ça tombe juste en plein dessus.

— Et encore. J'ai vu une fois, moi, à Vauquois...

On n'entendait qu'un grondement sourd, et, parfois, un fracas plus proche, qui résonnait jusque dans l'abri. Maroux se précipitait, grimpait quelques marches et appelait :

— Broucke !

La voix assourdie répondait :

— Ça vo, ça vo...

Sous le bombardement infernal, on eut un instant d'hébétude. On restait affalé, les mains entre les genoux, la tête vide. Dans une boîte à singe, qu'on se passait de main en main, on se soulageait. Puis, nerveusement on se remit à parler, vite, plus vite. On lançait des blagues, la bouche sèche : "Son réveil est en avance... Qu'est-ce qu'il a reçu de chez Krupp, comme colis !... Ce que tu crois qu'on aura la guerre ?... Si j'avais su, je serais allé coucher à l'hôtel..."

Mais le bélier terrible parut se rapprocher encore, dans une rage de tonnerre, et les bavards se turent. Je croyais, contre mon épaule, sentir battre le cœur de Gilbert. Bouffioux s'était enroulé dans sa couverture, se cachant la tête pour ne plus rien voir. Le dos résigné, on attendait.

Un grand coup éclata, broiement de ferraille, et le vent s'engouffrant souffla notre bougie. Avec l'ombre, l'angoisse nous étreignit. Maroux, d'abord étourdi, grimpa vite.

— Broucke ! Broucke... appelait-il.

On entendit sa voix sortir, s'éloigner... Puis, comme on venait de rallumer la bougie, le caporal reparut. La lumière éclaira sa face blême, sous la barre d'ombre du casque.

— Il faut quelqu'un, dit-il simplement d'une voix étranglée... C'est à toi, Demachy.

Gilbert dit : "Bien." Il remit son casque qu'il avait ôté, prit son fusil, me fit un petit au revoir de la tête, et monta.

A peine sorti, deux éclatements le courbèrent, et quelque chose fouetta sa capote, pierre ou éclat. La tranchée, devant lui, étant défoncée, il enjamba les sacs, piétina dans la terre gluante.

Broucke n'avait pas bougé. A demi assis sur un renflement de la paroi, le bras étendu sur le parapet, il semblait continuer son somme, la tête penchée, son col mat boutonné laissant couler la pluie sur sa poitrine maigre. On ne remarquait rien : deux petits filets rouges coulant de ses narines, et c'était tout...

Les obus, maintenant, piochaient à gauche, moins réguliers, d'une rage lassée. Les coups s'espacèrent... Alors au ras du sol, Gilbert entendit la voix, l'imperceptible voix du blessé inconnu qui suppliait encore.

— ... Me chercher... J'ai une maman, les copains, j'ai une maman.

Et il prononçait : "moman", comme les gosses de Paris.

*

Il allait encore pleuvoir ; le jour était d'une blancheur livide qui aveuglait. A terre, des lambeaux de pluie traînaient en flaques jaunâtres que le vent fripait, et quelques gouttes espacées y faisaient des ronds. La pluie n'espérait pourtant pas laver cette boue, laver ces haillons, laver ces cadavres ? Il pourrait bien pleuvoir toutes les larmes du ciel, pleuvoir tout un déluge, cela n'effacerait rien. Non, un siècle de pluie ne laverait pas ça.

Aucune défense devant nous, pas un pieu, pas un fil de fer. Des bosses, des trous, une terre lacérée où germaient des débris et, à douze cents mètres, le bois qu'il fallait enlever, morne pépinière de troncs déchiquetés.

On disait que l'attaque était pour huit heures, mais personne n'en savait rien. Toute la nuit, les agents de liaison avaient apporté des ordres, des contrordres ; une note envoyée au commandant lui avait signalé que le plan du secteur qu'on lui avait remis au départ n'était pas à jour, et Ricordeau faisait demander depuis l'aube si l'ouvrage de sacs à terre qu'on apercevait sur la gauche était aux Allemands ou bien à nous. Une seule fois notre artillerie avait donné, mais les obus tombant trop court avaient tué les guetteurs du petit poste et nous avions vite lancé une fusée demandant d'allonger le tir. Depuis l'artillerie n'avait plus tiré.

Recroquevillés sous leur couverture, des soldats sommeillaient encore, et les agents de liaison les enjambaient en se pressant, sans savoir si c'étaient des vivants ou des morts.

— Il est tué, celui-là ?

— Pas encore, attends à ce soir, bougonnait l'homme en ramenant ses pieds.

Blotti dans un coin, Bouffioux ne voulait plus quitter son masque, effrayé à la moindre bouffée de poudre que le vent rabattait sur nous. Pendant une heure, on l'avait entendu bredouiller : "Ça sent la pomme... Ça sent la moutarde... Ça sent l'ail..." et à chaque fois, il remettait peureusement sa cagoule. Maintenant, il ne la retirait plus, et tapi dans son trou, on eût dit un monstre de carnaval, avec cette hure qui dodelinait.

— C'est les plus foireux qui crèvent, lui cria un copain, pour lui redonner courage.

On ne se parlait pas. Quelques-uns mangeaient, arrosant leur pain de la pluie qui ruisselait du casque ; les autres attendaient, le dos hottu, sans rien regarder, sans rien dire.

Entre deux explosions, un lourd silence pesait sur la tranchée, et quand on regardait les camarades bien en face, on croyait voir dans leurs yeux las une même pensée, comme un reflet du ciel livide. Soudain, un commandement se répéta :

— Faites passer, la montre du colonel...

On se la passait de main en main, et sans un mot, les chefs de section prenaient l'heure.

C'était un petit boîtier d'argent, bombé et ciselé comme un cadeau de communiante, avec ses guirlandes de roses. Et c'était elle, elle seule qui savait l'heure, l'instant terrible où il faudrait sortir des trous, foncer dans la fumée, droit aux balles.

— J'ai acheté la pareille à ma petite fille, me dit un camarade.

Gilbert, toujours un peu fiévreux les jours de coup dur, était étrangement calme, ce matin-là. Il y avait dans sa voix, dans sa pose résignée, quelque chose de fatal qui inquiétait, et lui-même se sentait au cœur une crainte qu'il n'avait jamais connue. Taciturne, il regardait le bois, la tragique forêt de pieux rognés où les obus déchiraient leur fumée. Comme c'était loin... Combien pouvaient-ils avoir de mitrailleuses ?

Il avait si froid, qu'il ne sentait pas, dans sa main droite, le canon mouillé de son fusil. C'était étrange, il avait toujours froid, ces jours-là. Mais ces jambes molles, cette tête vide, cette crainte au cœur, c'était la première fois...

— Viens t'asseoir, Gilbert, lui dit Sulphart, on est mieux au sec.

Nous étions serrés sous une sorte d'auvent, fait d'une porte de grange que maintenaient en équilibre les sacs du parapet, et sans appétit, pour passer le temps, nous entamions une boîte de singe. Gilbert ne se retourna pas à notre appel. Il tendit brusquement le cou, comme pour mieux voir, et cria :

— Ah !

Au même instant on entendit cingler la fusillade, éclater des grenades, tout un tumulte de bataille brusquement déchaînée.

Ricordeau, qui était assis à l'entrée du gourbi, sortit en courant et, sans prendre garde aux balles qui miaulaient, il sauta sur un tas de sacs et regarda par-dessus le parapet : c'était l'attaque. Des petits flocons de grenades éclataient dans les champs et, déjà, des obus allemands arrivaient, crevant en nuages épais. Se terrant sous les salves, puis repartant, les nôtres chargeaient. Dispersés, émiettés, ils étaient si petits qu'ils paraissaient perdus dans cette plaine immense.

Machinalement, Riçordeau avait serré sa jugulaire, et il criait d'une voix cassée :

— Ce n'est pas possible ; ils se trompent. C'est dans une heure seulement. Baïonnette au canon !... Non, non ; ne bougez pas, il n'est pas l'heure... C'est une erreur... Vite, faites passer au capitaine : "Qu'est-ce qu'il faut faire ?"

Il courait affolé dans la tranchée, nous bousculant tous ; puis se montrant en entier debout sur les sacs éboulés, il cherchait à voir ce que faisaient les autres compagnies. Des sections sortaient, comme hésitantes, une ici, puis une autre plus loin. A deux cents mètres, un officier nous faisait des signes que nous ne comprenions pas et, derrière lui, on apercevait dans la tranchée une troupe compacte, hérissée de baïonnettes.

— Tant pis, on y va, s'écria Ricordeau, la voix soudainement allégée de toute son angoisse.

Sans rien commander, il sauta sur le parapet, courut quelques mètres, puis se retournant, comme s'il se souvenait de nous, il cria sans s'arrêter :

— En avant !

Un remous agita la tranchée. Tout du long le parapet s'abattit, les sacs arrachés. L'un poussant l'autre, on grimpait. Une seconde d'hésitation devant la terre bouleversée, la plaine nue : on attendait de voir sortir quelques copains pour se sentir les coudes, puis un dernier regard derrière soi... Et sans un cri, tragique, silencieuse, la compagnie disloquée s'élança...

Nous précédant de plus de vingt mètres, Ricordeau courait sans se baisser. Plus loin encore, sous la fumée, on voyait des sections s'enfoncer dans le bois. Cachées entre les débris d'arbres, les maxims crépitaient ; un canon de tranchée tirait aussi, à coups pressés, furieusement. Des hommes s'abattaient... Nous courions droit devant nous, farouches, sans un mot : on aurait craint, rien qu'en ouvrant la bouche, de laisser s'échapper tout ce courage qu'on retenait, les dents serrées.

Les corps et les esprits étaient tendus vers ce seul but : le bois, arriver au bois. Il paraissait affreusement loin, avec toutes ces gerbes d'obus qui nous en séparaient. Un tonnerre sans fin nous retentissait dans la tête et le sol ébranlé tremblait sous nos pas. On courait en haletant. On se jetait à plat ventre quand éclatait un obus, puis, abasourdi, on repartait, noyé dans la fumée. Les paquets d'hommes semblaient fondre sous les éclairs.

Devant moi, un homme blessé laissa tomber son fusil. Je le vis vaciller un instant sur place puis, lourdement, il repartit les bras ballants, et courut avec nous, sans comprendre qu'il était déjà mort. Il fit quelques mètres en titubant et roula...

*

Comme ils sortaient les derniers de la tranchée, un shrapnell les avait brutalement repoussés de son souffle chaud — une détonation si terrible qu'ils n'avaient rien entendu, assommés. Sulphart se laissa glisser dans le boyau. Des voix criaient :

— Houla ! je suis blessé...

La fumée se dissipant laissa voir des hommes qui se relevaient. Étendu, le nez en terre, Bouffioux frémit un instant, puis ne bougea plus, les reins ouverts. Les blessés redressés jetaient leur fusil, l'équipement, la musette, et partaient en courant.

D'autres, moins atteints, attendaient que le bombardement se ralentît et, posément, ils ouvraient d'un coup de dents leur paquet de pansement. Sulphart se tenait plié en deux, pouvant à peine respirer.

— J'y suis, soufflait-il en regardant un camarade, l'air éperdu.

— C'est rien, lui dit l'autre, c'est juste ta main.

— Non. Dans le dos...

Sous l'épaule, sa capote était trouée et le sang se voyait à peine, faisant juste une tache d'un rouge foncé.

— Ça saigne beaucoup ? demanda-t-il.

— Non. File vite au poste de secours. Je vais simplement panser ta main.

Alors seulement, Sulphart regarda sa main. Ses doigts étaient comme broyés, tout empâtés de sang, et d'avoir vu sa blessure, il sentit aussitôt la douleur.

— Vas-y doucement, ça me fait mal. J'ai de la teinture d'iode dans ma cartouchière jaune, prends-la...

Le camarade lui versa sur sa main fracassée la moitié du flacon et cette atroce brûlure le fit crier. Grossièrement, sans oser serrer, l'autre lui fit son pansement, qui rougissait à mesure qu'on enroulait la toile.

— Et toi ? Où que tu es blessé ? demanda Sulphart.

— Nulle part... je vais rejoindre les copains.

Ils étaient trois, que l'obus avait épargnés.

Ils regardèrent la section qui, un instant arrêtée par une rafale de mitrailleuse, repartait en tirailleurs, puis ils regardèrent les blessés.

— Vous en tirez votre peau, vous autres, dit l'un d'un air d'envie... Y en a pas un qui a du tabac ?

— Si. Il m'en reste un paquet, attends.

— Moi, j'ai du chocolat, fit Sulphart d'une voix courte. Lequel qui en veut ?

Les blessés vidèrent leurs sacs, leurs musettes, et les trois autres choisirent ce qui leur plut. Le butin partagé :

— Alors, on y va ? dit l'un des trois, un caporal dont on découvrait la pâleur sous des traînées de sueur et de boue... Au revoir les copains, bonne chance !

Ils sortirent de la tranchée et d'un trot lourd, ployés sous le bruit, ils coururent vers le bois, tout seuls — trois pygmées qui chargeaient sur des géants de fumée.

Assis sur les sacs à terre, accoté à la paroi molle, Sulphart se sentait presque bien, la chair endolorie, la tête brûlante. Mais il était sans forces, sans volonté ; un camarade moins blessé dut l'aider à se relever.

— Allons, dépêche-toi, lui répétaient ceux qui le précédaient.

Il ne pouvait pas marcher vite, avec ce point pénétrant qui l'empêchait de respirer.

— Hé ! voulut-il appeler... Attendez-moi.

Mais sa voix étouffée ne portait pas loin et les autres se pressaient. Il vit la capote du dernier disparaître au tournant de la tranchée. Arrêté un instant, il reprit haleine, puis, ayant ramassé un bâton, il repartit, courbé comme un vieux.

Des blessés cheminaient tout le long des boyaux. Il y en avait de terribles, au teint gris, qui s'arrêtaient pour râler, accroupis dans des renfoncements et vous regardaient passer avec des yeux hagards qui ne voyaient plus. Sulphart les remarquait à peine, allant toujours du même pas tenace.

Le boyau, à cet endroit, serpentait entre les ruines d'un hameau. Comme il passait derrière un mur, il entendit siffler un obus et se blottit. Le coup jaillit si près qu'il crut voir l'éclair rouge, à travers ses paupières fermées. La peur au ventre, il repartit plus vite. D'autres obus suivaient, toute une meute lancée sur ces débris de maisons. Sulphart se mit alors à courir, cherchant un abri. Il aperçut un escalier de cave, en haut duquel se tenait un brancardier.

— Il n'y a plus de place, lui dit l'homme en le repoussant. Va plus loin.

Dans le noir de l'escalier, on devinait des soldats entassés et les taches blanches de leurs pansements. Sulphart, en se serrant, crut pourtant s'abriter un peu, comme se fracassait un autre fusant. Les éclats fouettèrent le mur. Il courut quelques mètres plus loin, mais l'autre cave aussi était pleine. Les lèvres et les yeux étirés par un tic, il allait en bombant le dos sous les explosions, cherchant un trou où s'enfoncer. A chaque flamme, il s'aplatissait contre la paroi, se cachant la tête derrière son bras replié.

Des territoriaux chargés d'outils s'écrasaient dans les moindres recoins ; il se jeta sur l'un d'eux, dont les jambes seules dépassaient et s'insinua dans son trou, d'un furieux effort. Écrasés, face à face, souffles mêlés, les deux hommes se regardaient, chacun ne pouvant voir de l'autre que ses yeux fixes, et la moustache dure du vieux piquait les lèvres de Sulphart. Ils ne se parlaient pas, abasourdis, et leurs jambes mêlées se renfonçaient peureusement, voulant se cacher encore mieux.

Les coups se suivaient, par salves infernales, et tombaient si près qu'à chaque obus ils sentaient la terre lutter sous eux. Une détonation plus terrible gronda et la fumée, subitement, remplit le trou... Sulphart se crut enseveli. Il fit un mouvement violent pour se dégager, mais son bras était pris sous le buste de l'autre, leurs deux corps se coinçaient et il ne put bouger. Effrayé, il se débattit croyant sentir qu'il étouffait sous l'éboulement ; déjà il suffoquait, quand la fumée, en s'envolant, lui montra le jour. Alors, devant sa face, contre ses yeux, Sulphart vit la Mort dans le regard du vieux. Il fut un instant terrible, ce regard d'homme, il eut une seconde d'atroce résistance, puis une lueur sembla s'y éteindre, il devint terne, troublé, vitreux... Et Sulphart reçut sur ses lèvres le dernier souffle du moribond, un geignement horrible, comme s'il avait vraiment rendu sa vie dans ce dernier hoquet. Sulphart resta un instant encore serré contre le mort, dont les yeux à présent se révulsaient, puis il se dégagea brutalement et sortit du trou, en levant sa main gauche qui le torturait au moindre heurt. Quand il fut debout, il sentit dans sa bouche un goût étrange. Il cracha, c'était tout rose... Apeuré, il but d'un trait le fond de rhum qu'il avait dans son bidon, et il repartit plus vite, craignant de tomber en route.

Il ne connaissait pas ces boyaux sinueux taillés dans la boue. Mais, de loin en loin, des agents de liaison ou des brancardiers lui disaient : "Suis tout droit" et il allait tout droit, sans vouloir se reposer.

Il aperçut enfin une planchette : "Poste de secours" et descendit dans le gourbi. Pour arriver en bas, il fallait enjamber les blessés accroupis sur les marches. La cagna aussi en était pleine : de grands blessés, couchés sur des brancards, et qui râlaient les yeux fermés sur leur souffrance.

Le major dit à Sulphart :

— Je ne peux rien te faire ici... Repose-toi là et à la nuit, quand cela tirera moins, vous partirez tous ensemble pour l'ambulance.

Il cherchait une place pour s'asseoir lorsqu'un petit sergent, le bras tenu en écharpe par un grand mouchoir à carreaux, se leva et dit :

— Je ne veux plus attendre ici... Ce soir, il ne me restera plus de sang.

Tout chancelant, il sortit en bousculant les autres, et Sulphart s'assit sur sa marche.

Le ciel pluvieux hâta la nuit, et, au jour tombant, plusieurs blessés partirent. Sulphart les suivit. Devant lui marchait un chasseur qui tenait à deux mains sa mâchoire broyée. En chemin, ils en rejoignirent d'autres et leur bande grossie arriva près des batteries. Les artilleurs sortirent pour les voir.

— Vous êtes sur la bonne route, les gars... le village n'est pas loin...

Ils repartirent. De loin en loin, un soldat était couché, blessé à bout de sang que la Mort avait rejoint. Elle devait connaître leur route et les guetter au passage, pour les achever. Ils reconnurent ainsi le sergent, à son grand mouchoir à carreaux. Pourquoi aussi avait-il voulu partir seul ? A deux, on lui fait face, on se défend...

Ce qui restait de jour s'écoulait, comme d'une vasque fêlée. Dans la buée du crépuscule, ils entrevoyaient des compagnies de renfort, pliées sous le sac et les outils. Le soir s'animait un instant d'un bruit tintant d'armes et de gamelles. Puis la route redevint déserte.

Un blessé, puis un autre s'arrêtèrent, n'en pouvant plus. L'un se laissa tomber sur le bord du fossé et se mit à pleurer.

— On va t'envoyer les brancardiers, lui promirent les camarades en s'éloignant de leur pas fourbu.

Ils aperçurent enfin dans les ténèbres une ferme au toit bas, dont les fenêtres aveuglées laissaient fuir une mince lumière. Ils entrèrent. Au fond d'un couloir obscur, une large vitre versait sa clarté heureuse : cela les attira, comme des papillons de nuit. Ils suivirent le couloir en tâtonnant et, collant aux carreaux leurs visages blêmes, ils regardèrent. La table était modestement servie — plus de quarts que de verres — mais ces assiettes blanches, cette lampe, ce plat qui fumait, cela leur parut d'un luxe inouï ; goulûment ils contemplaient...

Ayant levé les yeux, un des officiers attablés aperçut dans l'ombre leurs rangées d'yeux en fièvre, tous ces morts casqués, et, collée à la vitre, la terrible figure du chasseur, dont le menton broyé n'était qu'un caillot noir. Il eut un haut-le-corps et se leva, très pâle. Les autres, surpris, se retournèrent et, à leur tour, ils virent les fantômes. D'un coup leurs voix se turent, comme étranglées...

— Vous allez boire un coup, hein, dit enfin un commandant d'artillerie en leur ouvrant la porte. Vous l'avez bien gagné, mes pauvres petits.

Ils hésitaient à entrer, la lumière trop vive leur faisant cligner les yeux. Ils se tassèrent quand même près de la porte, avec un bruit de godillots traînés et, se passant les quarts, ils burent avidement. A chaque gorgée du chasseur, le vin traversant son menton troué retombait sur sa capote, en un mince filet.

— Tiens, trinquons tous les deux, lui dit le commandant.

En sortant de la salle éclairée, la nuit épaisse les étourdit. Des bandes d'hommes se distinguaient tachant la route de leur masse confuse et de leur brouhaha ; ils les suivirent vers le village. Les rues obscures et les cours sombres grouillaient de soldats invisibles et de voix cachées. Parfois, le feu brutal d'une roulante éclairait des silhouettes groupées.

Des bataillons de renfort attendaient, encombrant la rue, et les soldats se levaient pour questionner les blessés.

— On n'en sait pas plus que vous... C'est le mauvais coin... Où qu'est l'ambulance ?

Ils se pressaient, ayant aperçu la lanterne rouge, tout au fond de la nuit. Sur le pilier de la porte une pancarte était clouée :

Ici, blessés légers pouvant marcher.

L'enseigne ne leur donna pas confiance, avec son air badin.

— Pas ici, dit l'un ; ils ne doivent pas évacuer.

L'ambulance divisionnaire se trouvait de l'autre côté de la place. C'était une grande maison déserte et noire sans un meuble, sans un grabat.

En corps de chemise, son front brillant de sueur, le major examinait rapidement les blessés, dont un infirmier éclairait les plaies avec une lanterne. Sur le parquet traînaient des pansements souillés, des tampons d'ouate. Une grande cuvette débordait d'eau rougie.

— Un autre, disait le major, en s'épongeant le front de son bras nu.

Et le suivant s'asseyait, tendant son bras bandé ou écartant sa veste. Plié sur une table de bois blanc, un soldat affairé remplissait les fiches, que les évacués attachaient eux-mêmes à leur capote, comme une carte de pesage.

Dans une pièce voisine, on entendait crier un grand blessé.

— N'est-ce pas qu'on me couchera dans un lit, monsieur le major ?... Oh ! que je voudrais y être... Un lit avec des draps, hein, monsieur le major... Est-ce que la voiture viendra bientôt ?... Vite, faites-la venir.

Le major déchira la chemise de Sulphart pour regarder sa blessure.

— Cela ne coule plus... On te lavera là-bas... Donne la main, à présent.

Sulphart ne put s'empêcher de crier, quand on défit son pansement collé.

— Ce n'est rien, belle blessure, lui dit le major... Seulement, il va falloir te couper deux doigts.

— Tant pis, lui répondit le rouquin, je ne suis pas pianiste.

*

— J'ai mal... oh ! que j'ai mal...

Gilbert répétait ces mots à mi-voix, comme s'il avait cru attendrir sa souffrance en se plaignant. Il était resté couché sur le côté, comme il était tombé, et quand, avec effort, il soulevait sa tête lourde, un sanglot sans larmes lui montait du cœur.

La douleur l'avait engourdi et il ne sentait plus ses membres ni sa tête, il ne sentait que sa blessure, la plaie profonde qui lui fouillait le ventre.

Pas un instant il n'avait perdu connaissance, et, cependant, les heures avaient passé plus vite que s'il avait vraiment veillé. Maintenant que sa pensée se dégageait de cette anesthésie, il commençait à se sentir souffrir. La première idée qui lui vint le frappa rudement, en pleine poitrine : "Est-ce que les brancardiers vont venir ?"

L'angoisse le saisit, et il se redressa à demi, pour regarder. Mais la douleur, brutalement, le recoucha.

Est-ce que les brancardiers allaient venir ?... Oui

certainement, quand la nuit serait tout à fait tombée. Mais s'ils ne venaient pas ? Une noire horreur obscurcit son cerveau, et il resta un moment immobile, comme terrassé, et presque sans souffrance. Puis il rouvrit les yeux.

Le crépuscule attristait encore ce bois tragique dont tous les arbres étaient nus comme des montants de croix. A quelques pas un soldat était tombé, le corps en boule, et l'on apercevait le blanc de sa chemise, sous sa capote ouverte, comme s'il avait cherché sa blessure avant de mourir. Un autre plus loin, semblait faire la sieste, adossé à un tronc rogné, la tête courbée sur l'épaule. Et ce pan d'étoffe bleue, en était-ce encore un ? Oui, encore...

La peur le reprit. Pourquoi serait-il seul vivant dans cette forêt hantée ? Pour rester couché là, ne fallait-il pas être muet comme eux, froid comme eux ? C'était forcé, il fallait mourir...

Mais ce seul mot — mourir — le révolta au lieu de l'accabler. Eh bien, non... Il ne voulait pas mourir, il ne voulait pas ! L'esprit tendu, les poings crispés, il chercha à comprendre où il était. Nul indice, rien... Des obus entre croisaient leurs rails par-dessus le bois ou se fracassaient tout près, faisant sauter la terre sous le sommeil des morts. Des obus allemands, ou des obus de chez nous ?... Il entendait bien de brèves fusillades, à la lisière, mais sans pouvoir s'orienter. Avions-nous avancé ? L'ennemi avait-il repris la forêt ?... Rien ne pouvait le renseigner. Son angoisse vivait seule dans ce bois mutilé, parmi ces dormeurs insensibles que l'épouvante ne tourmentait plus.

Avec le soir, pourtant, la canonnade s'apaisait ; il rôdait un vent froid qui sentait la pluie, et la terre visqueuse glaçait les jambes. La peur se rapprochait, couleur de nuit.

Soudain, il lui sembla entendre un craquement de branches. Faisant un brusque effort il se redressa sur le coude et appela :

— Par ici... Je suis blessé...

Rien ne répondit, rien ne bougea. Brisé par son effort, il retomba sur le côté, geignant. Sa blessure exaspérée lui tenaillait la poitrine, les entrailles, les reins, tout le corps. Dans le vertige de son mal, il balbutiait :

— Je ne bougerai plus... Je jure de ne plus bouger, mais faites-moi moins de mal.

Et pour apitoyer le Maître obscur qui le forçait à souffrir, il restait inerte, les yeux scellés, enfonçant ses doigts crochus dans la terre glacée.

La souffrance, lentement, se fit moins cruelle et une pensée s'éveilla dans sa tête bourdonnante.

— Il ne faut plus rester sans bouger... Si je m'évanouis, on ne me verra pas, on me laissera mourir. Il faut que je me redresse, il faut que j'appelle.

Alors avec une volonté tenace, il décida "Je vais m'adosser à un arbre et me panser... Puis, quand des soldats passeront, je crierai... Il le faut... C'est ma peau..."

Il n'avait pas encore osé toucher sa blessure, cela lui faisait peur, et sa main s'écartait même de son ventre, pour ne pas sentir, ne pas savoir.

— L'hémorragie doit être arrêtée, pensait-il, ça ne coule plus. Je vais faire mon pansement.

Les dents serrées sur les cris qui lui montaient de la gorge, il se redressa péniblement, se traîna, puis se laissa tomber, le dos contre un arbre. Sa blessure réveillée lui battait aux reins, d'un pouls de fièvre. Il s'accorda un instant de répit, les yeux fermés : il lui semblait qu'il venait de se sauver un peu.

Il prit son paquet de pansement dans sa cartouchière et déchira l'enveloppe. Maintenant, il fallait atteindre sa blessure, la toucher. Ses mains plusieurs fois glissèrent vers son ventre, mais elles hésitaient, n'osaient pas. Enfin, il se dompta, et, la bande prête, résolument il toucha la plaie. C'était au-dessus de l'aine gauche. Sa capote était déchirée et, sous ses doigts craintifs, il ne sentait rien qu'une chose gluante. Lentement pour ne pas souffrir, il déboucla son ceinturon, ouvrit sa capote et son pantalon, puis il essaya de soulever sa chemise. Ce fut horrible, il lui sembla qu'il allait s'arracher les entrailles, emporter sa chair... Torturé, il s'arrêta, sa main posée sur sa peau nue. Il sentit quelque chose de tiède qui, doucement, lui coulait le long des doigts. Alors effrayé, pour arrêter son sang, il prit son pansement et sans le dérouler, en tampon, il l'appliqua sur sa blessure. Il mit par-dessus l'enveloppe de grosse toile, puis son mouchoir, et, pour tenir cela bien serré sur la plaie sanglante, il referma son pantalon, torture atroce qui lui broya les reins.

Enfin, à bout de forces, il laissa retomber ses bras et, la tête renversée, il s'abîma dans sa souffrance. Il respirait à souffles saccadés, d'une haleine rauque. Les ténèbres descendaient dans ses yeux, comme pour les remplir. Sur son corps glacé, sa tête bourdonnante de fièvre semblait brûler, et le vent froid qui battait l'ombre ne rafraîchissait pas son front. Quelques gouttes de pluie, larges et lourdes, lui firent un bien infini, en s'écrasant sur son visage. Il aurait voulu rester ainsi toujours, jusqu'à l'arrivée des brancardiers.

Les idées, sous ses tempes, battaient comme une fièvre. Non, ils ne viendraient pas le chercher... C'était pour le punir. Pourquoi n'était-il pas allé chercher le blessé, la veille ?... Il avait appelé toute la nuit, pourtant. C'était pour le punir : lui aussi on le laisserait mourir...

Il pensait toujours à cet homme qui avait crié toute la nuit, dans le désert noir. Cela l'obsédait... Il se disait dans son délire :

— Si j'arrive à ne plus penser à lui, je suis sauvé... C'est lui qui m'empêche d'être guéri... Il ne faut plus...

Et il se répétait : "Je veux... je veux...", mais d'une voix sans force, comme un enfant en larmes que son chagrin va endormir.

Dans l'ombre, des voix tragiques s'éveillaient. Il entendit un Allemand qui suppliait, avec un accent :

— Ici... Blessé vrançais... venez, vrançais.

Puis, soudain, ce fut un rire horrible, un rire dément qui fit trembler la nuit.

— Hé, les copains !... criait un autre... j'serai plus soldat... Venez voir, les gars, je peux plus être soldat, je n'ai plus de jambes...

Les moribonds s'éveillaient l'un l'autre, se répondaient... Puis le silence retomba, tragique.

Gilbert sentait sa tête s'alourdir, tout son corps s'écraser... Une fois encore il se raidit. A présent qu'il faisait noir, les brancardiers allaient certainement arriver, ou des renforts, quelqu'un...

Il ne fallait pas dormir, il ne fallait pas mourir.

Dans sa tête obscurcie les deux mamans se confondaient : la sienne et celle que le mourant avait appelée toute une nuit... Laquelle était la sienne ?... Non, il ne fallait plus penser à cela. Les mains à plat sur la terre froide et molle, le visage offert à la pluie bienfaisante, il regarda la nuit lourde, où rien ne bougeait.

Il fallait rester ainsi longtemps, tant qu'il faudrait, jusqu'à ce qu'on vienne. Il ne fallait plus penser à rien, s'obliger à ne plus penser. Alors, d'une voix étranglée qui s'effrayait elle-même, il se mit à chanter :

> En revenant de Montmartre,
> De Montmartre à paris,
> J'rencontre un grand prunier qu'était couvert
> Voilà l'beau temps.   [de prunes.

Sulphart était encore devant lui, lançant sa chanson à tue-tête. Le petit Broucke dansait derrière, car il n'était plus mort...

> Voilà l'beau temps
> Ture-lure-lure,

> *Voilà l'beau temps,*
> *Pourvu que ça dure,*
> *Voilà l'beau temps pour les amants.*

La pluie, maintenant, tombait plus serrée, en rafales froides, faisant un bruit plus sourd sur les capotes des morts... Le long de ses joues, elle glissait en frissons glacés qui éteignaient sa fièvre... Sans comprendre, en délirant, il chantait toujours, la voix entrecoupée :

> *J'rencontre un grand prunier*
> *Qu'était couvert de prunes.*
> *Je jette mon bâton d'dans, j'en fais tomber*
> *Voilà l'beau temps...   [quelqu'-z-unes.*

La nuit semblait se mettre en marche, sur ses mille pattes d'eau qui piétinaient. Contre l'arbre humide qui le soutenait, un cadavre accroupi glissa et tomba lourdement, sans sortir de son rêve. Gilbert ne chantait plus. Son souffle épuisé mourait dans un murmure que recouvrait la pluie. Mais ses lèvres semblaient bouger encore :

> *Voilà l'beau temps,*
> *Ture-lure-lure,*
> *...l'beau temps, pourvu que ça dure...*

La pluie ruisselait en pleurs le long de ses joues amaigries. Puis deux lourdes larmes coulèrent de ses yeux creux : les deux dernières...

LE RETOUR DU HÉROS

C'ÉTAIT le printemps. On le devinait rose et blond, derrière les longs rideaux de l'hôpital, et l'air qui tombait du vasistas était frais et doux comme des mains.

Jamais Sulphart ne fut aussi heureux que pendant les quelques mois qu'il passa à l'Hôtel-Dieu de Bourg. Seules, les premières semaines furent pénibles, et quand il s'éveillait le matin, l'amère pensée, aussitôt, lui pinçait le cœur.

— Mince... Le billard.

Le café lui semblait moins bon — il lui trouvait un goût — et il lisait sans s'amuser les journaux de Lyon, que la marchande portait de salle en salle. Il ne pensait qu'au billard, et ces dix minutes de souffrance lui gâtaient sa matinée, ces bonnes heures de paresse où le soleil se lève aussi dans les esprits. Quand arrivaient les premières poussettes sur lesquelles on glissait les blessés, il faisait malgré lui une grimace, et il regardait vite de l'autre côté. Il comptait peureusement combien il en restait à passer avant lui, son ventre se serrait à mesure que son tour approchait, il espérait confusément qu'il allait se produire quelque chose, qu'on allait peut-être l'oublier, et quand la voiturette accostait tout de même le long de son lit, il laissait éclater sa colère impuissante, pour se soulager. Il regardait le porteur avec un air mauvais : un grand diable aux joues hérissées de poils drus.

— Des mecs qui font la guerre en charriant ceux qui se font casser la gueule à leur place, grognait-il. Y en a qui savent nager... Houla ! Houla ! Tu peux pas y aller plus doucement, non. Tu crois rentrer ton foin ? Paysan !

— T'es pas content d'aller faire ta partie, blaguait l'autre sans se fâcher.

De la salle d'opération, on entendait monter les cris, des plaintes aiguës, et parfois des gémissements rauques, quand la douleur était trop forte. Ceux qui avaient déjà passé ou ne descendaient pas au pansement rigolaient dans leur lit.

— C'est le petit chasseur. Écoute-le chanter... Une vraie voix de ténor, j'te dis.

Lorsqu'on remontait, inerte et cireux sur sa voiture, un opéré encore sous le chloroforme, c'était un divertissement d'une heure, tout le monde se taisait pour l'écouter divaguer. Le jour où l'on avait opéré Sulphart, les sœurs, pourtant habituées à tout entendre, avaient dû s'éloigner, par décence. Il avait braillé des horreurs et les petits des jeunes classes, qui n'avaient pas connu la caserne d'avant guerre et l'enseignement profitable des anciens, purent apprendre par cœur la *Mère Blaise* et le *Naret*, dont il chanta tous les couplets.

Une fois opéré, et sûr de ne pas retourner au front avant longtemps, Sulphart allégé de deux tourments se sentit revivre et, sans les séances de pansement, il eût été pleinement heureux. Sa main, encore tout empaquetée de blanc, avec ses deux doigts amputés, le gênait bien un peu, et il ne parlait pas sans fatigue, les chirurgiens lui ayant ouvert deux fois la poitrine pour sortir des éclats, mais cela le classait parmi les grands blessés, et en plus du traitement de faveur que cela lui valait —

du café au lait, des confitures, des biftecks — il en tirait quelques avantages moraux auxquels il était très sensible. On avait pour lui certains égards, les majors lui parlaient plus doucement qu'aux autres, on lui passait la "mandoline" au premier appel et jamais une infirmière ne se serait arrêtée auprès de son lit sans lui arranger les oreillers à son idée, même s'il s'était donné beaucoup de mal pour les disposer autrement. On disait de lui avec une nuance de sympathie :

— C'est celui à qui on a scié une côte.

Et il inclinait la tête avec un pâle sourire comme s'il avait voulu remercier.

Il n'avait guère dans la salle qu'un concurrent sérieux, un pauvre diable à qui l'on avait coupé une jambe et il était un peu jaloux de voir accorder à cet autre grand blessé un peu des gentillesses qui lui revenaient de droit. D'abord, l'autre était artilleur, et, suivant Sulphart, les seuls soldats qui aient fait la guerre, c'étaient les biffins ; les autres étaient tout juste là pour "marquer le coup" ; aussi, quand on lui parlait des hauts faits d'un aviateur, d'un artilleur ou d'un cavalier, il disait simplement : "Au bout d'une perche", ce qui signifiait qu'il ne croyait pas un mot de ces prétendues prouesses. Pour embêter l'amputé, il racontait aux infirmières que les artilleurs étaient des "gars qui passaient leurs journées à élever des lapins et à peloter des poules", et qu'il était de notoriété publique qu'ils ne pouvaient pas se mettre à leur pièce sans tirer trop court, et tuer les trois quarts des pauvres poilus qui étaient dans la tranchée.

Comme tous les blessés, Sulphart s'était bourré de souvenirs de guerre qu'il aurait bien voulu raconter, il en avait autant dire les joues gonflées, et ils lui coulaient tout naturellement des lèvres, comme le lait de la bouche du bébé qui a trop tété. Dès qu'il parlait, c'était des tranchées, dé barbelé, de veille, de macaroni, de barrage, de gaz, de tout ce cauchemar qu'il ne pouvait oublier.

Cependant, au début, il avait été étrangement réservé. Il avait lu dans les journaux des récits stupéfiants qui l'avaient rendu honteux : le caporal valeureux qui, à lui seul, exterminait une compagnie avec son fusil mitrailleur et achevait le reste à la grenade ; le zouave qui enfilait cinquante Boches à la pointe de sa baïonnette ; un bleu qui ramenait de patrouille une ribambelle de prisonniers, dont un officier qu'il tenait en laisse ; le chasseur à pied convalescent qui se sauvait de l'hôpital en apprenant que l'offensive était commencée, et allait se faire tuer avec son régiment. Quand il avait lu un de ces récits-là, il n'osait plus placer les siens, se rendant compte que ses petites anecdotes ne feraient aucun effet au milieu de ces faits d'armes.

Mais il lui était impossible de rester silencieux bien longtemps. Un jour, il se risqua, et raconta à sa manière, sans gloriole, avec plutôt une pointe de blague, une histoire entièrement fausse où il tenait, avec un modeste courage, le rôle exposé de patrouilleur volontaire. Il avait, une nuit, quitté la tranchée pour aller cueillir une boule de gui qu'il avait repérée entre les lignes, et il avait trouvé, à cheval sur une branche, un gros Bavarois également amateur de gui. Il l'avait fait descendre, obligé à lui faire la courte échelle, puis, sa boule de gui à la main, l'avait ramené à la tranchée française en le guidant à grands coups de soulier.

Son voisin de lit, un colonial, n'en avait pas cru un mot et avait failli étouffer de rage, mais la bonne sœur à qui était destiné le récit en avait ri toute la journée.

Cela avait décidé Sulphart à en raconter d'autres, si bien qu'il fut bientôt le héros de l'établissement et que des civils vinrent spécialement pour l'entendre.

Le personnel de l'hôpital — les majors, les infirmières, les sœurs, l'aumônier, les dames qui arrivaient à onze heures, tout essoufflées, et passaient vite leur blouse blanche pour servir le déjeuner des blessés — tous et toutes avaient entendu raconter tant d'histoires de soldats que les récits de guerre ne les étonnaient plus, mais, avec Sulphart, c'était un renouvellement complet du genre.

Dans sa bouche, la guerre devenait une sorte de grande blague, une succession abracadabrante de veilles, de patrouilles, d'attaques, de ribouldingues. En l'écoutant, le plus rétif des auxiliaires eût demandé à partir au front.

Mais les autres blessés, qui en revenaient, étaient des auditeurs moins crédules, et les histoires de Sulphart les rendaient malades de fureur. Tant que les infirmières étaient en rond autour du lit, écoutant attentivement le narrateur, ils n'osaient rien dire — tout au plus ricaner en sourdine — mais dès qu'elles étaient parties, on voyait se ranimer même les plus débiles, les derniers opérés sortir de leur demi-coma, les convalescents abandonner leur macramé, et, redressés sur leur lit, ils commençaient à injurier Sulphart avec des figures convulsées.

— C'est au cinéma que t'as vu jouer tout ça ?

— On te la fera fermer ta grande gueule, bourreur ! avec tes histoires à la noix.

— Sûrement qu'il n'a dû rien foutre au front, pour en raconter tant que ça...

— Ça licherait les pieds des femmes pour être mieux servis que les copains, ces gars-là.

Seul, l'artilleur ne se fâchait jamais. Quand Sulphart avait longtemps parlé et se carrait contre ses oreillers, les joues fleuries, fier de son succès, il lui disait simplement d'un petit air affectueux :

— T'as bonne mine... Ça fait plaisir à voir... Le major a l'air content, tu as remarqué ?... Allons, t'en fais pas, à la première visite, tout s'arrangera : quinze jours de convalo et tu remonteras au rif...

Cette sorte de promesse éteignait brusquement la joie de Sulphart, et, quand il racontait des histoires, rien ne l'irritait plus que la voix perfide de l'amputé qui répétait doucement, avec une obstination de perroquet :

— Apte !... Apte !...

Les autres, d'ailleurs, ne lui tenaient pas longtemps rancune : il distribuait les paquets de cigarettes que lui donnaient ces dames et partageait les litres de vin qu'il se faisait monter en cachette à la nuit. Cela finissait par les rendre indulgents.

Sulphart resta plus d'un mois sans nouvelles du régiment ; puis, un matin, une lettre de Lemoine lui apprit tout à la fois : la mort de Gilbert, celle de Bouffioux, Vieublé grièvement blessé, Ricordeau disparu... Un vrai massacre.

Sa douleur ne fut pas muette. Il relut la lettre deux fois, avec des exclamations de désespoir. Toute la journée il ne parla que de Gilbert, de sa largesse, de son intelligence, des coups durs traversés ensemble, et de la bonne vie qu'ils coulaient quand le régiment était au repos ; il délaya son chagrin dans de longs bavardages, répétant à tout le monde qu'il avait perdu son meilleur copain, autant dire un frère ; puis, le soir venu, son agitation tombée, seul éveillé dans la salle aux lits blancs, il avait songé, et il avait alors vraiment senti que son ami était mort.

Avec une étrange netteté, il se souvenait de Gilbert, le jour de son arrivée au front, et de leur premier sommeil, dans l'étroite écurie où s'entassait l'escouade. Les yeux au plafond nu, où les lampes de veille peignaient leur triste écran, il revoyait tous les camarades à la place exacte qu'ils occupaient cette nuit-là, celui-ci recroquevillé sous sa couverture, et celui-là tout droit, avec ses chaussettes percées qui dépassaient. Ils renaissaient tous dans sa mémoire, leurs visages s'abluaient avec leurs traits précis, leurs regards, leurs voix, un petit détail d'uniforme qu'il croyait oublié. Et ressuscitant l'un après l'autre, ils semblaient tous se lever pour un suprême appel : Bréval, Vairon, Fouillard,

Noury, Bouffioux, Broucke, Demachy... Et leurs voix répondaient : Mort, mort, mort...

Ses premières sorties, Sulphart les fit dans le petit jardin de l'Hôtel-Dieu, dont les beaux arbres émiettaient le soleil. Assis sur un banc, il regardait les camarades jouer aux boules, leur donnant des conseils qu'ils ne demandaient pas, ou bien il bavardait avec de jeunes femmes qui venaient là, faire de la couture.

Puis on lui donna la permission de sortir en ville et il vécut alors en petit rentier, faisant son tour jusqu'à la gare par l'avenue d'Alsace-Lorraine, flânant aux devantures, allant lire le communiqué pour voir si l'on parlait des secteurs où il s'était battu, prenant l'apéritif lorsqu'on le lui offrait et rentrant tout juste pour la soupe.

On le trouvait changé. Il était moins bruyant, moins gai. Parfois, une des infirmières, une dame de la ville, forte et rieuse, que les blessés aimaient bien, lui demandait :

— Ça ne va pas, mon petit... Vous avez des ennuis ?

Mais lui répondait vite :

— Oh ! non, madame... Y a pas à se plaindre.

Ses soucis, il ne les confiait à personne. Posant au casse-cœur de petits bars, au malin "qui dresse les poules", il ne pouvait pas avouer que c'était à cause de sa femme qu'il était triste si souvent. Elle ne lui écrivait plus que de loin en loin, des lettres de dix lignes où elle disait par politesse : "J'espère que tu vas bien", mais sans s'inquiéter outre mesure. Jamais elle ne lui demandait s'il comptait bientôt revenir, ni pour combien de temps. Elle lui avait bien écrit qu'elle n'était plus au même atelier, mais sans lui apprendre où elle travaillait depuis, et, à toutes les questions qu'il lui posait, elle ne répondait jamais rien. On le voyait suer sur de longues lettres où il entassait pêle-mêle reproches et tendresses, mais elle n'en parlait même pas dans sa réponse.

Alors, il pensait en serrant brusquement les poings :

— Que j'arrive seulement en convalo... Qu'est-ce que je lui sonnerai !

Mais à la réflexion sa colère ne tenait pas.

— Si je joue au mariole et qu'elle me laisse tomber, calculait-il, c'est encore moi qui serait de la revue...

Depuis qu'il était guéri, la pensée de sa visite aussi l'inquiétait. Si on allait le garder service armé, le renvoyer au front ?... Il suivait avec un intérêt extrême les débats des conseils de réforme et de la commission des congés. Il interrogeait interminablement ceux qui venaient de passer, il suivait avec anxiété le baromètre des conseils, tendres aujourd'hui, sévères le lendemain, et intriguait auprès des secrétaires. Il connaissait déjà le nom de tous les majors, savait leurs manies, leurs préférences, et il avait une opinion bien arrêtée sur chacun, les trouvant d'autant plus savants qu'ils réformaient plus facilement.

Il recommençait à tousser, en se forçant un peu, il ne mangeait pas à sa faim et apprenait à marcher voûté, appuyé sur une canne. L'artilleur l'accusait même de fumer du soufre, les matins de visite, de faire siffler ses poumons.

En promenade, il retrouvait pourtant de la voix pour brailler :

— Ils ne m'auront pas.. On ne renvoie pas au casse-pipes un gars amoché comme moi... Ils me traîneront plutôt par les pieds.

L'artilleur, qui le suivait en béquillant, lui grognait dans le dos :

— Il se dégonfle !... J'en étais sûr...

— J'ai fait ma bonne part, ripostait Sulphart. Maintenant j'en ai marre... Ceux qui s'en ressentent c'est pas moi qui prendrai leur place.

Le jour où il passa son conseil, ses camarades

cassaient la croûte dans un petit café dont la patronne faisait de la friture. Il arriva transfiguré, sans canne, les pommettes roses.

— Réformé numéro 1, brailla-t-il... Avec pension, les gars... Vive la classe !

L'artilleur lui tendit une lettre.

— Tiens, v'là une babille qui est arrivée pour toi...

C'était de sa concierge : elle lui apprenait que sa femme était partie avec un Belge, en emmenant les meubles.

Les autres ne s'aperçurent de rien ; pas même de son affreuse pâleur. Il offrit deux bouteilles, il blagua avec eux et, le verre en main, il chanta : *Le rêve passe*. Seulement, en sortant — peut-être un coup de froid — il se mit à cracher le sang.

*

— Oui, madame Quignon, je vous dis que c'est une ordure, cette femme-là.

— Bah ! répondait la concierge en tournant son ragoût, c'est toujours une fois qu'on les a quittés que les hommes s'aperçoivent de ces choses-là.

Sulphart, vexé, remontait alors dans son logement, où sa femme n'avait laissé qu'un lit-cage, une chaise cannée et un beau calendrier qu'on leur avait offert pour leur mariage. Depuis huit jours qu'il était revenu, il traînait désœuvré dans Rouen, allait voir les anciens amis de leur ménage, tuait le temps chez le marchand de vin, attendait les camarades à la porte de l'usine, et, partout, il ne parlait que de sa femme, même à ceux qui ne l'avaient pas connue.

— Foutre le camp avec les bois, la garce !... Et pas une lettre, rien...

A raconter éternellement la même histoire, il avait vite lassé tout le monde. Les femmes, généralement, lui donnaient tort, disant que Mathilde ne pouvait pourtant pas rester toujours seule à s'embêter, que "ça" durait depuis trop longtemps et que les hommes auraient peut-être fait pire à la place des femmes.

Sulphart s'aigrissait. Il n'avait eu que des déceptions depuis son arrivée. A la caserne, où il comptait retrouver les effets de civil qu'il avait laissés le 2 août 1914, le sergent-major avait haussé les épaules : "Les fringues ? Elles étaient loin..." On avait bien fait des paquets de vêtements, soigneusement étiquetés et mis en tas réglementaires ; malheureusement, les uns avaient laissé un morceau de fromage dans leur poche, les autres un sandwich ou un reste de saucisson, tout cela avait pourri, les rats et la vermine s'y étaient mis et il avait fallu tout brûler.

C'est une Œuvre qui dut l'habiller, et, comme chaussures, on lui laissa à titre de souvenir ses brodequins des tranchées, tout racornis de boue. A l'atelier, il n'avait pas retrouvé sa place, le patron ayant sous-loué à une usine de munitions, et au Chemin de fer, on l'avait trouvé trop faible. D'ailleurs, il cherchait de l'ouvrage sans désir d'en trouver, s'en remettant au hasard pour le nourrir quand il aurait mangé ses quelques francs, et trop habitué à trouver son rata prêt à la roulante pour ne pas admettre que la soupe était due aux hommes comme la lumière du jour. Tout lui semblait marcher de travers et il disait :

— S'il y avait autant de pagaille et de saloperies au front comme il y en a à l'arrière, les Boches seraient à Bordeaux depuis une paie.

En rentrant le soir — souvent avec un verre de trop — il s'arrêtait chez sa concierge, et, avant de monter dans sa chambre nue, il se soulageait de tout ce qu'il avait de rage au cœur et de peine cachée. Ce malheur injuste — sa femme partie — dressait autour de lui quatre murs de prison où il se cognait la tête.

— Non, après ce que j'en ai bavé, c'est tout de même de trop... C'est qu'on a souffert, nous autres, madame Quignon... Tenez, à Craonne, figurez-vous.

Mais la concierge levait aussitôt les bras, comme pour demander grâce :

— Ah ! monsieur Sulphart, suppliait-elle, ne me racontez plus de ces histoires de tranchées, on en a les oreilles rebattues.

Découragé, il montait se coucher. Il avait planté une baïonnette dans le plancher, à la tête de son lit, et cela lui servait de bougeoir, comme au front. Il sortait d'un placard des illustrés poussiéreux, de vieux journaux, et les lisait pour s'endormir. C'est ainsi qu'il tomba sur l'article oublié d'un académicien :

"Nous avons contracté envers nos poilus une dette de reconnaissance que nous n'oublierons jamais, disait l'écrivain. Nous sommes débiteurs de toutes les souffrances que nous n'avons pas subies..."

Sulphart découpa l'article et le rangea dans son calepin.

*

Il arriva à Paris avec seulement sept francs en poche, mais, le matin même, il était embauché pour le lendemain dans une maison de Levallois. Pour la première fois depuis qu'il avait repris le veston de civil, il se sentit heureux. Quinze francs par jour ! Il supputait tout ce qu'il allait avoir de bien-être, d'aise, de bonheur, pour ses quinze francs.

C'était son tour maintenant de "se la couler douce". Il allait se faire de bons copains — des gars qui seraient allés au front comme lui — il dénicherait un petit bistrot convenable pour manger à midi, il trouverait une chambre pas trop loin, pour pouvoir se lever tard. Déjà, en traversant les ateliers, il avait remarqué des ouvrières, une, surtout, qui riait en relevant ses cheveux d'une main noircie par la potée. Cela le faisait sourire de penser à elle.

— C'est du sérieux, ces poules-là... Ça sait tenir une maison.

Il suivait son petit rêve, les yeux distraits, quand une auto remplie de grues et d'uniformes chic faillit le renverser. D'un recul brusque, il évita le capot.

— Embusqué ! lui cria celui qui était au volant.

Sulphart fit mine de s'élancer, mais il se contenta de montrer le poing à la voiture, en hurlant des injures dont les passants seuls purent bénéficier.

L'insulte reçue lui pesa sur le cœur pendant tout le déjeuner, et, pour la faire descendre, il reprit trois fois du vieux marc avec son café. Alors, ragaillardi, il alla faire un tour sur les boulevards. A la porte d'un journal où le communiqué était affiché, des gens discutaient.

— On devrait faire une grande offensive, disait d'une voix courte un gros monsieur aux yeux en boule.

— Avec ta viande, lui cria Sulphart dans le nez.

Tous ces civils qui osaient parler de la guerre le mettaient hors de lui, mais il ne détestait pas moins ceux qui n'en parlaient pas, et qu'il accusait d'égoïsme.

En flânant devant les boutiques, il aperçut à la devanture d'un bureau de tabac, un tableau superbe, en couleurs, qui l'arrêta émerveillé. Formé d'une douzaine de cartes postales assemblées, ce chef-d'œuvre représentait une femme géante, en cuirasse d'argent, qui tenait une palme d'une main, une torche de l'autre et semblait conduire une farandole où l'on reconnaissait des soldats gris, des soldats verts, des soldats kaki. Le soldat français, crut-il remarquer, lui ressemblait comme un frère, et cela le flatta infiniment. Il entra et demanda à la marchande :

Combien votre truc ?

— Trois francs, dit la patronne.

Sulphart fit la grimace en pensant qu'il ne lui restait plus que trente-huit sous.

— J'en voudrais seulement une, celle du bas, insista-t-il... Où qu'il y a un poilu qui me ressemble.

La buraliste haussa les épaules.

— On ne détaille pas, répondit-elle sèchement.

Sulphart sentit qu'il devenait tout rouge. Et d'un coup rageur, frappant le comptoir de sa main mutilée, il gronda :

— Et ma main, moi, je ne l'ai pas détaillée ?

La marchande cligna simplement des yeux, comme si ces cris lui faisaient mal, mais sans lever la tête, et elle continua à peser du tabac à priser.

— Enfin, dit Sulphart en s'adressant à un monsieur qui choisissait des cigares, s'il y en a qui reviennent du front, ils doivent comprendre que je l'aie à la caille.

Le client fit un vague signe de tête, se retourna et prit du feu, à larges bouffées. Les consommateurs, à côté, regardaient le fond de leur verre et le garçon, pour ne rien entendre, avait ouvert un journal. Sulphart les ayant regardés tous, comprit et haussa les épaules, déjà résigné.

— Ça va bien, dit-il, jetant trente sous sur le comptoir. Tenez, donnez-moi un paquet de cigarettes jaunes, ça fait longtemps que je n'ai fumé que du gros.

L'après-midi, ayant longtemps hésité, passé et repassé devant la porte sans oser entrer, il rendit visite aux parents de Demachy. Le luxe de l'appartement l'impressionnait, la douleur de la mère lui serrait le cœur, et il se sentait gêné, ayant peur de paraître mal élevé en remuant les pieds ou en parlant trop fort. En partant, la mère l'embrassa et lui donna cent francs. Sulphart, qui sentait ses larmes prêtes à jaillir, ne put pas dire merci et se sauva. Seule, la concierge le vit pleurer.

— C'était mon copain, Gilbert, lui dit-il. Un brave gars...

La poche pleine, il partit pour Levallois afin de payer son "quand est-ce" aux copains de l'usine. Dans la chaude atmosphère du café — la fumée, les voix cordiales, les verres qui trinquent — il sentit fondre son chagrin.

Renversé mollement sur la banquette de moleskine, il buvait son apéritif à petites gorgées en regardant s'envoler les légères bouffées de fumée bleue. Les consommateurs parlaient de la guerre, les journaux du soir ouverts devant eux, et cela l'ennuyait. Les armées, à présent, avançaient de dix kilomètres dans une journée, alors que de son temps il fallait peiner des semaines pour arracher quelques centaines de mètres, en les couvrant de morts. Lorsqu'il prononçait les noms de ses batailles, des noms tragiques qu'il croyait immortels, on ne les connaissait plus : l'égoïsme de l'arrière les avait oubliés. Et il en ressentait une sorte d'amertume.

Pourtant, ce soir-là, il était heureux. Les paroles lui parvenaient à travers un brouillard, comme un inutile bavardage.

— Il n'y a qu'à attendre, braillait le patron qui jonglait avec ses bouteilles au comptoir. Maintenant, on est sûr de les avoir. On fera chez eux ce qu'ils ont fait chez nous.

— Mais tais-toi donc, protesta un ouvrier qui jouait sa journée au zanzibar. Ce qu'il faut, c'est la paix. C'est honteux de faire durer cette saloperie-là.

A cheval sur une chaise, l'air éreinté, les joues blêmes et les oreilles écarlates, un buveur, un peu saoul, mâchonnait son avis :

— Paix ou pas paix, c'est trop tard, c'est une défaite. Rien à faire, je vous dis, le coup est joué. Pour nous autres, c'est une défaite.

Sulphart leva la tête et dévisagea celui qui parlait ainsi.

— Moi, lui dit-il, je dis et je prétends que c'est une victoire.

Le buveur le regarda et haussa les épaules.

— Pourquoi ça, que c'est une victoire ?

Sulphart déconcerté chercha un instant, ne trouvant pas tout de suite les mots qu'il fallait pour exprimer son farouche bonheur. Puis, sans même comprendre la terrible grandeur de son aveu, il répondit crûment :

— J'trouve que c'est une victoire, parce que j'en suis sorti vivant...

VII

ET C'EST FINI

ET c'est fini...

Voici la feuille blanche sur la table, et la lampe tranquille, et les livres... Aurait-on jamais cru les revoir, lorsqu'on était là-bas, si loin de sa maison perdue ?

On parlait de sa vie comme d'une chose morte, la certitude de ne plus revenir nous en séparait comme une mer sans limites, et l'espoir même semblait s'apetisser, bornant tout son désir à vivre jusqu'à la relève. Il y avait trop d'obus, trop de morts, trop de croix ; tôt ou tard notre tour devait venir.

Et pourtant c'est fini...

La vie va reprendre son cours heureux. Les souvenirs atroces qui nous tourmentent encore s'apaiseront, on oubliera, et le temps viendra peut-être où, confondant la guerre et notre jeunesse passée, nous aurons un soupir de regret en pensant à ces années-là.

Je me souviens de nos soirées bruyantes, dans le moulin sans ailes. Je leur disais : "Un jour viendra où nous nous retrouverons, où nous parlerons de nos copains, des tranchées, de nos misères et de

nos rigolades... Et nous dirons avec un sourire :
"C'était le bon temps !"

Avez-vous crié, ce soir-là, mes camarades ! J'espé-
rais bien mentir, en vous parlant ainsi. Et cependant...

C'est vrai, on oubliera. Oh ! je sais bien, c'est
odieux, c'est cruel, mais pourquoi s'indigner : c'est
humain... Oui, il y aura du bonheur, il y aura de la
joie sans vous, car, tout pareil aux étangs transpa-
rents dont l'eau limpide dort sur un lit de bourbe,
le cœur de l'homme filtre les souvenirs et ne garde
que ceux des beaux jours. La douleur, les haines,
les regrets éternels, tout cela est trop lourd, tout
cela tombe au fond...

On oubliera. Les voiles de deuil, comme des
feuilles mortes, tomberont. L'image du soldat disparu s'effacera lentement dans le cœur consolé de
ceux qu'ils aimaient tant. Et tous les morts mour-
ront pour la deuxième fois.

Non, votre martyre n'est pas fini, mes camarades,
et le fer vous blessera encore, quand la bêche du
paysan fouillera votre tombe.

Les maisons renaîtront sous leurs toits rouges,
les ruines redeviendront des villes et les tranchées
des champs, les soldats victorieux et las rentreront
chez eux. Mais Vous ne rentrerez jamais.

C'était le bon temps.

Je songe à vos milliers de croix de bois, alignées
tout le long des grandes routes poudreuses, où
elles semblent guetter la relève des vivants, qui ne
viendra jamais faire lever les morts. Croix de 1914,
ornées de drapeaux d'enfants qui ressembliez à des
escadres en fête, croix coiffées de képis, croix
casquées, croix des forêts d'Argonne qu'on couron-
nait de feuilles vertes, croix d'Artois, dont la rigide
armée suivait la nôtre, progressant avec nous de
tranchée en tranchée, croix que l'Aisne grossie
entraînait loin du canon, et vous, croix fraternelles
de l'arrière, qui vous donniez, cachées dans le
taillis, des airs verdoyants de charmille, pour rassu-

rer ceux qui partaient. Combien sont encore debout, des croix que j'ai plantées ?

Mes morts, mes pauvres morts, c'est maintenant que vous allez souffrir, sans croix pour vous garder, sans cœurs où vous blottir. Je crois vous voir rôder, avec des gestes qui tâtonnent, et chercher dans la nuit éternelle tous ces vivants ingrats qui déjà vous oublient.

Certains soirs comme celui-ci, quand, las d'avoir écrit, je laisse tomber ma tête dans mes deux mains, je vous sens tous présents, mes camarades. Vous vous êtes tous levés de vos tombes précaires, vous m'entourez, et, dans une étrange confusion, je ne distingue plus ceux que j'ai connus là-bas de ceux que j'ai créés pour en faire les humbles héros d'un livre. Ceux-ci ont pris les souffrances des autres, comme pour les soulager, ils ont pris leur visage, leurs voix, et ils se ressemblent si bien, avec leurs douleurs mêlées, que mes souvenirs s'égarent et que parfois, je cherche dans mon cœur désolé, à reconnaître un camarade disparu, qu'une ombre toute semblable m'a caché.

Vous étiez si jeunes, si confiants, si forts, mes camarades : oh ! non, vous n'auriez pas dû mourir... Une telle joie était en vous qu'elle dominait les pires épreuves. Dans la boue des relèves, sous l'écrasant labeur des corvées, devant la mort même, je vous ai entendus rire : jamais pleurer. Était-ce votre âme, mes pauvres gars, que cette blague divine qui vous faisait plus forts ?

Pour raconter votre longue misère, j'ai voulu rire aussi, rire de votre rire. Tout seul, dans un rêve taciturne, j'ai remis sac au dos, et, sans compagnon de route, j'ai suivi en songe votre régiment de fantômes. Reconnaîtrez-vous nos villages, nos tranchées, les boyaux que nous avons creusés, les croix que nous avons plantées ? Reconnaîtrez-vous votre joie, mes camarades ?

C'était le bon temps... Oui, malgré tout, c'était le bon temps, puisqu'il vous voyait vivants... On a bien ri, au repos, entre deux marches accablantes, on a bien ri pour un peu de paille trouvée, une soupe chaude, on a bien ri pour un gourbi solide, on a bien ri pour une nuit de répit, une blague lancée, un brin de chanson... Un copain de moins, c'était vite oublié, et l'on riait quand même ; mais leur souvenir, avec le temps, s'est creusé plus profond, comme un acide qui mord...

Et maintenant, arrivé à la dernière étape, il me vient un remords d'avoir osé rire de vos peines, comme si j'avais taillé un pipeau dans le bois de vos croix.

TABLE

    I. — Frères d'armes 5
   II. — A la sueur de ton front 21
  III. — Le fanion rouge 28
   IV. — La bonne vie 53
    V. — La veillée des armes 68
   VI. — Le moulin sans ailes 88
  VII. — Au café de la Marine 123
 VIII. — Le mont Calvaire 133
   IX. — Mourir pour la Patrie 149
    X. — Notre-Dame des Biffins 152
   XI. — Victoire 170
  XII. — Dans le jardin des morts 199
 XIII. — Dans la maison du bouquet blanc . 213
  XIV. — Mots d'amour 222
   XV. — En revenant de Montmartre 230
  XVI. — Le retour du héros 266
 XVII. — Et c'est fini 281

Composition réalisée par C.M.L., Montrouge

IMPRIMÉ EN FRANCE PAR BRODARD ET TAUPIN
Usine de La Flèche (Sarthe).
LIBRAIRIE GÉNÉRALE FRANÇAISE - 6, rue Pierre-Sarrazin - 75006 Paris.
ISBN : 2 - 253 - 00313 - 1